KB003242

도덕경 편지 | 상 |

도덕경 편지 | 상 |

가톨릭 신부가
상주 가르멜 여자수도원 수녀님들에게 보낸

교회인가 | 2020년 1월 20일
1판 1쇄 발행 2020년 6월 20일
1판 2쇄 발행 2021년 5월 1일

편　저 | 신대원 신부(안동교회사연구소 소장)
펴낸이 | 권혁주 주교(천주교 안동교구장)
펴낸곳 | 도서출판 동명
천주교 안동교회사연구소
전화 : (054) 858-3111~4
(054) 673-4152
천주교 안동교구청 http://www.acatholic.or.kr
천주교 안동교구성지위원회 cafe.daum.net/adsungji

디자인 | 권진희
야생화사진 | 전형빈
표지사진 | 정상국

등록 | 1996년 3월 6일
주소 | 대구광역시 중구 서성로7(동산동)
전화 | 053)257-9669
팩스 | 053)257-9667
휴대폰 | 010-2518-2355
이메일 | dm-print@hanmail.net

ISBM 978-89-97443-09-3
값 15,000원

도덕경 편지 | 상 |

가톨릭 신부가
상주 가르멜 여자수도원 수녀님들에게 보낸

편저 신대원 신부

도서출판 동명

| 추천의 글 |

『도덕경 편지』 출간을 축하드리며 …

권혁주 주교(천주교 안동교구장)

먼저 신대원 신부님의 역저 『도덕경 편지』의 출간을 진심으로 축하드립니다. 신대원 신부님은 사제서품 30주년 기념으로 이 책을 출간하겠다고 하셨는데, 저도 이 자리를 빌려 신 신부님의 동기 사제들인 김도겸 신부님과 정진훈 신부님의 사제서품 30주년도 함께 축하드리고 싶습니다.

이번에 출간되는 『도덕경 편지』는 2,500년 전 중국의 춘추시대 사상가요 도교의 창시자라고 일컫는 노자의 『도덕경』을 신 신부님이 상주 가르멜 여자 수도원 수녀님들에게 편지 형식으로 강의한 것을 상·하 두 권으로 엮어낸 것입니다. 따라서 엄밀한 의미에서 이 책은 수녀님들에게 강의를 한 형식을 취한 것이기 때문에 『도덕경 강의』라고 해도 좋고, 또 그 형식이 편지였으니 『도덕경 편지』라고 해도 좋을 것입니다.

우리는 동아시아의 사상과 문화의 전통에는 다양한 것이 있다는 사실을 잘 알고 있습니다. 그러나 여기서 유(儒), 불(佛), 도(道) 3교를 제외시켜 두고서는 우리가 아무것도 말할 수 없다는 것도 사실입니다. 그래서 그리스도교가 이러한 동아시아의 사상과 문화의 전통이라는 토양 속에서 우리에게 전래되어 우리의 전통문화 안에 뿌리를 내려 오늘에까지 이르렀다면, 우리가 이 사상과 문화의 전통을 무시하고서 결코 이 땅에서 천주 신앙과 그리스도의 복음을 제대로 선포한다고 말할 수는 없을 것입니다.

이미 신대원 신부님은 흔히 유가사상의 정점이라고 일컬어지는 『중용(中庸)』에 대해서 『중용 속에서 놀다』(2010)라는 이름으로 책을 출간한 적이 있습니다. 이제 다시 신 신부님은 유가의 사상과 더불어 도가의 사상의 출발점이라고 볼 수 있는 『도덕경』을 소재로 하여 그리스도교 사상, 그 가운데서 특별히 『성경』과 더불어 자신의 신앙적 견해를 덧붙여 봉쇄수도원에서 생활하시는 수녀님들에게 소개하고 함께 나누고 있는 것입니다. 신 신부님의 끊임없는 이러한 연구와 복음적인 관심에 깊이 감사를 드리는 바입니다.

이 책은 81장이나 되는 『도덕경』 전문을 번역한 뒤, 저자의 생각을 불어넣어 한 달에 한 편씩 수녀님들께 편지 형식으로 보냈던 내용을 정리한 것입니다. 이렇게 편지 형식으로 보낼 수밖에 없었던 이유는 간단합니다.

신 신부님이 상주 가르멜 여자 수도원에서 사목하실 때, 수녀님들께 약속했던 『도덕경』 강의를 해 드리지 못한 채 인사이동 되어 멀리 봉화 땅에 있는 우곡(愚谷) 성지로 떠나셨기 때문에 그렇게 할 수밖에 없었습니다. 그리하여 신 신부님은 수녀님들과의 약속을 지키기 위해 매달 꼬박꼬박 편지 형식으로 『도덕경』 강의를 하셨던 것입니다.

그리고 신 신부님은, 그렇게 강의하고 전달하였던 내용을 그냥 묻어두기가 아까워 안동교구 선후배 동료 사제들과 나누고 싶어서 『도덕경』 발간을 결심하게 되었다고 합니다.

『도덕경』 안에는 참으로 우리 인생살이에서 귀담아 새겨 둘 글귀들이 많습니다. 예컨대 "유무상생(有無相生 : 있는 이와 없는 이는 서로 살게 해주고)(2장)", "상선약수(上善若水 : 최고의 지혜는 흐르는 물과 같다)(8장)", "도법자연(道法自然 : 도는 스스로 그러하신 분을 본받는다)(25장)" 등등입니다.

교구의 모든 신부님들과 교우들께서도 한 번쯤 읽어보시고 신앙인으로 마음을 다잡아보는 데 도움이 되었으면 합니다. 노자의 『도덕경』 속에는 노자라는 걸출한 현자가 바라다 본 그만의 사람 사는 세상의 삶의 방식, 생활 철학이 들어 있습니다.

이렇게 좋은 책을 소개해 주신 신 신부님에게 다시 한 번 감사드립니다. 그리고 사제로서 지난 30년 동안 교회와 지역 사회를 위해 기쁘게 봉사해 주심에 대해서도 이 자리를 빌려 감사드리고 싶습니다. 아시다시피 지금은 한국 사회뿐 아니라 전 세계 지구촌이 코로나19로 몸살을 앓고 있고, 모두가 힘겹게 그 어려움을 견디어내면서 살아가고 있습니다.

아무쪼록 이럴 때 이 책이 어렵고 힘들게 살아가는 사람들에게 조금이라도 삶에 보탬이 되고 다시 일어서는 희망의 활력소가 될 수 있다면 얼마나 좋을까 고대해 봅니다.

2020년 5월 1일 노동자의 주보이신 성 요셉 축일에

| 서문 |

다시 노자를 읽어야만 하는 시대

김병수 신부(한국외방선교회)

안동에 사시는 신대원 신부님으로부터 《도덕경 편지》에 관한 〈서문〉에 대해 의뢰를 받았다. 몇 가지 생각이 금세 스쳐 지나갔다. 십여 년 전 상하이에서 처음 만났을 때부터 나는 신 신부님에게서 노자적인 인상을 받았다. 친절하고 겸손해서 그러하고 여성스럽고 다감해서 또한 노자를 닮았다고 생각했다. 원고를 읽어 가면서 그런 느낌은 더욱 굳어졌다. 소머리산 아래 은둔 생활을 하시는 봉쇄수녀님들께 그것도 연애편지 쓰듯이 도덕경을 해설해 주셨다.

또 본인은 우곡(愚谷 : 바보 계곡)에 사시면서 도덕경을 강해한다니 곡신불사를 읊으신 노자를 닮았다. 우곡에서 살면 노자의 도덕경을 쓰실 수밖에 없겠다는 생각이 든다.

도덕경을 풀이한 책은 많다. 그러나 정말 뼛속까지 노자인 사람, 노자처럼 살아가는 사람이 쓴 해설은 다르다. 신 신부님의 이 도덕경 편지를 읽어 보면 유유자적이다. 숙제처럼 쓴 글이 아니니 읽는 이 역시 집착하지 않아도 된다. 물 흐르듯 읽히는 글은 저자 역시 그렇게 집착하지 않고 썼기 때문일 것이다. 이 책은 세 가지 관점, 곧 수도자의 길, 여성에 대한 이해, 생태의 원리에서 그 현대적 가치를 매길 수 있다. 수도자가 유가를 읽으면 매사에 적극적이고 노력할 것을 요구 받는다. '誠'이라는 방법론을 쓰기 때문이다. 일찍이 '막스 베버'는 유가의 근면, 성실에서 화상(華商)들의 경제 원리를 간파했었다. 하지만 수도자가 노, 장을 읽으면 지혜를 찾게 된다. 인생의 궁극적 문제를 건드리기 때문인데 그 방법론은 '無爲'에 있다. 무위는 수도자들에게는 '거룩한 수동'으로 이해되어야 제격이다. 신의 존재와 섭리를 전제로 자아를 이해하기 때문이다. 신대원 신부님의 도덕경 편지는 그런 의미에서 매우 구도자적인 작업이다. 편지 형식은 대면을 하면서 강의하는 것과는 다른 차원에서 이루어지는데 객관적인 성찰로 이어질 수 있다.

노자는 어쩌면 그리도 여성에 대한 깊은 이해가 있었을까? 그리고 공자는 어찌 그리 여성에 대해 부정적일까? 그렇게 두 사람의 사상을 들여다보면 노자는 자(雌)의 철학이요, 공자는 웅(雄)의 철학이다. 우스갯소리로 노자는 엄마의 뱃속에서 80년을 살다 나와서 그런가? 그리고 공자는 악처에 시달려서 여성에 대한 부정적 트라우마가 생긴 것은 아닐까? 〈논어〉양화(陽貨)편에 '여자와 소인은 다루기 어렵다. 가까이 하면 불손하게 굴고 멀리하면 원망한다'(唯女子與小人 爲難養也近之則不孫遠之則怨)는 말이 나온다. 단편적이지만 이 말은 공자의 여성관을 짐작케 한다. 여성이라는 존재에 대해 '너무 가까이 하지도 말고 너무 멀리하지도 말라'(不可近不可遠)는 뜻으로 읽힌다. 중국의 유교문화는 가부장적이다. 모든 축은 '사대부'라는 돌쩌귀를 중심으로 돌았다. 여성은 '웅(雄)'의 소유물이었을 뿐이다. 반면 노자는 여성적이다. '곡신불사(谷神不死)'는 사대부들을 향한 항거였고 '상선약수(上善若水)'는 그 원리이다. 곡신은 생명을 잉태하는 모든 암컷의 성기이다. 만물의 존재와 지속은 '생명창조'에 근거한다. 물로써 그 만물 잉태와 양육에 직접 참여하는 '자(雌)'의 역할은 신의 창조에 협력하는 일이다. 불은 분노하고 투쟁하고 생명을 불사른다.

서양 문물은 불의 문명이다. 그 불의 열기에 지구와 생태계가 죽어가고 있다. 현대 문명을 치유할 수 있는 길은 노자에 있고 그 길을 노자는 물의 지혜로 풀이한다.

케케묵은 말 꺼내는 것 같지만 "다시 노자이다." 노자이어야 함은 이 시대의 아픔과 치유의 절박성 때문이다. 옛글을 회상하며 감상에 젖기 위함이 아니라 '온고지신'의 지혜를 찾기 위함이다. 신 신부님은 도덕경을 인류를 향한 '비가(悲歌)요, 애가(哀歌)요, 연가(戀歌)'라 하셨다. 세상을 향한 노자의 맺힌 '한풀이' 혹은 세상을 위한 그의 '마지막 참된 삶에 관한 메시지'라 했다. 노자는 세상에 무슨 한이 그리 많았을까? 중국의 사상사 속에서 유교는 지난 3천 년간 '큰형님(大哥)'노릇을 했고 통치자들은 유가에게서 통치권과 기득권을 얻었다. 유교는 그렇게 스스로 도통(道統)이었고 대 전통(大傳統)이었다. 중국 공산당이 다시 공자를 찾고 유가를 숭상한다고 법석이다. 자신들의 기득권과 통치권을 확보하기 위함이다. 하지만 노장 철학은 중국 역사에서 한 번도 제대로 된 대접을 받아본 적이 없었다. 그렇게 달빛 으슥한 곳에서 서민들의 애환을, 아픔을 어루만져 주는 소 전통적 역할을 면면히 담당해 왔을 뿐이다. 그러나 역사를 바라보는 각도가 달라졌다. 거시사적 역사관의 허함을 보았기에 미시사적 역사관에서 답을 찾으려 하고 있다. 노자의 그 섬세함이 큰 지혜로 다가온다.

다시 모계 사회로 회귀하고 있는 현상이 전 세계적으로 감지되지만 한국 사회가 더 현저하다. 사실 자연계의 원형은 모계 사회이다. 신모계 사회적 현상은 지난 몇천 년 간 인류의 역사 속에서 진행되어온 여성에 대한 불평등과 불균형적 인간 이해에 대한 항거일 것이다. 마오쩌뚱은 일찍이 혁명의 시작에서부터 "하늘의 반을 떠받치고 있는 것은 여성이다"는 말로 혁명을 성공으로 이끌었다. 무신론적 사회주의

마저 여성에 대해서는 공자보다 공정했고 깊었다.

그리스도교적 전통 역시 성의 불균형, 가부장적 구조를 지닌 유다이즘에 근거하고 있다. 뉴에이지는 그 틈새를 파고들고 있다. 기존의 종교들이 놓치고 있는 여성 이해의 틈을 파고들고 있으며 기성종교의 가치와 역할에 파괴력을 발휘하고 있으니 여성에 대한 교회의 새로운 이해와 패러다임이 요구되고 있다.

한 세기가 지나서 다시 들어보니 무위하라고 '렛잇비'를 외치던 비틀즈의 메시지가 예언자적으로 들린다. 근심에 처해있을 때 그 '지혜의 말씀(Words of wisdom)'을 일러주시던 그 '마더메리'는 폴 메카트니의 친어머니였을까? 80년간 노자를 품고 길러낸 노자의 어머니였을까? 아니면 자연의 어머니, 대지의 여신 '가이아'였을까? 이 세상을, 자연을 욕망으로 좌지우지하지 말고 그대로 내버려 두라고 외치는 비틀즈는 이제는 노자적 절규로 다가온다.

노자는 주변인이다. 소 전통으로…

노자는 여성이다. 곡신불사로…

노자는 화합한다. 상생으로 …

노자는 쉼이다. 무위로…

우리의 몸이 지극히 곧 하느님께서 태초에 만들어주신 그 몸이라고 생각한다면, 뭇 인간들이 자신들의 잣대로 지껄여대는 그 어떤 총애나 수모에 대해서도 연연하지 않을 수 있다.

| 차 례 |

도가 말해 질수 있다면, 참된 도가 아니라네.
이름이 불려질 수 있다면, 참된 이름이 아니라네.

노자는 자신이 고백하는 '도'에 관해서 말하기를
'보려고 해도 보이지 않고', '들으려 해도 들리지 않으며',
'잡으려 해도 만져지지 않는것'이라고 합니다.
그 까닭은 '도'가 바로 '하나'로 존재하기 때문이라는 것입니다.

| 1장 |

도가 말해질 수 있다면

문득 그리워지는 소머리산 아래 어린아이로 살아가시는 수녀님들, 잘 계시지요? 소머리 산자락을 떠나 정확히 2011년 4월 28일 목요일 자로 우여곡절 끝에 봉화군 봉성면, 문수산 자락에 자리한 우곡(愚谷)에 새 둥지를 틀었습니다. 골짜기의 초입에 들어서면서부터 맑은 물소리며 솔바람 소리, 그리고 아무렇게나 피어있는 이름 모를 두메 꽃들, 또 간간이 들려오는 무슨 산새소리들이 어찌나 청아한지요!

몇몇 지인들이 골짜기로 이사를 오던 시간에 혼자 가는 것이 왠지 쓸쓸해 보인다며 나의 손사래도 뿌리친 채 막무가내로 동행해 주어서 그 마음 씀씀이가 어찌나 고맙던지요! 하마터면 눈물까지 보일 뻔 했습니다. 가지고 온 보따리 짐을 대충 방안에다 던져두고 우리는 성당으로 향했습니다. 성당은 작고 아담했지요. 때마침 십 년이 넘도록 기회가 있을 때마다 이곳에 와서 며칠씩 걷기 운동을 하고 있다는 '걷기 운동 동호회원'들도 만나서 함께 기쁜 마음으로 하느님께 정성껏 감사 미사를 봉헌했습니다.

수녀님, 이 미사가 제가 드린 우곡에서의 '첫 미사'였습니다. 정성을 다해 미사를 봉헌하고 예수님의 성체와 성혈을 모시고 난 다음, 짧지만 긴 침묵의 시간을 가졌습니다. 시간이 얼마나 흘렀을까요? 불현듯 이마 위로 언젠가 수녀님들께 '노자(老子)'의 『도덕경(道德經)』을 읽고 느낀 점을 말씀 드리겠다던 약속이 떠올랐습니다. 알 듯 모를 듯한 5천 남짓한 글자를 휘갈긴 다음 훌쩍 어디론가 떠나가 버렸다는 중국 춘추시대(春秋時代)의 '노자'라는 그 사람, 수녀님들의 참 맑은 모습들과 오버랩 되면서 스쳐 지나갑니다. 숨마저 끊어져버린 듯한 고요한 그 기막힌 시간에 그가 날 찾아온 것입니다. 찾아와서는 알 듯 모를 듯한 어조로 내 가슴팍을 마구 후벼대는 것이 아니겠습니까? 비로소 저는 "이렇게 해서 수녀님들과의 그때 그 약속을 지킬 수 있게 되겠구나." 하고 하느님께 거듭하여 감사를 드렸답니다.

그가 남긴 5천여 자의 글귀는 그대로 시(詩) 같기도 하고 노래 같기도 한, 어쩌면 인류를 향한 비가(悲歌)요 애가(哀歌)요 연가(戀歌)일지도, 더러는 하나의 예언서일지도 모르겠다는 생각부터 하게 되었지요. 혼탁한 시류에 대한 가슴앓이 같기도 하고, 때로는 준엄한 묵시록(默示錄)이나 더러는 그만의 소박한 삶의 신앙고백일지도 모르겠다는 생각도 했습니다. 그가 들려주는 한 대목 한 대목의 글귀는 저를 위한, 세상을 향한 소리가 되고 노래가 되어 첫 음절부터 신새벽 깊은 샘에서 물을 길어올리듯 너무도 조용하면서 우레 소리 되어 가슴 깊이로 울려

퍼집니다. 그 울림은 신비스러우면서 자못 거룩하기까지 합니다. 가슴과 가슴이 서로 도탑게 만나지 않으면 도저히 풀어낼 수 없는 것들이 비늘처럼 반짝입니다.

"도가 말해질 수 있다면, 참된 도가 아니라네(道可道非常道)
이름이 불려질 수 있다면, 참된 이름이 아니라네(名可名非常名)"

그의 중저음의 낮은 음성은 처음부터 그저 허공에다 대고 중얼거리는 것과 같아서 흡사 그 흥얼거림은 평소 까닭 없이 내뱉는 그의 입버릇이 아닐까 잠깐 동안 생각해보기도 했었습니다. 그가 일갈하는 소리는 세상을 향한 그의 맺힌 '한풀이' 혹은 세상을 위한 그의 '마지막 참된 삶에 관한 메시지'라고는 감히 생각지도 못했지요.

그는 말합니다. "도가 말해 질 수 있다면, 참된 도가 아니라"고요. '도'는 어떤 인간의 언어와 상상력으로 설명해낼 수도 그려낼 수도 없으며 딱히 '무엇'이라 파악될 수도 없다는 뜻일 겁니다. 인간의 언어로 말할 수 없으니 무엇이라 규정할 수도 없고, 규정할 수 없으니 뚜렷하게 '이것이다' 혹은 '저것이다'라고 규정해낼 수도 없다는 것은 너무나 당연한 일이 아니겠습니까? 설명해낼 수 없으니, '도'에 대한 인간적인 개념 설정은 처음부터 불가능한 일이었는지도 모릅니다. '도의 존재'는 마치 '하느님의 현존하심'과 매우 흡사합니다.

게다가 '도'는 우리가 딱히 무엇이라고 "이름 지어 부를 수 없다"고도 하였습니다. 말로 설명해내고 이름 지어 부른다면, 그것은 더 이상 참된 '도'가 아니라는 얘깁니다. '무엇'이라고 딱히 정의내릴 수 없으니, 그 자체로 '신비'이고, 신비이기 때문에 '거룩한 존재'일 수밖에 없다는 뜻이 아닐까 싶습니다. '불가사의(不可思議)'라는 뜻이겠지요. 설명을 붙여 보거나 이름 지어 부른다면, 거기에는 이미 인간의 얄팍한 생각이 깃들어 있기 때문에 도다운 도, 영원한 참된 도가 될 수 없겠지요? 인간이 만들어낸 '장난감'에 지나지 않겠지요?

《구약성경》에서도 이와 엇비슷하게 관련된 듯한 구절이 나옵니다. 모세는 주님께서 "네 아버지의 하느님, 곧 아브라함의 하느님, 이사악의 하느님, 야곱의 하느님이다."(탈출3,6)라고 하신 바로 그 하느님으로부터 부르심을 받고 다시 그분께 아뢥니다. "제가 이스라엘 자손들에게 가서, '너희 조상들의 하느님께서 나를 너희에게 보내셨다.'고 말하면, 그들이 저에게 '그분 이름이 무엇이오?' 하고 물을 터인데, 제가 그들에게 무엇이라고 대답해야 하겠습니까?" 라고 하자, 하느님께서 모세에게 "나는 있는 나다." 하시고는 이어서 말씀하셨다.

"너는 이스라엘 자손들에게 '있는 나'께서 나를 너희에게 보내셨다고 하여라." 하느님께서 다시 모세에게 말씀하셨다 "너는 이스라엘 자손들에게 '너희 조상들의 하느님, 곧 아브라함의 하느님, 이사악의 하느님, 야곱의 하느님이신 야훼께서 나를 너희에게 보내셨다.' 하여라.

이것이 영원히 불릴 나의 이름이며, 이것이 대대로 기릴 나의 칭호이다."(탈출3,13-15)

유가경전 『중용(中庸)』에서 보면, "천명지위성(天命之謂性) 솔성지위도(率性之謂道) 수도지위교(修道之謂教)" 라는 말을 하고 있지요. 하늘의 뜻 혹은 명령을 본성이라 하고, 그 본성을 따르는 것을 도라 하며, 도를 닦아나가는 것을 가르침(종교)이라고 한다는 뜻이겠습니다.

이때 '도'는 하늘의 뜻, 하늘의 명령에 철저히 순종하는 것을 말합니다. 하늘에 순명하는 행위가 바로 '도'이며, '도'는 곧 인간이 살아야 할 바로 그 삶이다. 사람이 어떻게 사느냐에 따라서 '도'에 해당하느냐 아니냐가 판가름 나게 되겠지만, 이렇듯이 『중용』에서의 '도' 또한 구체적으로 무엇이라 정의내릴 수는 없습니다. 하늘의 뜻을 사는 삶에 대하여 하늘이 아닌 인간이 어떻게 감히 정의내릴 수 있겠습니까? 이미 하늘과 하나가 되어 있는 바로 그 '도'를 어떻게 말로 설명해낼 수 있고, 무엇이라 이름 지어 부를 수 있겠습니까? 다만 오직 그 삶을 살고 있는 사람만이, 그 도를 사는 사람만이 알 수 있고 누릴 수 있는 특권이라 할 수 있겠지요. 하지만 『중용』에서 인간의 언어로 설명할 길이 없고 무엇이라 정의내릴 수도 없는 것이 '도'라고 말하였더라도 저자는 '도'가 결코 인간을 떠난 적이 없고, 또한 참되게 살고자 하는 사람이라면 누구나 '도' 속에 머물러 있어야 함을 힘주어 강조합니다. "길이란, 잠시라도 벗어날 수 없지요. 떠날 수 있으면 길이 아닙니다. 이래서 군자는 그 보이지 않는 곳에서도 삼가 조심하고, 들리지 않는 곳에서도 두려워해야 합니다.

은밀한 곳보다 더 잘 드러나는 것이 없고, 미세한 곳보다 더 잘 나타나는 것이 없습니다. 그래서 군자는 자기 홀로 있을 때 삼가야 하지요."(道也者 不可須臾離也 可離 非道也 是故君子 戒愼乎其所不睹 恐懼乎其所不聞 莫見乎隱 幕顯乎微 故君子 愼其獨也)

《신약성경》에서도 예수께서 사람들에게 말씀하시기를, "그때에 누가 너희에게 '보라, 그리스도께서 여기에 계시다.' 또는 '아니 여기 계시다.' 하더라도 믿지 마라. 거짓 그리스도들과 거짓 예언자들이 나타나 할 수만 있으면 선택된 이들까지 속이려고 큰 표징과 이적들을 일으킬 것이다. 보라, 내가 너희에게 미리 말해 둔다. 그러므로 사람들이 너희에게 '보라, 골방에 계시다.' 하더라도 믿지 마라."(마태24,23-26)고 말씀하셨지 않으셨습니까?

비교적 늦깎이로서 일반대학에 들어가 동양사상을 수학한 것은 나에게는 참으로 행운이었습니다. 무엇보다도 거기에서 도교(道敎)의 성직자 성현영(成玄英)이라는 사람을 소개 받은 것은 더없는 기쁨이 되었지요. 그는 당나라 태종(太宗, 626-649년) 연간에 활동했던 사람으로서 곧 도교의 도사(道士), 즉 도교의 성직자 신분이었기 때문입니다. 천주교 성직자의 한 사람으로서 도교 성직자를 만나 한 번 얘기해 본다는 것은 생각만 해도 신명나는 일이었습니다. 그것도 아득한 옛적의 타교 성직자를 세기를 훌쩍 뛰어넘어 21세기를 살아가는 천주교 신부(神父)가 만나 본다는 사실 앞에서는 영광스럽기까지 하였습니다.

돌이켜보면, 노자라는 대성현(大聖)을 직접 만난다는 것은 솔직히 나에게는 부담스러운 일이었습니다. 그렇지만 이미 대선배(大先輩)로서 성직자의 길을, 그것도 '노자'라는 도가의 대성현을 스승으로 모시고 살아가는 '성현영'이라는 성직자를 만나 나와 노자 사이의 중개자(仲介者)로 삼는다는 사실은 참으로 흥미롭고도 소중한 일이 아닐 수 없었지요. 도교에서는 그들의 성직자를 '도사(道士)'라고 부릅니다. '도사'는 원래 도술(道術)을 지닌 사람을 가리키는 일반적인 의미로 쓰였으나, 나중에 도교 신도를 가리키는 말로 변했답니다.

물론 도교 신도들을 가리켜 모두 '도사'라고 부를 수도 있겠지만 여기서는 적어도 도교를 위하여 온전히 투신한 사람, 곧 성직자를 가리키는 것이랍니다.

그렇다면 도교의 성직자의 한 사람, 성현영이라는 도사는 어떤 분일까요? 어떤 이는 그를 가리켜서 "성현영은 당나라 시대의 저명한 중현도사(重玄道士)이다. 그는 불교와의 토론장에서 도교계(道教界)를 대표하여 자신의 학술 관점과 사유(思維) 수준을 충분히 발휘하였다."[1]고 극찬하고 있기도 합니다.

1) 최진석, 《성현영의 〈장자소〉연구(成玄英的〈莊子疏〉研究)》, 북경대학 박사학위논문, 1996년, 7쪽.

성현영은 말합니다. "도(道)는 어디에도 걸림이 없음(虛通)을 뜻으로 삼고, 상(常)은 아주 고요함(湛寂)으로 이름을 얻으니, 이른바 무극대도(無極大道)이며 모든 살아있는 것들(衆生)의 올바른 본성(正性)이지요."[2] 사실 '어디에도 걸림이 없는 존재'를 불교에서는 '무애존자(無碍尊者)'라고 하지 않았던가요! 그리고 그리스도교에서는 '하느님의 영'(창세1,1), "부활하신 예수 그리스도"(요한20,19)가 아니시던가요! 그렇다면 노자는 '가도(可道)'를 흠모하는 것이 아니라 '상도(常道)'를 흠모하는 것이 됩니다. '가도'는 곧 '사람의 도(人道)'이고 '상도'는 곧 '하늘의 도(天道)'이기 때문이지요. 따라서 노자가 지향하고 앙모하는 '도'는 단순히 사람과 사람 사이의 관계만을 중시하고 따지려는 예의범절을 뛰어넘어 하늘과 인간 사이의 관계 속에서 활동하는 근원으로서의 '하늘의 도'를 일컫는다고 볼 수 있습니다.

그래서 그 '이름(名)'도 인간의 언어로 결코 달리 표현할 길이 없게 됩니다. 만일 사람의 말로 표현할 수 있다면, 이미 더 이상 참된 이름이라 될 수 없기 때문입니다. 그 이름을 부르는 순간 그것은 인간에게 '파악된 존재'이고, 그렇게 파악된 존재는 더 이상 초월이니 신비라느니 하는 수식어를 붙일 수 없게 되며, 단순히 세상만사 속에 아무렇게나 있고 마는 '사사물물(事事物物)'의 하나일 따름이랍니다. 그렇기 때문에 도사 성현영도 그에 대하여 말로 표현할 수도 없고, 무엇이라 이름

2) 成玄英, 《노자의소(老子義疏)》, 民國63年, 광문서국(廣文書局), 19쪽.

할 수도 없기에 그저 '불가사의(不可思議)'[3]라고만 했는지도 모를 일입니다.

없으시기에 하늘과 땅의 시작이라 이름 하고(無名天地之始)

있으시기에 온갖 피조물의 어머니시라 이름 한다네(有名萬物之母)

그러므로(故)

참으로 없으시기에 당신의 오묘함을 보여주려 애쓰시고(常無欲以觀其妙)

참으로 있으시기에 그분은 당신의 겉모습을 보여주려 하신다네

(常有欲以觀其徼)

이 두 가지는 똑같이 나오셨으니, 이름을 달리할 뿐이고

(此兩者同出, 而異名)

똑같이 거룩하신 분이시지(同謂之玄)

거룩하시고 또 거룩하셔라(玄之又玄)!

온갖 신비의 문이여(衆妙之門)!

노자의 노래를 듣다 보면, 노자가 말하는 '도'와 공자가 말하는 '도'는 약간의 차이가 있어 보입니다. 공자가 말하는 '도'에 관해서는 이미 말씀드린 적이 있습니다. 저의 졸저(拙著)《중용(中庸) 속에서 놀다》(2010년, 위즈앤비즈)에 나오는 '도'가 바로 그것입니다. 물론 그 도는 철저하

3) 위 같은 책, 20쪽.

게 천명(天命), 하느님을 따르는 도입니다. 하지만 노자가 말하는 '도'는 시작이고 생명 있는 것들을 낳는 생명, 마치 '하느님'과 유사해 보이지요. 그러나 '도(道)'라는 글 자체 안에 '말하다'라는 뜻을 내포하고 있으니, 곧 '말씀'이라고 해도 괜찮으리라 생각합니다. 그렇게 본다면, 공자(유가)가 말하는 도나 노자(도가)가 말하는 도는 '말씀' 안에서 온전히 설명될 수도 있는 그 '무엇'이 아닐까 싶습니다. '없으시기에'는 '이름이 없다(無名)'는 것이 아닙니다. 다만 우리가 그의 이름을 모르고 있거나, 아둔한 인간의 머리로는 더 이상 무엇이라 규정할 수 없기 때문에 그 존재를 인간의 오관(五官)으로 파악할 수 없을 뿐 아니라, 실제로도 도에게 어떤 이름을 부여한다는 것은 어쩌면 교만(驕慢)의 극치가 아니겠는지요? 그래서 우리는 그 '도'를 그저 '하늘과 땅의 시작'이라고만 이름 부를 수 있을 뿐입니다. 그렇게 말해도 되는 이유는 사람의 오감(五感)에 닿는 모든 '있는 것(존재)'의 출발이 바로 그분으로부터 시작되기 때문입니다. 그리고 우리가 그의 이름을 부르기 시작했을 때는 이미 그 이름은 그저 '어머니', '엄마'가 되어 계셨을 따름입니다.

『시편』의 작가는 "우러러 당신의 하늘을 바라봅니다. 당신 손가락의 작품들을, 당신께서 굳건히 세우신 달과 별들을, 인간이 무엇이기에 이토록 기억해 주십니까? 사람이 무엇이기에 이토록 돌보아 주십니까? 신들보다 조금만 못하게 만드시고 영광과 존귀의 관을 씌워 주셨습니다."(시편8,4-6) 또 "그러나, 당신은 저를 어머니 배속에서부터 이

끌어 내신 분, 어머니 젖가슴에 저를 평화로이 안겨주신 분, 저는 모태에서부터 당신께 맡겨졌고, 제 어머니 배 속에서부터 당신은 저의 하느님이십니다."(시편22,10-11)라고 노래하고 있습니다.

또 요한복음사가는 "한 처음에 말씀이 계셨다. 말씀은 하느님과 함께 계셨는데 말씀은 하느님이셨다. 그분께서는 한 처음에 하느님과 함께 계셨다. 모든 것이 그분을 통하여 생겨났고, 그분 없이 생겨난 것은 하나도 없다. 그분 안에 생명이 있었으니 그 생명은 사람들의 빛이었다. 그 빛이 어둠 속에서 비치고 있지만 어둠은 그를 깨닫지 못하였다... 아무도 하느님을 본 적이 없다. 아버지와 가장 가까우신 외아드님, 하느님이신 그분께서 알려주었다."고 하늘과 땅이 생기기 이전부터 계시면서 하늘과 땅을 내신 하느님과 그 하느님이 사람이 되신 예수그리스도를 장엄하게 고백하고 있습니다. 앞에서도 잠시 말씀드린 바가 있지만, '도(道)'의 의미에는 길, 방법, 방편, 말하다 등등이 있습니다. 그렇다면 '도'는 '말씀'이라고 이해해도 큰 잘못은 아닌 듯싶습니다. '도' 곧 '말씀'이고, '말씀'은 이 세상에 사람으로 오신 '바로 그 하느님'이라는 등식으로 이해할 수 있지 않을까요? 이러한 등식이 성립될 수 있다면 노자는 2천5백 년 전에 이미 이 땅에 구세주로 오실 하느님이시며 말씀이시고 생명이신 '예수 그리스도'를 어렴풋이나마 고백하고, 세상에 선포한 셈이 됩니다. 도교 성직자 성현영은 말하기를 "도는 텅 비어 어디에나 통하는 이치이고, 덕은 품은 것이 일어나기도 하고 고요해지기도 하는 신묘한 지혜(道是虛通之理境 德是志忘之妙智)"라고 하였는데, 이는 존재 근원인 '도'가 움직이면 곧 덕이 되는 것이지요. 따라서 도와 덕은 별개의 것이 아니라 나뉘어질 수도, 나눌 수도 없는 하나(一), 곧 우리는 합쳐서 '도덕(道德)'이라고 부르는 것입니다. 굳이 나누어서 말한다면, '도'는 본체(本體)가 되고 '덕'은 도의 작용 (作用) 혹은 활동(活動)이라고 보아야 하지 않겠습니까?

수녀님, 우곡 골짜기에도 봄빛이 완연합니다. 지난 겨울, 온 나라를 매서운 동장군의 휘하로 밀어넣더니 그러한 동장군도 소리도 없이 부드럽게 다가오는 햇살의 따사로움 앞에서 더는 견딜 수 없는 모양입니다. 새싹보다 꽃이 먼저 피어나는 놈, 꽃보다 새싹이 먼저 움을 틔우는 놈, 바람소리보다 더 크게 우는 봄새, 봄새소리보다 더 우렁찬 봄바람소리, 그리고 참 맑은 음성으로 굴러가는 계곡의 물소리들이 모두 한데 어우러져 저무는 4월의 시간을 아름답게 엮어갑니다.

모두가 다 태초에 '어머니'로부터 받은 그대로의 순결을 간직한 것처럼 보입니다. 그래서 지금 저는 이 골짜기 어디쯤에서 너럭바위에 잠깐이나마 걸터앉아 하늘에서 쏟아지는 한줄기 햇발을 쬐고 있을 노자라는 양반의 '생각과 말과 행위(思言行爲)'를 그려봅니다.

그럼 수녀님들, 또 뵙겠습니다.

2011년 사월 하순에 우곡에서

세상은 모두 아름답다 여기는 것만 아름다운 줄로 안다네.
이는 추잡스러울 따름이지
천하는 모두 좋다 여기는 것만 좋은 줄로 안다네.
이는 선하지 못할 따름이지

거룩한 사람은 아무런 내세움도 없는 일을 하고
말로만이 아닌 가르침을 실행한다네.

| 2장 |

세상은 모두 아름답다 여기는 것만

수녀님들! 사랑이신 하느님 안에서 잘 계시지요? 인간의 감각기관으로 느껴질 수 있는 것들은 무엇이나 다 '영원한 순간'은 없다지만, 순간순간을 설렘으로 보내는 유월의 우곡 골짜기는 마냥 신비롭기만 합니다.

낮에는 뻐꾸기가 노래하고 밤에는 소쩍새 울음소리가 지천이며 계곡의 맑은 물소리는 어찌나 청아하고, 또 지천에 피고 지는 두메 꽃들은 또 얼마나 아름답던지요. 마치도 저물녘 소머리산 아래 키 낮은 바위 위에 걸터앉아 저물어가는 황혼을 바라보는 듯합니다.

이처럼 자연의 소담스런 풍광이 태곳적부터 이어져 왔다는 진실에 대해서 대처에 사는 사람들이 어찌 알겠습니까? 자연과 하나가 되어 부르는 노자의 '대자연을 향한 노래'를 인위(人僞)로 가득 찬 세상 사람들이 어찌 알겠습니까? '인위'는 인간이 짐짓 '~하는 체 꾸미고 가장하는 것'이 아니겠습니까? 온갖 허영으로 가득 차 있고, 또 남들 앞에서 '꾸미기'를 좋아하는 우리 인간들이 소쩍새의 아름다운 노래 소리를 어찌 알고, 뻐꾸기가 무엇 때문에 한낮이 이울도록 울어대는가를 어찌 알겠습니까? 알 턱이 없을 것이고, 귀를 기울이려고도 하지 않을 것입니다.

세상은 모두 아름답다 여기는 것만 아름다운 줄로 안다네.(天下皆知美之爲美)
이는 추잡스러울 따름이지(斯惡已)
천하는 모두 좋다 여기는 것만 좋은 줄로 안다네.(皆知善之爲善)
이는 선하지 못할 따름이지(斯不善已)

세상은 무엇입니까? 꽃도 있고 나무도 있고 새도 있고 물고기도 있고 개미와 지렁이도 있고, 그 속에서 사람도 있어, 그들과 더불어 살아가는 곳이 아니겠는지요? 그렇습니다.

우리도 예외가 아니어서 그들과 더불어 한데 어울려 살아가는 곳이 곧 세상입니다. 그렇게 보자면, 세상은 더 이상 인간에게 해를 끼치는 삼구(三仇) 중의 하나가 아니라, 오히려 주어진 삶을 더욱 풍요롭게 영위할 수 있도록 배려해 주시는 "하느님의 축복의 땅"이지요. 하지만 그 많은 다른 존재들은 아무런 걱정도 없이 살아가는데, 오직 우리 인간들만이 걱정 속에 파묻혀 지냅니다. 걱정이란 무엇입니까? 걱정은 인간만이 가지고 있는 특별한 욕심이 아닐까요? 욕심이 없다면 걱정도 그만큼 줄어들어 가겠지요. 그런데도 인간은 욕심을 내고, 내는 것만큼 온갖 근심과 걱정에 휩싸이게 되니 참으로 알다가도 모를 존재가 인간이 아니겠는지요? 결국 우리가 보기에 '아름다움'이라는 것도 사실 어쩌면 우리들의 편견이고 욕심의 또 다른 표현이 아닐까 싶습니다. 예수께서는 세상에 대한 걱정과 하느님 나라는 결코 짝할 수 없다고 단언하십니다.

"그러므로 내가 너희에게 말한다. 목숨을 부지하려고 무엇을 먹을까, 무엇을 마실까, 또 몸을 보호하려고 무엇을 입을까 걱정하지 마라. 목숨이 음식보다 소중하고 몸이 옷보다 소중하지 않느냐? 하늘의 새들을 눈 여겨 보아라. 그것들은 뿌리지도 않고 거두지도 않을 뿐 아니라 곳간에 모아들이지도 않는다. 그러나 하늘의 너희 아버지께서는 그것들을 먹여 주신다. 너희는 그것들보다 귀하지 않느냐? 너희 가운데 누가 걱정한다고 자기 수명을 조금이라도 늘릴 수 있느냐? 그리고 너희는 왜 옷 걱정을 하느냐? 들에 핀 나리꽃들이 어떻게 자라는지 지켜보아라. 그것들은 애쓰지도 않고 길쌈도 하지 않는다. 솔로몬도 그 온갖 영화 속에서 이 꽃 하나만큼 차려입지 못하였다. 오늘 서 있다가도 내일이면 아궁이에 던져질 들풀까지도 하느님께서는 이처럼 입히시거늘, 너희야 훨씬 더 잘 입히지 않겠느냐? 이 믿음이 약한 자들아! 그러므로 너희는 무엇을 입을까, 무엇을 마실까, 무엇을 차려 입을까 하며 걱정하지 마라. 이런 것들은 모두 다른 민족들이 애써 찾는 것이다. 하늘의 너희 아버지께서는 이 모든 것이 너희에게 필요함을 아신다. 너희는 먼저 하느님의 나라와 그분의 의로움을 찾아라. 그러면 이 모든 것도 곁들여 받게 될 것이다. 그러므로 내일을 걱정하지 마라. 내일 걱정은 내일이 할 것이다. 그날 고생은 그날로 충분하다."(마태 6,25-34)

사람들은 태곳적부터 흐르던 강줄기를 자신들의 입맛대로 바꾸고, 바닥을 파내고, 강둑을 밀어내면서 '보다 아름답게, 보다 현실성 있게, 보다 안전하게, 보다 유익하게' 만들어낼 것이라고 공언(公言)합니다. 그러나 그것이 곧 공언(空言)이고 허언(虛言)임이 확인되는 시간은 불과 얼마 걸리지 않습니다. 그렇게 힘주어 외치던 것들이 한줄기 장맛비에도 여지없이 무너져버리지 않던가요? 모든 것이 인간의 욕심이 불러낸 부질없는 짓일 뿐이고, '추잡스러운' 인간의 욕심만 속속 백일하에 드러나고 있을 따름입니다. 무엇이 사람에게 이롭고 무엇이 사람에게 해로운 것인지 따져보지도 않으면서, 그저 한줌도 안 되는 자신의 권력을 앞세워 명예욕을 채울 생각만 하고 있을 따름이지요. 이러한 인간의 탐욕, 명예욕은 자연환경을 파괴하고 파괴된 환경은 결국 인간 본성과 삶에 대한 황폐함만을 재촉하게 될 뿐입니다. 장자(莊子)는 『제물론(齊物論)』에서 다음과 같이 노래합니다.

"사람은 습기가 많은 곳에 거처하면 허리 병이 걸리고 반신불수가 되어 죽게 되지만 미꾸라지도 그렇던가? 사람은 나무 위에 올라가면 무서워 떨지만 원숭이도 그렇던가? 사람과 미꾸라지와 원숭이 가운데 누가, 어느 한 곳을 올바른 거처라고 주장할 수 있을까? 사람은 가축의 고기를 먹고, 순록사슴은 풀을 먹으며 지네는 뱀을 달게 먹고, 올빼미는 쥐를 즐겨 먹는다네. 이 넷 가운데 어느 하나를 올바른 맛이라고 주장할 수 있을까! 원숭이는 긴팔원숭이를 짝으로 삼고, 순록사슴은 사슴과 교배하며 미꾸라지는 물고기들과 노닌다네. 사람들은 모장과 여희를 미인이라고 하지만 물고기가 그들을 보면 깊은 물속에 숨고, 새가 그들을 보면 하늘 높이 날아가며 순록사슴이 그들을 보면 걸음아 날 살려라 한다네. 이 넷 가운데 누가, 어느 하나를 올바른 아름다움이라고 주장할 수 있겠는가? 내가 보기에는 사랑과 의로움의 실마리가, 옳고 그름의 갈림길도 어수선하고 어지럽기만 하니 내가 어찌 그것을 분별할 수 있겠는가?"[4]

그래서 있는 이와 없는 이는 서로 살게 해주고(故有無相生)

어려운 이와 편안한 이는 서로 이루게 해주며(難易相成)

장점이든 단점이든 서로 드러내 주고(長短相形)

높은 이와 낮은 이가 서로 기울어 주며(高下相傾)

음과 소리가 서로 어울리고(音聲相和)

---

4) 이 노래는 《정호경 신부의 장자 莊子읽기》(햇빛출판사, 2000년) 번역을 사용하였다.

앞과 뒤가 서로 따르게 되는데(前後相隨)

세상은 언제나 그래야 하지(恒也)

이래서 거룩한 사람은 아무런 내세움도 없는 일을 하고(是以聖人處無爲之事)

말로만이 아닌 가르침을 실행한다네(行不言之敎)

온갖 피조물이 거기에서 발출해도 '내가 시작했노라' 하지 않고(萬物作焉而弗始)

살게 해주면서도 '내 것이노라' 하지 않으며(生而弗有)

해내면서도 '자기 자랑'을 하지 않고(爲而弗恃)

공이 이루어져도 거기에 안주하지 않지(功成而弗居)

무릇 오로지 안주하지 않기 때문에(夫唯弗居)

버림받지도 않는다네(是以不去)

그렇습니다. 세상 안에는 생명 있는 것들이든 없는 것들이든 이렇게 저렇게 다양하게 존재합니다. 이렇듯이 다양하게 존재하고 있는 까닭은 서로가 서로에게 필요로 하는 것들을 주기 위함 때문이 아니겠습니까? 마치 톱니바퀴처럼 서로가 맞물려서 돌아가야만 비로소 모두가 편안해지고 평화를 누릴 수 있을 것입니다.

이 가운데 어느 하나라도 잘못되어 돌아간다면 참 평화는 기대할 수 없을 것입니다. 말하자면 평화를 유지하는 데는 결코 더 이상 '독불장군(獨不將軍)'은 없다는 뜻입니다. 그런데도 인간만이 유독 아름답고, 좋고, 쓸모 있는 것만 찾으니 '함께 산다는 것' 곧 인간과 자연의 공존

공생(共存共生)은 욕심 많은 인간들에게는 점점 물 건너가고 있는 듯 보입니다.

노자는 "공이 이루어져도 거기에 안주하지 않지."라고 단호히 노래합니다. '안주하다' '어디어디에 편안히 머물겠다.'는 생각을 처음부터 버려야 한다는 것이 노자가 마음속 깊은 곳으로부터 인류에게 내뱉는 '쓴 소리'입니다. 누군가는 말합니다. "인간은 태어나면서부터 빈손으로 왔고 갈 때도 빈손으로 가는 것(空手來空手去)"이라고요. 그러니 오가는 과정 속에 무엇이 마음에 들고 무엇이 마음에 들지 않는 것이 따로 있겠는지요? 있다면, 마음에 드는 것은 오로지 '함께 살 줄 아는 인생'이고, 마음에 들지 않는 것은 오로지 '함께 살 줄 모르는 인생'이 아닐까요?

하느님 안에서 한 형제인 수녀님, '함께 산다는 것'은 남을 위해 자신을 비우고, 포기하고, 버릴 줄 알 때만이 비로소 가능해지는 것이겠지요. 세상 사람들은 저마다 자신만의 편견을 가지고 다른 사람들을 대하고, 사물들을 눈여겨 보지요. 하지만 하느님께서는 오로지 '사랑의 눈'으로만 보신답니다. 노자라는 분은 그러한 진실을 일찍부터 깨달은 사람처럼 보입니다. 지금 소머리산 아래 수녀님들이 주님 안에서 밝고 아름답게 살아가는 모습이 눈에 선합니다. '함께 살아가는 모습'이 그 자체로 마냥 아름답습니다.

우곡 골짜기의 유월은 녹음이 짙어지고 물소리가 가슴을 쓸어내리도록 들려오는 것이 무릉도원이 따로 없다 싶습니다. 이제 칠월부터는 이곳에도 방학을 맞은 아이들의 해맑은 웃음소리가 골짜기를 가득 메우게 될 테지요.

수녀님들, 비록 멀리 떨어져 계셔도 매일매일 눈에 보이지 않는 끈으로 주님께서 연결시켜 주시니 언제나 가까이 계신 듯합니다. 아무쪼록 '인위'에 가득 찬 세상을 위해 기도해 주시기를 부탁드립니다. 저도 수녀님들이 오로지 '하느님께 피어오르는 그리스도의 향기'(코린토 2서 2, 15) 로만 존재하시기를 기도하겠습니다.

– 2011년 유월 하순 성 알로이시오 곤자가 수도자 축일에

각시붓꽃

지금 우곡 골짜기에는 밤이면 소쩍새가 애절하게 울고,
낮이면 뻐꾹새가 강하게만 나아가려는 반성 없는 세상을 향해
피를 토하는 듯 울어댑니다.
메르스가 창궐하면서 이곳 우곡성지에
그나마 찾아오던 순례자들의 발걸음도 만나보기 힘든 요즘입니다.

똑똑한 사람을 높게 치지 말아야
백성들이 다투지 않게 된다네.

| 3장 |

똑똑한 사람을 높게 치지는 말아야

수녀님, 2011년이 저물어갑니다. 점점 깊어가는 겨울이지만, 얼음장 밑에서는 살아있는 것들이 하마 따스한 봄소식을 또 준비하고 있을지도 모를 일입니다.

그동안 세상 사는 일에 바쁘게 지내다 보니 봄이 가고 여름이 오고 가을이 지나고 어느덧 겨울의 한복판에 내가 서 있는 줄을 몰랐습니다. 게으르기가 짝이 없을 정도로 느려터진 인생인데도 무엇이 나를 이리도 바쁘게 만들고 있는 것인지요? 아마도 '속물적(俗物的)'인 근성이 내 속에서 아직도 꿈틀거리고 있기 때문이 아닐까 싶습니다. 이렇게 내 자신 속에 꿈틀거리는 속물 근성을 나무랄 때쯤, 어디선가 또 노자 선생의 삶의 노래 소리가 귓전을 울리고 지나갑니다.

똑똑한 사람을 높게 치지 말아야(不尙賢)

백성들이 다투지 않게 된다네(使民不爭).

우리들의 시대에는 '똑똑한 사람(賢者)'을 그렇지 못한 사람보다 높게 치는 기막힌 습성이 있지요. 똑똑한 사람들은 자기네들만이 세상살이에서 성공하고, 세상을 지배해야만 한다고 생각하기 때문이겠지요. 그러나 세상 속을 가만히 들여다보면 '똑똑함'의 기준을 어디에, 그리고 무엇에다 두어야 할지 알기가 어렵습니다. 예수께서는 성령 안에서 즐거워하며 말씀하시기를, "아버지, 하늘과 땅의 주님, 지혜롭다는 자들과 슬기롭다는 자들에게는 이 모든 것을 감추시고 철부지들에게는 드러내 보이시니 아버지께 감사를 드립니다. 그렇습니다. 아버지 아버지의 선하신 뜻이 이렇게 이루어졌습니다."(루카10,21)라고 하셨지요. 사실 '지혜롭고 슬기롭다'는 것은 무엇을 의미하겠습니까? 세상 돌아가는 이치에 밝아서 세상살이에 능하고 재빠르게 대처한다는 뜻이 아니겠습니까? 그러하기 때문에 지혜롭고 슬기로운 자들은 스스로 자신들이 세상을 제대로 살고 있다고 자부합니다. 그들은 반대로 세상살이에 제대로 대처하지 못하는 사람들을 '어리석다'라고 합니다.

어리석기 때문에, 미련하기 때문에 세상살이를 제대로 살 줄 모른다는 것입니다. 말하자면 어리석은 자들은 쉽고 빠르고 넓은 길을 놔두고 구태여 어렵고 느리고 좁은 길을 가기 때문에 인간이 누려야 할 부귀영화(富貴榮華)를 제대로 누리지 못한다고 비아냥거립니다.

다른 사람들보다 '더 똑똑하다는 것'과 '더 안다는 것'은 무엇을 의미하겠습니까? 똑똑하고 안다는 것은 세상의 흐름을 먼저 알고 대처할 줄 안다는 것이 아닙니까? 그렇다면 덜 똑똑하고 무지하다는 것은 무엇입니까? 세상의 흐름에 제대로 대처할 줄 모른다는 것이 아닌지요? 그렇다면 '인간(人間)'은 무엇입니까? 인간은 사람과 사람 사이 곧 어떤 방식으로든지 서로가 서로에게 관계를 맺고 있다는 것을 뜻하기도 하지요. 사람은 혼자 살 수 없고, 따라서 '함께, 더불어' 살아야 하는 존재라는 뜻이 됩니다. 곧 똑똑하다는 자와 무지한 자가 함께 더불어 세상 안에서 살아간다는 것이지요. 그러나 지금 시대는 함께 살아가면서도 함께 살아가고 있지 않은 것처럼, 더불어 하면서도 더불어 할 수 없는 것처럼 보입니다. 아니, 서로 어울려서는 안 되도록 어떤 힘에 의해 강제로 종용받고 있는 것처럼 보입니다. 가진 자들은 더 가지려 하고, 힘센 자들은 더욱 강대해지려 하며 배운 자들은 못 배운 자들을 업신여기려 듭니다. 그러니 약한 서민들은 무시당하지 않으려고 앞 다투어 '똑똑한 자들'에게 빌붙어서 줄 서려고 서로 다투겠지요? 다투게 되면 믿음이 깨어지고, 믿음이 깨어지면 정의가 뒤틀리고, 정의가 뒤틀리면 결국 평화는 무너지고 맙니다. 그렇게 되면 거기에는 태초에 하느님께서 인간을 위해 마련해 주신 '사랑'이라는 단어는 더 이상 찾아볼 수가 없게 되고 말 것입니다.

얻기 어려운 재화라도 귀하게 여기지 말아야(不貴難得之貨)

백성들이 도적질하지 않게 된다네(使民不爲盜).

욕심낼 만한 것을 드러내 놓지 말아야(不見可欲)

백성들의 마음이 혼란스럽지 않는다네(使民心不亂).

사실 '똑똑한 사람'이나 이른바 '무지렁이들'을 '재화'나 '욕심낼 만한 것'에 대해 비교해볼 때, 가치 측면에서 서로 동일하다고 말할 수 있겠는지요? 똑똑한 사람이나 욕심을 내는 사람들은 가치를 따져보는 사람의 일반적인 상식 수준에서 '귀히 여기는 것', 곧 사물에 대한 가치를 동등하게 바라보는 것이 아니라, 선별(選別)하여 '특정한 것', '특별한 것'으로 바라다보기 때문에 동일하다고 말할 수 없습니다. 즉 이는 각각의 사람이나 사물을 있는 그대로 보고, 이해해주고, 존중해주는 것이 아니라 일종의 '차별화'하거나 '편견'의 시각으로 보는 것이지요. 누가 보더라도 똑똑한 사람에 속하는 사람은 그렇지 못한 사람을 도와주고 함께 해야 할 것입니다. 누가 보더라도 욕심을 내는 사람이라면, 욕심을 덜 내고 욕심이 없는 사람에게 가진 것을 나누어 주어야 할 것입니다. 그렇게 된다면 세상은 다투지 않게 되고, 도적질을 하지 않게 되며 마음들이 서로 헷갈리지 않고 혼란스럽지도 않게 될 것이 아니겠습니까?

사도 바오로는 『로마서』에서 세상의 사람들이 어떻게 살아야 하는지를 분명하게 설명해 주고 있습니다.

“사랑은 거짓이 없어야 합니다.
여러분은 악을 혐오하고 선을 꼭 붙드십시오.
형제애로 서로 깊이 아끼고, 서로 존경하는 일에
먼저 나서십시오.
열성이 줄지 않게 하고 마음이 성령으로 불타오르게 하며
주님을 섬기십시오.
희망 속에 기뻐하고 환난 중에 인내하며 기도에 전념하십시오.
궁핍한 성도들과 함께 나누고
손님 접대에 힘쓰십시오.
여러분을 박해하는 자들을 축복하십시오.
저주하지 말고 축복해 주십시오.
기뻐하는 이들과 함께 기뻐하고
우는 이들과 함께 우십시오.
서로 뜻을 같이 하십시오.
오만한 생각을 버리고 비천한 이들과 어울리십시오.
스스로 슬기롭다고 여기지 마십시오.
아무에게도 악을 악으로 갚지 말고,
모든 사람에게 좋은 일을 해 줄 뜻을 품으십시오.
여러분 쪽에서 할 수 있는 대로,
모든 사람과 평화로이 지내십시오.(로마12,9-18)

주지하듯이 사도 바오로는 예수 그리스도의 말씀과 행위 곧, 그분의 가르치심을 살고, 그분의 삶을 사람들에게 선포한 사람이었지요. 그는 예수 그리스도의 가르치심은 '믿음과 희망과 사랑'이라며 이 세 가지는 지금도 여전히 계속 되고 있고, "그 가운데에서 으뜸은 사랑입니다."(1코린13,13)라고 세상을 향하여 당당하게 외치신 분이지요.

이 '사랑'이야말로 지식이나 권력이나 명예나 재산을 담보로 삼지 않고, 노자가 말한 바대로 '함이 없음을 가지고 하는(爲無爲)', 곧 자기 자신의 뜻대로 말하고 행동하는 것이 아니라 '하늘에 계신 내 아버지의 뜻을 실행하는 사람'(마태12,50)을 일컫는다는 것은 분명한 사실이 되겠지요. 일이 이쯤 되면, 우리는 예수 그리스도와 노자와 사도 바오로의 말씀이 '진리'이고, 그 진리는 누가, 언제, 어디서, 어떻게 말했는가를 막론하고 서로 닮아 있다는 것을 알 수 있습니다. '닮아 있다.'라는 것은 '서로 일치할 수 있는 근거가 마련되어 있다.'고도 볼 수 있다는 것입니다. 이제 이렇게 인간이 앞으로 지향해야 할 삶의 모습을 피력한 노자는 다음에서 그렇게 삶을 사는 이들의 일상(日常)을 미리 보여 줍니다.

이래서 거룩한 사람이 하는 일거리는(是以聖人之治)

백성들의 마음을 텅 비워주고(虛其心)

그들의 주린 배를 꽉 채워주며(實其腹)

그들의 품은 뜻을 유약하게 해주고(弱其志)

그들의 뼈대를 강하게 해주지(强其骨).

언제나 백성들에게서 지식을 없애주고 욕심을 없애준다네(常使民無知無欲).

대저 지혜로운 자들이(使夫智者)

감히 함부로 하지 못하게 하지(不敢爲也)

함이 없음(無爲)으로 하게 되면(爲無爲)

하지 못하는 일이 없다네(則無不治).

이제 조금 있으면 예수께서 사람으로 오신 날을 기념하는 성탄절이 시작됩니다. 하느님이신 예수께서 참 사람으로 오실 때, 결코 '똑똑한 사람을 높게 치시지' 않으셨고, '재물을 귀하게 여기지' 않으셨으며, '욕심 낼만 한 것을 드러내놓지'도 않으셨지요. 그저 사람들이 마련해 준 방 한 칸도 없이 어느 초라한 여관에서 그것도 '포대기에 싸여 구유에 누워 있는 아기'(루카2,12)로 오셨지요. '구유'는 원래 '궤짝'이라는 말에서 유래한다고 합니다. 곧 마구간에서의 '궤짝'이란 말이나 소들이 먹을 수 있도록 만들어 놓은 '죽통'이나 '먹이통'이라는 뜻이지요. 어찌되었든 예수께서는 당신의 삶을 하느님이시면서 사람으로 오셨고, 사람의 맨 밑바닥 인생에서부터 시작하셨지요. 그렇게 하신 이유나 목적은 뚜렷합니다.

"주님께서 나에게 기름을 부어주시니
주님의 영이 내 위에 내리셨다.
주님께서 나를 보내시어
가난한 이들에게 기쁜 소식을 전하고
잡혀간 이들에게 해방을 선포하며
눈먼 이들을 다시 보게 하고
억압받는 이들을 해방시켜 내보내며
주님의 은혜로운 해를 선포하게 하셨다."(루카4, 18-19)

예수의 이 말씀을 곰곰이 새겨보면, 노자가 말한 "함이 없음으로 하게 되면 하지 못하는 일이 없다네(無爲爲 無爲則無不治)"라는 노래가 무슨 뜻인지 알 것 같기도 합니다. 예수께서는 장차 인류를 위하여 자신이 몸소 펼치시고자 하는 모든 사언행위(思言行爲)가 곧 당신이 애쓰고 수고한 공적(功績)의 대가가 아니라 전적으로 하느님께서 하신 일이시고, 자신은 그저 '하늘에 계신 내 아버지의 뜻을 실행하는 사람'(마태12,50)일 뿐이라는 것이지요. 이것이 이른바 '무위이치(無爲而治)'의 정신과도 어느 정도 통하는 것이 아니겠습니까?

오후가 되니 우곡성지에도 바람이 일기 시작합니다. 구름이 문수산 봉우리에서부터 모여들어 내려오기 시작하는 것이 아마 금방이라도 눈발이 휘날릴 듯합니다. 창을 열고 먼데 하늘을 쳐다보면서 예수께서 교회를 세우시어 사람들에게 맡기신 이유를 되새겨 봅니다. 그리고 내 삶을 돌아보면서 새롭게 옷매무새를 여미어 봅니다. 세상은 '똑똑한 자'를 원하고 귀하게 여기지만, 예수께서는 오히려 '어린이', '바보', '무지렁이'를 더 사랑하고 귀하게 여기시는 까닭을 생각해 봅니다. 지금쯤 도시 교회들의 대형 첨탑에서는 네온사인보다 더 화려함을 꾸며가지고 '성탄절'을 맞이할 준비를 하고 있겠지요? 덩달아 길거리 백화점이나 상점 등에서도 자신들이 하는 일이 무슨 뜻인지도 모르면서 성탄나무에 등을 달고, 성탄 노래를 틀어놓으며 한껏 흥을 돋구어가고 있겠지요?

수녀님, 문득 "세상의 모든 것은 마음먹기에 달렸다(一切唯心造)."라는 말이 생각납니다. 이 말은 불교 경전의 최고봉이라 할 수 있는 『화엄경(華嚴經)』의 핵심 내용이지요. 특별히 누구나 맡겨진 공동체의 지도자가 되려는 사람은 '마음먹기'에 따라서 봉사자가 될 수 있고, 폭군도 될 수가 있다는 이야기입니다. 예수께서는 "나는 섬기는 사람으로 너희 가운데 있다."(루카22,27)라고 하시면서 '섬기는 사람', '봉사자', '종'의 신분을 택하셨지요. 아무튼 며칠 남지 않는 2011년 한 해를 잘 마무리 하시고, 또 다가오는 아기 예수님의 거룩한 탄생을 기쁜 마음으로 맞이하시길 기도합니다. 또 보겠습니다.

2011년 12월 3일 성프란치스코 하비에르 사제 대축일에

노자의 '도'는 바로 '물이 흐르듯이' 자연의 순리대로
하느님께서 만들어놓으신 그대로 가만히 참여하는 것이랍니다.

| 4장 |

도는 텅 비어 있으면서도

수녀님, 2012년도 시월이 왔네요. 지난 2011년 십이월에 편지를 적어 보냈으니 하마 해를 넘겨 1년이 거의 다 되어가네요. 이제 가을 냄새가 완연한 이 계절에 다시 연필을 잡게 되니, 감회가 새롭기도 하고 또 송구스럽기도 합니다. 그동안 참 많이도 게으름 피웠습니다. '게으름'이란 사람의 도리(人道)가 아닌데, 자꾸만 게을러지고 싶은 것이 인지상정(人之常情)이 아닌가 싶기도 합니다만 그래도 사람살이에 있어서 꾸준히 무엇인가를 사람답게 일구어나가야 하는 것이 사람의 도리가 아닐까 생각해봅니다.

유가(儒家)에서는 사람이 사람답게 살아가는 도리를 '천도(天道)' 혹은 '도심(道心)'이라 했고, 그렇지 못한 것을 두고 '인도(人道)' 혹은 '인심(人心)'이라 했습니다. 그럼에도 좀 더 따져서 이야기해보면, 천도는 '하늘의 도리'지요. 하늘의 도리를 따르는 것이 곧 '도심'입니다. 동시에 하늘의 도리를 따라 사는 사람의 도리를 '인도'라고도 합니다. 그러나 하늘의 도리를 따라 살지 않고 오로지 자신의 욕심을 따라 사는 삶을 가지고 '인심'을 따라 살아가는 것이라고 말합니다. 그러니 '게으름'은 '인도'가 아니라 '인심'에 해당되기 때문에 버려야 할 것이지요. 그래서 그 옛날 판토하(D. Pantoja, 龐迪我, 1571-1618) 신부님도 사람이 사람으로서 살아야 할 '천도' 혹은 '인도'를 따르면서, 사람이 사람답게 살지 못하도록 시비를 거는 '인심' 혹은 '인욕(人欲)'에 대해서는 과감하게 버리고 극복해야 할 것으로 보았고, 그렇게 되기 위한 방법론으로서 이른바 『칠극(七克)』이라는 책을 쓰셨지 않나 싶습니다.

오늘 노자는 '도(道)'란 무엇인가? 어떠한 것인가?에 대해서 말해주고 있습니다. 이미 앞서 1장에서 노자는 "도가 말해질 수 있다면, 참된 도가 아니라네(道可道非常道). 이름이 불려질 수 있다면, 참된 이름이 아니라네(名可名非常名)"라고 말하면서 도의 정의 혹은 그 의미에 대해서 개괄적으로 읊었습니다. '도'는 우리가 딱히 무엇이라고 정의내리지 못할 그 무엇이라는 것입니다. '도'가 만일 사람의 손에 잡히고 파악되어진다면 그 도는 더 이상 참된 '도'가 아니겠지요. 마치 하느님께서 인간의 생각과 감각과 촉각에 의해 파악(把握)되어진다면, 그분은 더 이상 참된 '하느님'이 아니신 것과 마찬가지일 겁니다. 그런데도 사람들은 자꾸만 별 볼일 없는 자신의 콧대를 높여 이야기 해댑니다.

"하느님은 벌하지 않는다. 하느님은 없다."(시편10,4)

"하느님은 잊고 있다. 얼굴을 감추어 영영 보지 않는다."(시편10,11)

"저들의 하느님이 어디 있느냐?"(시편79,10)

"하느님의 목장들을 우리가 차지하자."(시편83,13)

"주님은 보지 않는다. 야곱의 하느님은 깨닫지 못한다."(시편94,7)

"혀로 우리가 힘을 떨치고 입술이 우리에게 있는데, 누가 우리의 주인이랴?"(시편11,5)

수녀님, 진실을 말하자면 어차피 사람의 삶이란 '공수래공수거(空手來空手去)'가 아니겠습니까? 〈시편〉 작가도 인간의 그러한 점을 예리하게 꼬집어 줍니다.

"진정 사람이란 숨결일 따름
인간이란 거짓일 따름.
그들을 모두 저울판 위에 올려놓아도
숨결보다 가볍다.
너희는 강압에 의지하지 말고
강탈에 헛된 희망 두지 마라.
재산이 는다 하여
거기에 마음 두지 마라."(시편62,10-11)

"사람들아, 돌아가라."(시편90,3)

"정녕 천 년도 당신 눈에는

지나간 어제 같고
야경의 한때와도 같습니다.
당신께서 그들을 쓸어내시면
그들은 아침 잠과도 같고
사라져 가는 풀과도 같습니다.
아침에 돋아났다 사라져 갑니다.
저녁에 시들어 말라 버립니다."(시편90,4-6)

그러니, 하느님의 한 말씀이면 사람은 '바람 속에 먼지' 같지요. 노자의 '도' 또한 하느님의 말씀과 유사합니다. 실제로 '道'라는 글자는 '길', '방법', '말씀', '이치', '도리', '근원', '본체(本體)' 등등으로 이해될 수 있지요. 이렇게 다양한 의미를 가진 '도'를 가지고 노자는 그 실체나 근원에 대해서 자신이 이해하고 있는 범위 안에서 노래하고 있는 것이지요. 그런데 재미있는 것은 노자는 결코 도를 어떠한 실체나 근원으로 보고 있지 않다는 것입니다. 다만 오로지 '도'가 어떻게 존재하고 있는가? 하는 존재 형식 혹은 그 성격에 대해서만 읊고 있다는 것입니다.

이러한 그의 '도'를 두고 어떤 사람은 '무형무상(無形無象)'이라 하기도 하고, 또 어떤 사람은 '무형유상(無形有象)'이라고도 합니다. 그러나 어찌 되었든 도는 '형체가 없는(無形) 존재'임에는 모두가 동의하는 듯 보입니다. 그럼 노자가 노래하는 '도의 존재'에 대해서 좀 더 살펴보아야 할 것 같습니다.

도는 텅 비어 있으면서도(道沖)

그 쓰임은 다해지지가 않는다네(而用之或不盈).

노자는 도의 모습을 그저 '텅 비어 있는 것(沖)'으로 보고 있네요. '텅 비어 있다'는 것은 '그 안에 아무 것도 없다.'는 뜻이겠지만, 여기에는 위대한 반전(反轉)이 숨어 있답니다. 그것은 '충(沖)'이라는 글자가 단순히 텅 비어 있다는 것으로만 이해해서는 안 된다는 것이지요. 동시에 '꽉 채워져 있음'은 '충만함(充滿)'을 뜻하기도 한답니다. '텅 빈 충만'이 곧 '도'의 모습입니다. '텅 빈 충만'은 '조화로움'을 뜻하고, '조화로움'을 우리는 '충화(沖和)'라고 한답니다. '충화'는 곧 '중화(中和)' 혹은 '중용(中庸)'을 가리키기도 하지요. '중용'은 '고저장단(高低長短)', '남녀노소(男女老少)', '빈부귀천(貧富貴賤)', '대소다소(大小多少)' 등등에 있어서 어디에도 치우치지 않는 '도의 작용'을 말한다고 봐야 합니다.

하느님께서 그러하셨고, 참 하느님이시면서 참 사람으로 오신 예수께서 또 그러하셨지요. 여기에서 주의 깊게 들여다보아야 할 것은 바로 '충'입니다. 이 '충'은 단순히 '중(中)'이라고만 하면 안 되고, '중'이 밖으로 발출(發出)하는 행위 곧 '화(和)'와 동시적(同時的), 통시적(通時的)

인 관계 안에서만 설명될 수 있지요. 이와 유사한 설명은 성경 안에서도 찾아볼 수 있답니다.

"한 처음에 하느님께서 하늘과 땅을 창조하셨다.
땅은 아직 꼴을 갖추지 못하고 비어 있었는데,
어둠이 심연을 덮고 하느님의 영이
그 물 위를 감돌고 있었다."(창세1,1-2)

"한 처음에 말씀이 계셨다.
말씀은 하느님과 함께 계셨는데,
말씀은 하느님이셨다.
그분께서는 한 처음에
하느님과 함께 계셨다.
모든 것이 그분을 통하여 생겨났고,
그분 없이 생겨난 것은 하나도 없다.
그분 안에 생명이 있었으니,
그 생명은 사람들의 빛이었다.
그 빛이 어둠 속에서 비치고 있지만,
어둠은 그를 깨닫지 못하였다."(요한1,1-5)

『창세기』에서 하늘과 땅을 창조하신 하느님께서 생명이 없는 어둠 위에 '생명의 근원'으로서 생명을 불어넣으시려는 모습을 그려주고 있습니다.

『요한복음』에서는 바로 그러하신 하느님이 곧 '생명의 빛'으로 오셨다고 선언하고 있지요. '근원'과 '빛'은 '고요함(靜)'과 '움직임(動)', 즉 '중(中)'과 '화(和)'이지요. '중'은 너무도 '깊고 그윽하여' 거기에서 태어난 피조물들이라면 감히 그 존재에 대하여 상상조차 할 수 없겠지요. 그러한 '중'이 한 번 작용(움직임)한다면, 온 세상 천지만물이 '생장(生長)'하고, 생장의 에너지가 거기에서 쉼 없이 샘솟게 되더라도, 그 생명의 샘, 생명의 연못은 결코 다하여지거나 말라버리지 않겠지요. '하느님'이 바로 그러한 분이시고, 노자가 노래한 '도'가 그러한 존재가 아닐까 싶습니다.

깊고도 그윽하여라(淵兮)!

마치도 온갖 것들의 근원 같구나(似萬物之宗)!

그 날카로움을 꺾어버리고(挫其銳)

그 얽힘을 풀어내며(解其紛)

그 찬란한 빛을 가라앉히고(和其光)

그 부질없는 티끌과 하나가 되었네(同其塵).

〈이사야〉 예언자와 〈루카 복음〉 사가는 일찍이 '생명의 근원'이 '생명의 빛'으로 오셨고, 그 오신 분이 하느님께서 원하시는 일을 그 빛이 그대로 이루신다고 노래한 적이 있습니다.

"그루터기에서 햇순이 돋아나고
그 뿌리에서 새싹이 움트리라.
그 위에 주님의 영이 머무르리니.
지혜와 슬기의 영
경륜과 용맹의 영
지식의 영과 주님을 경외함이다.
그는 주님을 경외함으로 흐뭇해하리라.
그는 자기 눈에 보이는 대로 판결하지 않고
자기 귀에 들리는 대로 심판하지 않으리라.
힘없는 이들을 정의로 재판하고,
이 땅의 가련한 이들을 정당하게 심판하리라.
그는 자기 입에서 나오는 막대로 무뢰배를 내리치고
자기 입술에서 나오는 바람으로 악인을 죽이리라.
정의가 그의 허리를 두르는 띠가 되고
신의가 그의 몸을 두르는 띠가 되리라."(이사11,1-5)

"주님께서 나에게 기름을 부어주시니,
주님의 영이 내 위에 내리셨다.
주님께서 나를 보내시어
가난한 이들에게 기쁜 소식을 전하고
잡혀간 이들에게 해방을 선포하며
눈먼 이들을 다시 보게 하고
억압 받는 이들을 해방시켜 내보내며
주님의 은혜로운 해를 선포하게 하셨다."(루카4,18-19)

그렇습니다. 노자의 '도'는 '날카로움을 꺾어버리고', '얽힘을 풀어내며', '찬란한 빛을 가라앉히고(和其光)', '부질없는 티끌과 하나가 되는' 다분히 인격적인 존재이지요. '빛을 가라앉힌다.'는 것은 빛과 어울리는 것이요, '티끌과 하나 된다.'는 것은 자기 자신을 티끌 속으로 온통 투신하는, 몸을 던지는 행위를 말합니다. '화광동진(和光同塵)'의 정신이야말로 참 하느님이시면서 참 사람이 되신 예수 그리스도의 마음과 닮아 있습니다. 날카로운 것과 예리한 것을 꺾어버리면 서로 과격하게 부닥치지 않겠지요? 어지럽게 맺힌 것을 풀어내면 막히는 것도 없어지고, 날카로운 광채를 뒤섞어 누그러뜨리면 시기나 질투심 같은 것들이 없어지며, 자신을 티끌이나 먼지와 같이 낮추면서 홀로 잘난 체하지 않으면, 온 세상 만물이 모두 기쁨 넘치는 '평화의 공동체'가 되지 않겠습니까?

노자가 노래하는 '도'란, 자신은 텅 비어 있으면서도 타자(他者)는 꽉 채워주고, 자신은 가장 낮은 자리에 있으면서도 타자는 높여주고, 자신은 자신을 포기하면서도 타자를 소중하게 대해주고, 자신은 없는 존재(無)로 살면서도 타자를 있게 하는 존재(有)로 인정해주는 겸손함의 극치를 이루는 듯합니다. 그래서 노자는 도를 '감추임'의 존재라고 부르는지도 모르겠습니다.

감추임이여(湛兮)!
마치도 존재하는 이 같구나(似或存).
나는 그가 누구의 아드님인 줄 알지 못하나(吾不知誰之子)
하느님(上帝)보다 먼저인 듯도 하더구나(象帝之先).

이 노래를 듣고 있노라면 마치 성(聖) 토마스 아퀴나스의 "성체 찬미가"를 듣는 듯합니다. 토마스 아퀴나스 성인은 이 찬미가를 통하여 하느님을 향한 자신의 신앙을 애틋하게 고백하고 있는 것입니다. 생각 같아서는 복잡한 시대에 살아가고 있는 우리 또한 하느님을 향해 우리들의 열정, 그 고백을 한 번쯤 흠뻑 쏟아내어 봤으면 좋겠다는 소망을 가져봅니다.

"엎디어 절하나이다.

눈으로 보아 알 수 없는 하느님.

두 가지 형상 안에 분명히 계시오나

우러러 뵈올수록 전혀 알 길 없삽기에

제 마음은 오직 믿을 뿐이옵니다.

보고 맛보고 만져봐도 알 길 없고

다만 들음으로써 믿음 든든해지오니

믿나이다. 천주 성자 말씀하신 모든 것을.

주님의 말씀보다 더 참된 진리 없나이다.

십자가 위에서는 신성을 감추시고

여기서는 인성마저 아니 보이시나

저는 신성, 인성을 둘 다 믿어 고백하며

뉘우치던 저 강도의 기도 올리나이다.

토마스처럼 그 상처를 보지는 못하여도

저의 하느님이심을 믿어 의심 않사오니

언제나 주님을 더욱더 믿고

바라고 사랑하게 하소서.......

.................(중략).....................

예수님, 지금은 가려져 계시오나

이렇듯 애타게 간구하오니

언젠가 드러내실 주님 얼굴 마주 뵙고

주님 영광 바라보며 기뻐하게 하소서. 아멘."

수녀님, 가을이 점점 깊어가네요. 깊어가는 가을을 걸어가다 보면 곧 겨울과 만나게 되겠지요? 가을이 그동안 맺은 결실들을 거두어들이는 계절이라면 겨울은 그것들을 잘 갈무리하는 계절이지요. 그리고 또 봄이 돌아오면 갈무리한 것들을 다시 대지 위로 되돌려 주고요.

노자의 '도'는 바로 '물이 흐르듯이' 자연의 순리대로 하느님께서 만들어놓으신 그대로 가만히 놓아두면서 오히려 거기에 참여하는 것이랍니다.

따지고 보면 '수도자(修道者)'라는 말도 '도를 닦는 자'를 일컫지요. 이때 '도'는 바로 '하느님의 말씀'이지요. 그렇다면 '수도자' 또한 보이지 않는 하느님께서 보이는 말씀이 되시어 세상으로 들어오셨고, 우리는 그 말씀이신 분께서 보여주신 삶에 참여하여 그분을 따라 살아가려고 애를 쓰고 노력하는 사람들이 아닐까요. 지금 우곡의 골짜기는 가을 햇살이 따사롭고 온갖 나무들은 단풍으로 곱게 단장하기 시작했고요. 그리고 마르지 않는 골짜기의 냇물은 아름다운 가을의 소리를 들려주고 있지요. 이렇게 실로 오랜만에 자연의 소리를 만끽하게 해주신 그분께 홀로 가만히 앉아서 감사를 드려봅니다.

수녀님들께서도 이 가을, 2012년 다시는 못 돌아올 이 가을에 하느님께서 베푸신 온갖 풍성한 은혜에 마음을 푹 담그시길(潛心) 권해드리고 싶습니다.

아무쪼록 건강하시고 다음에 또 뵙기를 소망합니다.

2012년 10월 21일 연중 제29주일에

개나리

'無心하다'고 해서 아무 관심도 없다는 것이 아닙니다.
하늘의 해와 달과 별이 누구에게나 빛을 더해 주고, 사계절의
신비와 자연의 축복도 누구에게나 균등하게 대해준다는 말이다.

| 5장 |

하늘과 땅은 어질지 못해서

수녀님들, 잘 계시지요? 어느덧 십일월이네요. 우곡 골짜기에는 그 곱던 단풍들도 모두 바닥에 떨어져 뭇생명들의 먹이가 될 준비를 하는 것 같습니다. 한때 저 낙엽들은 온통 푸름으로 천하를 호령할 때도 있었지요. 그렇지만 때가 되자, 모든 것을 내려놓고 가장 겸손한 자세로 자신의 처지를 되돌아보는 듯합니다. 아니 자신의 가장 왕성했던 생명을 타자들에게 내어주는 성체성사의 삶을 실천하려는 듯 보입니다. 바로 '인(仁)'의 삶을 사는 것이지요. 오늘 노자는 천지의 이러한 현상에 대해 결코 "하늘과 땅은 인하지 않다."라고 노래합니다.

사실 유가에서 '인(仁)'인은 자애로움 · 친근함 · 인정(人情) · 사랑 등으로 다양하게 해석할 수 있지요. 공자 이전에 '인'은 군주가 그의 백성에게 보이는 친애의 뜻으로 이해되었답니다. 왜냐하면 '인'은 하늘이 인간의 마음속에 내려와 '씨앗'으로서 내재 (內在)해 있기 때문이지요. 이러한 '인' 때문에 인간의 본성은 본래부터 선하다는 '성선설(性善說)'이 유가에서 자리잡기 시작했지요. 따라서 사람들은 군주(君)와 아비(父)는 인간사회 안에서 '하늘'의 역할을 다하는 존재라 여기고, 특별히 왕은 하늘의 아들이라는 이른바 '천자(天子)'라는 의식이 싹트는 계기로 삼았답니다. 뿐만 아니라 이러한 '인' 관념은 점차 확대되어 후대에 내려오게 되면서 군주에게만 한정되지 않는 하나의 개별적인 덕목으로서 '자비로움', '어짊', '너그러움' 등을 가리키게 되었지요. 공자는 모든 개별적인 덕목을 포괄하고 모든 사람에게 적용되며 완전한 덕성을 나타내는 말로 '인'의 의미를 변화시켰습니다.

그럼에도 노자는 공자와 그 후학들이 말하는 이러한 인간의 가장 기본적인 정서로서의 '인'을 '편애하는 마음이나 사사로움'으로 규정하는 것을 받아들이지 않습니다. 오히려 "하늘과 땅은 결코 인하지 않다."라고 극구 항변합니다.

노자가 보기에 하늘과 땅과 자연의 운행모습을 따르는 것이야말로 사람의 바람직한 삶의 태도인데, '인'을 따른다는 것은 오히려 인간의 삶을 편협적인 것으로 몰고 갈 위험성이 있다는 것이지요. 왜냐하면 천지자연은 '무사공평(無私公平)'하여 어떤 것을 더 사랑하거나 혹은 더 가까이 지내려거나 하는 것이 아니라 오히려 차별이 없고(無差別), 사사로움도 없는(無私) 누구에게나 '공평하게 대해야 하는 평등성(平等性) 혹은 형평성(衡平性)'을 간직한 존재이기 때문입니다. 하늘과 땅이 '인'하지 않으니, 하늘과 땅을 거울로 삼고 사는 '성인(聖人)'도 역시 당연히 하늘과 땅을 닮아서 '인'하지 않다는 겁니다.

하늘과 땅은 어질지 못해서(天地不仁)

온갖 것들을 풀 강아지로 여기네(以萬物爲芻狗).

거룩한 사람은 어질지 않아서(聖人不仁)

백성들을 풀 강아지로 여기네(以百姓爲芻狗).

'추구(芻狗)'는 풀로 만든 강아지를 뜻합니다. 옛날에 중국의 도교 식으로 제사 지낼 때 쓰이던 짚으로 만든 개를 이르던 말이지요. 말하자면 쓰일 때는 정성스럽게 만들지만, 쓰고 나서는 얼마 지나지 않아 곧 아무런 소용이 없게 되어 버린 물건을 비유적으로 이르던 말이라고 합니다. 제사가 끝나면 풀강아지를 버렸고, 거기에 미련을 두지 않았다고 하는데, '하늘'과 '땅'과 '성인'이 바로 그런 존재들이라는 뜻입니다. '도(道)'는 '스스로 그러하기(自然)' 때문에 인위적으로 조작하거나 차별을 두거나 사사로이 마음을 품지 않고 그저 무심(無心)하게 만물(萬物)을 대한다는 것입니다. 하지만 '무심하다'고 해서 아무 관심도 없다는 뜻이 아닙니다. 보십시오. 해와 달과 별이 빛을 내뿜고, 바람이 불고 비가 내리는데 누구에게는 빛을 더 비추어주고, 누구에게는 비를 더 내려주고 하는 따위로 어떤 특정한 존재를 더 친근하게 대해주는 것이 아니라 모두 다 균등하게 대해준다는 말입니다. 백성의 지도자나 군자들이나 성인들도 모두 백성을 대할 때 이렇듯이 '공평무사'하게 대해야 하지 않을까 싶습니다. 흡사 유가사상에 나오는 '중용(中庸)'의 관념과도 닮아 있는 것 같지만, '중용'을 수행하는 군자는 "하는 바가 있지(有爲)"요. 반대로 노자의 '도'는 "하는 바가 없으면서 (無爲)"도 "타자(他者)"를 위하여 끊임없이 무엇인가 이로운 것을 발출 (發出)하고 있다는 겁니다. 이것이 도의 지혜이고 신비입니다.

〈집회서〉에서도 '지혜의 신비'에 관해 노래하고 있습니다.

"모든 지혜는 주님에게서 오고
영원히 주님과 함께 있다.
누가 바다의 모래와 빗방울과 영원의 날들을 셀 수 있으랴?
누가 하늘의 높이와 땅의 넓이를,
누가 심연과 지혜를 헤아릴 수 있으랴?
명철한 지각도 영원으로부터 창조되었다.
지혜의 근원은 하늘에 계신 하느님의 말씀이며,
지혜의 길은 영원한 계명이다.
지혜의 뿌리가 누구에게 계시되었으며
지혜의 놀라운 업적을 누가 알았느냐?
지혜의 슬기가 누구에게 나타났으며
지혜의 풍부한 경험을 누가 이해하였느냐?"(집회1,1-8)

《신약》의 〈복음서〉안에서 예수 그리스도께서는 이러한 신비적 관념을 인간 세상 안으로 끌어내리시고, 우리가 참으로 어떻게 살아야 제대로 살아가는지 역설적으로 말씀하시면서 인간 삶의 일대반전(一大反轉)을 요구하십니다.

"나는 너희에게 말한다. 원수를 사랑하여라. 그리고 너희를 박해하는 자들을 위하여 기도하여라. 그래야 너희가 하늘에 계신 너희 아버지의 자녀가 될 것이다. 그분께서는 악인에게나 선인에게나 당신의 해가 떠오르게 하시고, 의로운 이에게나 불의한 이에게나 비를 내려주신다. 사실 너희가 자기를 사랑하는 이들만 사랑한다면 무슨 상을 받겠느냐? 그것은 세리들도 하지 않느냐? 그리고 너희가 자기 형제들에게만 인사한다면 너희가 남보다 잘하는 것이 무엇이겠느냐? 다른 민족들도 그렇게 하지 않느냐? 그러므로 하늘의 너희 아버지께서 완전하신 것처럼 너희도 완전한 사람이 되어라."(마태5,44-48)

하늘과 땅 사이는(天地之間)

그 마치 풀무와 같다고나 할까(其猶橐籥乎)!

텅 비어 있으면서도 그치지 않으며(虛而不屈)

움직일수록 더욱 더 발출해내지요(動而愈出).

말을 많이 하면 자주 궁색하게 되니(多言數窮)

중심을 지키는 것만 같지 못하지요(不如守中).

따지고 보면 우리를 포함한 모든 만물들은 모두 하늘과 땅 사이에서 이렇게 혹은 저렇게 존재해가고 있지요. 하늘과 땅 사이는 마치 거대한 '풀무'같지만, 그러한 풀무마저도 누구인가에 의해 끊임없이 움직이고 있습니다. '움직이게 하는 존재'는 타자를 움직이게 하고 싶어서 실행하는 것이 아니라, '저절로 그러한 존재'이기 때문에 '움직이면 움직일수록' 타자들을 더욱 충만하게 만들어 준답니다.

그 존재는 '텅 비어 있는 공간'에서 만물을 만들어내고, 생명을 주며 성장하게 하고, 믿음과 사랑과 평화와 희망 등등으로 삶을 윤택하게 해줍니다. 그러한 과정 안에서 그 존재는 만물 가운데 그 어떤 것도 홀대하지 않고 불편부당(不偏不黨)하게 대하지 않으며, 그래서 '무심(無心)'하고 '무친(無親)'한 것처럼 보이지만 오히려 중심을 지키면서 어떠한 난관에도 굴하지 않고 생명 활동에 열정을 다 쏟아내고, 마침내 생명 있는 것들의 '원동력(原動力)'으로서 만물들에게 끊임없이 자신의 모든 것들을 나누어 줍니다.

〈지혜서〉에서도 이와 유사한 말씀이 나옵니다. 〈지혜서〉저자는 이러한 원동력이신 분에 대해 비교적 간략하면서도 명확하게 말합니다.

"주님, 당신께서는 모든 일에서
당신 백성을 들어 높이시고

영광스럽게 해 주셨으며
언제 어디에서나
그들을 도와주시는 일을
소홀히 하지 않으셨습니다."(지혜19,22)

수녀님, 어느덧 11월 하순이 되었습니다. 시간이 참 빨리도 지나간다는 생각을 해봅니다. 그 사이 그렇게 무성하던 우곡의 골짜기는 텅 비어 있습니다.

물소리, 새소리, 바람소리들만 텅 빈 골짜기를 울리고, 그 울림을 저는 '봄을 준비하는 생명의 소리'로 이해하고 듣습니다. 지금쯤 소머리산에 내려오는 바람소리며 낙엽 날리는 소리도 이곳 우곡과 별반 다르지 않겠지요? 가을이 가면 겨울이 오고, 겨울이 가면 봄이 오고, 봄이 가고 나면 여름이 오고, 여름이 가고 나면 또 가을이 오고 그렇게 누구의 간섭도 마다하고 꾸준하게 움직이는 것이 '자연(自然)'이 아니겠습니까? 아니 자연에게 베푸시는 하느님의 섭리(攝理), 사랑의 손길이지요. 이제 곧 아기 예수님이 오심을 기다리는 대림절(待臨節)이 다가옵니다. 연중 시기를 잘 마무리하시고 사람으로 오시는 분을 잘 맞이하시기를 기도합니다.

2012년 11월 21일 복되신 동정마리아의 자헌(自獻)축일에

골짜기는 신령스러우며 죽지 않으리니(谷神不死)
이분을 일러 '거룩한 어머니'라 한다네.(是謂玄牝)

| 6장 |

고요하고 텅 비어 있는 골짜기

수녀님, 잘 계시지요? 우리는 지금 십이월, 대림절(待臨節)을 보내고 있네요. 시방 우곡의 골짜기는 텅 비어 고요하다 못해 적막감까지 감돌고, 아침 눈뜨는 시간이 되면 햇살마저 고즈넉하게 창살로 번져나가 마치도 태곳적 하느님께서 만물을 창조하실 때도 이와 같은 분위기였을 것이라는 생각을 해 봅니다. 며칠 동안 퍼부어대던 함박눈이 여태까지도 솔가지 위나 골짜기의 바위 틈, 그리고 사람들이 많이 걸어다니지 않은 작은 길 위에 고스란히 남아있지요. 다만 쌓인 눈발 위로 무슨 새인지는 알 수 없지만, 새들의 작고 예쁜 발자국들이 선명하게 찍혀있는 것을 보면 추위와 고요 속에서도 여전히 살아있는 것들은 끊임없이 자신의 몸을 움직이면서 생명 활동을 부지런히 하고 있다는 것을 알게 됩니다.

이처럼 골짜기는 텅 비어 있기 때문에 오히려 모든 것을 다 받아들일 수 있고, 다 받아들일 수 있기 때문에 위대하고 거룩한 것이 아닌가 싶습니다. 위대하기 때문에 생명 있는 것들이나 생명 없는 것들이나 모두 하나로 모아들일 수 있고, 거룩하기 때문에 그 고즈넉한 품 안에서 온갖 것들이 새로운 생명으로 태동(胎動)하게 되는지도 모를 일입니다. 이런 의미에서 골짜기는 신령스러운 존재 곧 '도(道)'의 모습을 띠게 되는가 봅니다. 노자는 텅 비어 있으면서도 지속적인 생명력을 가지고 생명의 기운을 잉태하고 발출해내는 동시에 모든 생명 있는 것들의 안식처가 되는 골짜기를 신령스럽고 죽지 않을 '거룩한 어머니(玄牝)'라고 부릅니다. 사실 따지고 보면 세상의 모든 어머니들 가운데 거룩하지 않는 어머니가 어디 있겠는지요?

골짜기는 신령스러우며 죽지 않으리니(谷神不死),

이분을 일러 '거룩한 어머니'라 한다네(是謂玄牝).

'곡(谷)'은 사람마다 다르게 생각할 수도 있지만, 그저 '텅 비어 있는 골짜기(계곡)'이라고 보는 편이 편하겠지요? 골짜기는 특히 겨울의 골짜기는 '고요하고 텅 비어 있어서' 숨을 몰아서 소리로 내뿜으면 메아리가 되어 빈 골짜기를 꽉 채우지요. 텅 비어 있기 때문에 모든 것을 담을 수 있고, 모든 것을 담을 수 있기 때문에 모두에게 되돌려 줄 수 있다는 진실과도 통합니다. 어떤 사람은 이렇게 순수한 자연의 계곡을 여성의 계곡으로 이해하여 말하기도 합니다. 이 양자는 형태나 생명력을 가진 성질이라는 측면에서 볼 때, 모두 '암컷' 곧 '여성성(女性性)'을 띠고 있기 때문이지요.[5] 그래서 노자는 아마도 양쪽 산으로 옴팡하게 둘러쳐져 있고 가운데로 갈라져 있으며, 그 갈라진 곳은 그대로 물이 흘러내리는 길이 되어 주변의 온갖 것들에게 생명수를 제공하게 되고, 동시에 지속적으로 생명을 샘솟게 하는 생명 활동의 중심 역할을 수행한다고 생각했을지도 모를 일입니다. 그렇기 때문에 노자는 여성이 신비로운 것처럼 골짜기 또한 신비롭고 신령스럽다고 여기지 않았을까요? 저 역시 그러한 노자의 생각에 대해서 일정정도 동감하는 부분이 있습니다.

'곡신(谷神)'은 '골짜기의 신'이라기보다는 '골짜기는 신령스럽다'라고 번역하는 편이 훨씬 이해하기 쉬운 것도 바로 노자가 골짜기를 인격적으로 묘사하고 있기 때문이 아닐까 싶습니다. '신령스럽기' 때문에 '죽을 수 없고(不死)', 죽을 수 없기 때문에 끊임없이 생명 활동을 수행할 수 있게 되지요. 골짜기가 신령스러운 것은 골짜기를 통하여 '도(道)'가 출입(出入)하기 때문입니다. 골짜기가 바로 '도'이면서 도가 활동하는 출입구라고도 볼 수 있기에 그 출입구를 통하여 도의 작용은 끊임이 없고, 거기에서 천지가 나오고 온갖 만물이 나오게 되니 곧 나온 것들이 생명 활동을 이룩하게 됩니다. 이 골짜기의 신령스러움으로 말미암아 도가 보존되고 사물에도 응합니다. 그러나 골짜기는 오히려 결코 자신을 드러내지 않습니다. 그는 강하지만 약한 것처럼 보이고, 고

5) 최진석,『노자의 목소리로 듣는 도덕경』,도서출판 소나무, 2001.

귀하지만 낮은 곳에 처하여 움직이지 않으며 텅 비어 있는 것처럼 보이지만 꽉 차서 충만하고, 형태가 없는 것처럼 보이지만 다른 모든 사물들을 내고 자라게 하며 거스르거나 어긋나게 하지도 않으니 마치 여성의 부드러움과 같아서 그 작용으로 이루지 못할 것이 없고 또 그 이룸은 끝 간 데가 없습니다. 그래서 '거룩한 어머니(玄牝)'이라고 부르는지도 모르겠습니다. 원래 '현(玄)'은 '검다', '그윽하다', '미묘하다' 혹은 '막힘이 없다'라는 뜻을 가지고 있지요. 그리고 '빈(牝)'은 부드러움을 지니고 있는 암컷, 여성, 어머니를 가리키지요. 그래서 참으로 '묘한 암컷'이라고 볼 수 있는데 저는 그것을 '거룩한 어머니'라고 이해했지요. 왜냐하면 자식을 낳아 기르는 세상의 모든 어머니는 그것만으로도 이미 거룩하기 때문입니다.

거룩한 어머니의 문은(玄牝之門)
일러 '하늘과 땅의 뿌리'라고 한다네(是謂天地根).

'거룩한 어머니'를 생각해보면 맨 먼저 성모(聖母) 마리아가 떠오릅니다. 마리아는 세상을 창조하신 하느님을 낳으신 '하느님의 모친'이지요. 하지만 마리아는 그러한 자신의 존재를 한사코 부정합니다. 거룩한 어머니가 제 역할을 할 수 있도록 '문'의 역할만을 수행하겠다는 뜻이겠지요.

"보십시오, 저는 주님의 종입니다.
말씀하신 대로 저에게 이루어지기를
바랍니다."(루카1,38)

그렇습니다. 마리아는 '거룩한 어머니'로서의 역할을 부정하고 대신에 '주님의 종'임을 자인(自認)하고 고백합니다. 그렇다면 '거룩한 어머니'는 곧 하느님이시라고 말할 수 있습니다. 하느님이 '거룩한 어머니'이시고, 천지만물은 그러한 어머니로부터 나오고 자라납니다. 이 때문에 어떤 사람들은 '하늘에 계신 우리 아버지'라는 호칭뿐만 아니라 '하늘에 계신 우리 어머니'라고도 호칭해야 함을 역설하기도 하지요. 따라서 마리아는 오히려 노자가 말한 '거룩한 어머니의 문'이라고 해야 옳지 않겠나 싶습니다. 사실 '문(門)'은 들고 나게 하는 틈이지요. 틈은 갈라져 있어서 나고 들게 하는데 아무런 장애가 되지 않습니다. '틈'은 '여유'이고 '쉼'이며 '여백'입니다.

그 틈의 역할을 마리아가 적극적으로 수행했다고 보아야 할 것입니다. 그 문을 통하여 세상이 생겨났고, 그 틈을 통하여 마침내 하느님께서 사람들 가운데로 들어오셨지요. 그러므로 그 문, 틈, 여백, 여유가 바로 '하늘과 땅의 뿌리(天地根)' 곧 하늘은 하늘이 될 수 있고, 땅은 땅이 될 수 있는 근거가 되는 것이지요. 〈요한복음〉 사가도 하느님께서 세상, 곧 하늘과 땅 안으로 들어오셨다고 장엄하게 선포하고 있습니다.

"모든 사람을 비추는
참빛이 세상에 왔다.
그분께서 세상에 계셨고
세상이 그분을 통하여 생겨났지만
세상은 그분을 알아보지 못하였다.
그분께서 당신 땅에 오셨지만
그분의 백성은 그분을 맞아들이지 않았다."(요한1,9-11)

그분의 백성들이 그분을 맞아들이지 않았다는 것은 어쩌면 너무나 당연한 일인지도 모르겠습니다. 그분이 세상에 오신다고 하여 요란하게 꽹과리와 나팔을 불어댄다든가 수많은 천사들을 급파하여 세상을 뒤집어놓는다든가 강한 군대를 파견하여 오실 길의 주변을 정리한다든가 하는 따위가 아니라 오히려 가장 낮은 자, 약한 자의 모습으로 계시는 듯 아니 계시는 듯 오셨기 때문입니다.

끊어질 듯 말 듯하여 있는 듯 없는 듯하지만(綿綿若存)
작용하심은 다함이 없다네(用之不勤).

수녀님, 지금은 모두들 대통령 선거에 혼이 다 빠져 있는 때로 보입니다. 나라의 최고 지도자를 뽑는 이번 선거에 서민들, 노동자들, 가난한 이들에게 희망을 주고 눈물을 닦아주는 사람, 거짓말하지 않고 하느님의 뜻 안에서 진실한 삶을 사는 이가 뽑히기를 기도해 봅니다. 우곡 골짜기에는 사흘 동안 내내 눈발이 그치지 않고 퍼부어대더니, 며칠 전에는 또 온 종일 내내 겨울비가 내렸습니다. 그 덕분에 얼음장 밑으로 흐르던 계곡물이 제법 얼굴을 드러내고 조잘거리며 아래로 낮은 곳으로 흘러갑니다.

이제 얼마 지나지 않으면 세상을 구원하실 구세주께서 가장 나약한 아기의 모습으로 마리아를 통하여 오시게 되겠지요. 이는 하느님께는 '역사(役事)'이지만, 세상의 모든 이들에게는 '축복'이라 하지 않을 수 없습니다. 지금쯤이면 상주 소머리산 아래 가르멜 수도원에서도 오실 하느님을 맞이할 준비를 단단히 하고 계실 것이라 생각합니다.

이곳에 사는 저는 그저 계곡에 이는 솔바람 소리, 흐르는 물소리, 가끔씩 불러서 들려주는 겨울새들의 노래 소리, 그리고 나무들 아래 모여 앉아있는 눈발들의 반짝임과 마주하면 그뿐이랍니다. 그것들은 모두 거룩한 어머니께서 '거룩한 어머니의 문'을 통하여 마련해 주신 것들이라고 생각하게 되면 하마 마음이 풍요로워집니다. '텅 비움(공허)'으로 계신 분이 우리들에게 '가득 채움(충만)'이라는 축복을 마련해 주시니 그저 감사를 드릴 따름입니다.

수녀님들께서도 다가오는 거룩하신 분의 탄생 날에 '거룩하신 분'의 사랑과 평화의 축복을 듬뿍 받으시고 또 언제나 주님 안에서 몸도 마음도 건강하시기를 기도합니다.

2012년 12월 16일 대림 제3주일에 우곡(愚谷)에서

개소시랑개비

거룩해지기를 끊어버리고 지식을 포기해버리면
백성에게 돌아가는 이로움이 백배나 되지.
기교부리기를 끊어버리고 이로움을 포기해버리면
도적은 없어지게 되지.

하늘은 영원하고 땅은 오래도록 간다네.
하늘과 땅이 영원하고 또 지속될 수 있는 까닭은,
제 스스로를 살리려 하지 않기 때문이니,
그래서 영원히 살 수 있는 게지.

| 7장 |

하늘은 영원하고 땅은 오래도록 간다네.

수녀님, 또다시 새해가 밝았네요. 지난 성탄 전야부터 눈발이 낮은 곳을 향하여 내려앉기 시작하더니, 세초(歲初) 내내 내리면서 세상과 단절 아닌 고립되면서 계사년(癸巳年), '뱀띠 해'를 맞았답니다. '뱀'은 징그러운 것으로 여겨지는 동물이긴 하지만 때에 맞추어 허물을 벗고, 그 허물을 벗을 때마다 조금씩 성장한다고 해서 동양의 민간신앙에서는 '영생(永生)', '불사(不死)', '재생(再生)'의 수호신으로 여겨졌고, 또 서구, 특히 그리스 신화에서는 '치료의 신'이나 '의술의 신'으로 불리기도 했답니다. 성경에서는 주로 '뱀은 주 하느님께서 만드신 들짐승 가운데 가장 간교한'(창세3,1) 동물로 묘사하고 있지요. 뱀의 간교한 꾐에 빠져 결국 인류의 조상인 아담과 하와는 '에덴의 동산'에서 쫓겨나는 신세(창세3장 참조)가 되고 말았지요. 그러고 보니, 소머리산 기슭에는 뱀들이 많이 살고 또 때때로 출몰하여 수녀님들을 놀라게 한 적도 많았던 것으로 기억하고 있습니다.

사실 따지고 보면, 뱀도 결국은 하느님께서 만드신 '아름다운 피조물'이라는 생각을 하게 되면 그다지 위험하거나 징그럽다는 느낌은 들지 않는답니다. 저는 이곳 우곡에서 한 해의 대부분을 혼자 미사를 봉헌하는데, 미사를 드리면서 우곡 골짜기에서 살아가는 온갖 미물들(물론 뱀이나 말벌들도 포함)에게 평화의 인사나 파견의 강복을 건넵니다.

그래서인지는 몰라도 길을 가거나 풀을 베거나 할 때에 뱀을 만나도 그저 서로 눈인사를 보내고는 각자 제 갈 길을 가고, 제 할 일을 하곤 한답니다. 그럴 때마다 예수께서 당신의 제자들을 사람들 속으로 파견하실 때 "나는 이제 양들을 이리 떼 가운데로 보내는 것처럼 너희를 보낸다. 그러므로 뱀처럼 슬기롭고 비둘기처럼 순박하게 되어라."(마태10,16)라고 하신 말씀을 떠올려보기도 하지요. 하느님께서 만드신 세상, 그 안의 생물이든지 무생물이든지를 막론하고, 사람을 해롭게 하거나 나쁘게 하는 것들은 없다고 생각합니다.

오히려 피조물 가운데 사람들만이 그들을 괴롭히고 함께 할 수 없는 존재들로 치부해 버리기 때문에(마태10,17) 언제나 사람이 세상 안에서 심각한 문제를 발생시키지요. 오죽했으면 '성인(聖人)'이라는 말이 생겨났겠습니까? 동물이나 식물에는 '거룩한 아무 것'이라고 하지 않고 오직 사람들에게만 '거룩한 사람'이라고 붙여주는 까닭을 생각해 봅니다.

모든 사람들이 동물이나 식물처럼 하느님의 뜻에 순응하고 순종하면서 살았다면 굳이 '거룩함(聖)'이라는 글자를 붙이지 않아도 되었겠지요? 그렇게 살지 못했기 때문에 조금이라도 그렇게 살려고 노력하고 애를 쓴 사람을 우리는 '성인'이라고 특별히 호칭하지 않을까 생각해 봅니다. 이에 대해서는 노자도 우리와 비슷한 생각을 가지고 있는 듯 보입니다.

하늘은 영원하고 땅은 오래도록 간다네(天長地久).
하늘과 땅이 영원하고 또 지속될 수 있는 까닭은(天地所以能長且久者)
제 스스로를 살리려 하지 않기 때문이니(以其不自生),
그래서 영원히 살 수 있는 게지(故能長生).

노자는 "하늘은 길게 가고 땅은 오래 간다"고 노래합니다. 그리고 뒤이어 곧바로 하늘과 땅이 그렇게 되는 까닭에 대한 해법으로 '그 스스로 생(自生)하지 않기' 때문이라는 겁니다. 여기에서 '生'이라는 글자를 어떻게 해석해야 하는가에 따라서 노자가 품은 뜻을 헤아려 볼 수 있지 않을까 싶습니다. '생'이라는 글자는 우선 다양한 해석이 가능할 것 같습니다. 예컨대 '나다', '내다', '낳다', '살다', '태어나다', '살아나다' 등등이지요. 그리고 '자(自)' 라는 글자는 대체로 '스스로', '저절로' 혹은 '~으로(에로)부터' 등등으로 해석할 수 있습니다. 그렇다면 '자생(自生)'이라는 말을 해석해 보면, '스스로 나다', '스스로 살다', '스스로 내다', '저절로 살다', '저절로 태어나다', '삶으로부터' 등등 다양한 의미로 이해 될 수 있을 것입니다. 저는 이 문장에서 '自'라는 글자를 '스스로' 혹은 '자신'으로 보면서 동시에 '대명사'로서 '자기가 살다', '자기가 나다' 등으로 해석하지 않고 '목적어'로 삼아 번역하였지요. 예컨대 '스스로를 살리다', '스스로를 살아나게 하다' 등으로 말입니다. 이렇게 해야 뜻이 보다 명확하게 드러나는 것이 아닌가 싶고, 또 문장 용법상에서도 크게 벗어나는 것이 아니기 때문에 충분히 가능하리라 생각합니다.

위 구절은 아무래도 노자가 '천지자연의 운행'을 노래한 것일 겁니다. '도(道)'에서 발출한 것 가운데 인간이 보기에 '길게 가고 오래 가는 것'이 '하늘과 땅' 말고 또 무엇이 있겠습니까? 그래서 저는 '장구(長久)'라는 말을 '영원(永遠)'이라고 이해하려고 했지요. 물론 창조된 '하늘과 땅'이 절대적으로 '영원하다'라는 것을 의미한다는 것이 아니라 '인간의 삶(人生)'과 비교하여 그렇다는 말씀이지요. 하늘과 땅이 영원히 존속할 수 있는 까닭은 '부자생(不自生)' 곧 길고 그리고 오래도록 살아갈 것이라는 사사로운 욕심을 품지 않았기 때문이라고 볼 수 있습니다.

'사사로운 마음'은 스스로 그러한 '자연(自然)'의 법칙에 순응하지 않고 오히려 '자연지도(自然之道)'를 어그러뜨리게 되지요. 자연의 도를 등진다는 것은 자신을 낮추거나 포기하거나 비우지 못하고 끝에 가서는 다른 이들은 물론이거니와 자신도 완성에로 도달하지 못하게 되는 것이겠지요? 예수께서는 보다 구체적으로 이러한 삶의 방식에 대해 말씀해 주시고 계시지요.

"그러므로 너희는
'무엇을 먹을까?'
'무엇을 마실까?'
'무엇을 차려입을까?' 하며
걱정하지 마라.
이런 것들은 모두 다른 민족들이
애써 찾는 것이다.
하늘의 아버지께서는 이 모든 것이
너희에게 필요함을 아신다.
너희는 먼저 하느님의 나라와
그분의 의로움을 찾아라.
그러면 이 모든 것도 곁들여
받게 될 것이다.
그러므로 내일 걱정은 내일이 할 것이다."(마태6,31-34)

만일 어떤 사람이 '제 스스로를 살리려 하지 않기 때문'에 '남도 살리지 않기로' 했다면 그는 참으로 형편없는 사람이 되고 말겠지요. 자기 스스로만 살겠다거나 살리겠다고 하는 사람은 결국 자기도 죽고 남도 죽게 만들고 말겠지요. 또 자기가 살려고 자기에게만 잘해 주는 사람에게 아부하거나 자기에 못해주는 사람을 내친다는 것도 참으로 비참한 사람이 아닌지요? 예수께서는 "너희는 원수를 사랑하여라… 남이 너희에게 해 주기를 바라는 대로 그대로 너희도 남에게 해주어라… 너희가 자기를 사랑하는 이들만 사랑한다면 무슨 인정을 받겠느냐? 죄인들도 자기를 사랑하는 이들은 사랑한다.

너희가 자기에게 잘해 준다면 무슨 인정을 받겠느냐?… 너희 아버지께서 자비하신 것처럼 너희도 자비로운 사람이 되어라."(루카6,27-36 참조)라고 하셨습니다.

그러니 '제 스스로를 살리려 하지 않는' 사람은 다른 사람 곧 자기보다 더 어렵고 힘들게 살아가는 사람을 살리려고 노력하고 애를 쓰는 사람일 것입니다. 자신의 처지에 대해서는 돌아보거나 따져보지 않고 뒤로 하고서는 먼저 남의 아픈 처지를 생각하고, 슬퍼하는 타인의 눈물을 닦아주는 사람일 것입니다. 뿐만 아니라 그는 자기 자신에 대해서는 오히려 야박하리만큼 자신을 대하는 사람일 것입니다. 그래야 자신보다 먼저 남을 생각해 줄 수 있을 테니까요. 예수께서도 제자들에게 이와 유사한 말씀으로 훈시를 내려 주십니다.

"그러므로 내가 너희에게 말한다.

목숨을 부지하려고 무엇을 먹을까,

몸을 보호하려고 무엇을 입을까,
걱정하지마라.
목숨은 음식보다 소중하고
몸은 옷보다 소중하다.
까마귀들을 살펴보아라.
그것들은 씨를 뿌리지 않고
거두지도 않을 뿐 아니라
골방도 곳간도 없다.
그러나 하느님께서는 그것들을 먹여주신다.
너희가 새들보다 얼마나 더 귀하냐?
너희 가운데 누가 걱정한다고 해서
자기 수명을 조금이라도 늘릴 수 있느냐?
너희가 이처럼 지극히 작은 일도 할 수 없는데,
어찌 다른 것을 걱정하느냐?"(루카12,22-27)

또 예수께서 당신의 제자들에게 "누구든지 내 뒤를 따라 오려면, 자신을 버리고 제 십자가를 지고 나를 따라야 한다. 정녕 자기 목숨을 구하려는 사람은 목숨을 잃을 것이고, 나 때문에 자기 목숨을 잃는 사람은 목숨을 얻을 것이다. 사람이 온 세상을 얻고도 제 목숨을 잃으면 무슨 소용이 있겠느냐? 제 목숨을 무엇과 바꿀 수 있겠느냐?"(마태

16,24-26)라고 말씀하십니다. '나 때문에 목숨을 잃는 사람은 목숨을 얻을 것이다.'라는 의미가 무엇이겠습니까? '나'는 곧 '예수님'이시고, '예수님'은 '참 하느님'이십니다. 하느님은 '사랑'이시고, '생명'이시며, '희망'이시고, '진리'이시며, '정의'이시고, '평화'이십니다. 그러니 사랑과 생명과 희망과 진리 등등을 위하여 자기 목숨을 버리는 사람은 곧 목숨을 얻을 것이라는 말씀이시겠지요? '하늘과 땅'이 자신들을 두고 '무엇'이라고 합니까? 그저 하느님의 뜻에 따라 온갖 사사물물(事事物物)들을 움트게 하고, 자라게 하며 실어주고 태워주는 일을 할 따름입니다. 이와 같이 하늘과 땅처럼 만일 그렇게 살아가는 사람이 있다면 우리는 그를 '거룩한 사람' 곧 '성인(聖人)'이라 불러야 되지 않을까 싶습니다.

이로써 거룩한 사람은 자신의 몸을 뒤로 하면서도(是以聖人後其身)

자신이 앞장서 가지(而身先).

자기 몸을 돌보지 않았는데도(外其身)

몸은 존속하게 되니(而身存),

자기의 사사로움을 없애버렸기 때문이 아니겠는가(非以其無私邪)?

때문에 자기의 사사로움마저도 이룩할 수가 있었던 게지(故能成其私).

노자가 말하는 천지자연의 '부자생'에 대한 원리를 살펴보면, 자신에 대해서는 '무심(無心)'하다고 볼 수 있겠지만, 정작 타자(他者)

에 대해서까지 '무심'하게 굴지는 않는다는 뜻으로 이해될 수도 있을 것입니다. 이는 곧 유가 『중용』에서 말하는 '성기성물(成己成物)'의 태도와 유사하다고 볼 수 있지요. 자신을 완성하고 다른 이들도 이룩되게 만드는 필수적 조건이 있다면, 곧 자신을 포기하고, 낮은 자세로 살면서 끝없이 자신을 비워내는 일이겠지요? 또 예수께서 보여주신 "제 목숨을 얻으려는 사람은 목숨을 잃고, 나 때문에 목숨을 잃는 사람은 목숨을 얻을 것이다."(마태10,39)라고 하신 '십자가의 원리'나 '사즉생(死則生)의 원리' 혹은 '그러므로 남이 너희에게 해 주기를 바라는 그대로 너희도 남에게 해주어라.'(루카6,31/마태7,12)라고 하신 '황금률'과도 어느 정도 닮아있다는 것을 발견할 수 있고, 또 예수님의 말씀과 노자의 이 대목은 서로 어느 정도 상통하는 맥이 흐르고 있다고도 볼 수 있지요. 문제는 자기의 '사사로움(私)'을 어떻게 없애느냐 하는 것이랍니다. 유가의 수양론(修養論)에서도 수양의 핵심으로서 '존천리거인욕(存天理去人欲)'이라는 말을 가지고 있답니다.

이 말은 자기의 삶 속에서 '천리를 간직하고 인욕을 없애버린다.'는 뜻입니다. 그리하여 하늘이 부여해 주셨지만 잃어버린 본래의 마음 곧 '본심(本心)', '도심(道心)'을 되찾아 회복한다는 것입니다. 말하자면 '하느님의 모상(Imago Dei)'을 회복한다는 뜻이지요. 그렇게만 된다면 이 땅에서 살아가는 사람이라면 누구든지 존경받아 마땅할 '성인'이 되겠지요.

수녀님, 날씨가 춥습니다. 여기는 영하 10도는 기본이고 지금까지 최저온도로 영하 25도까지 내려간 적도 있답니다. 가르멜수녀원도 춥기는 매한가지가 아닐까 싶습니다. 무엇보다도 걱정이 되는 분은 다른 수녀님들도 그러하시겠지만, 특별히 연로하신 까리따스 수녀님과 데레사 수녀님입니다. 언제나 몸도 마음도 주님 안에서 건강하시기를 기도합니다. 저는 지난번에 설빔으로 보내주신 따스한 목도리가 있어서 추운 이 겨울을 따뜻하게 보내고 있답니다.

세모(歲暮)에서부터 시작된 눈발이 세초(歲初)까지 쌓이더니, 시간이 많이 지났는데도 이 우곡에서는 여전히 새하얀 눈밭으로 지금껏 장관을 이루고 있답니다. 옛말에 "소한(小寒), 대한(大寒) 다 지나면, 얼어 죽을 사람이 없다."고 했는데, 이제 소한과 대한이 지났으니, 봄이 온다는 소식도 곧 듣게 될 테지요. 어쩌면 우리 시대에 '성인'이 된다는 것은 자신이 원하는 것들, 움켜잡은 것들을 송두리째 내려놓으면서 꽁꽁 언 땅에 만나는 모든 이들에게 기쁜 '봄소식'을 전해주는 '일꾼'으로 산다는 것을 의미하지는 않을까 싶습니다.

2013년 1월 21일 성녀 아녜스 축일에

최고의 지혜는 흐르는 물과 같다네.
물은 만물에게 이로움을 주면서 다투지를 않기를 잘하고,
많은 사람들이 싫어하는 곳에 자리한다네. 그래서 道에 가깝지.

'물'은 가장 낮은 곳에 자리해서 모든 것들을 섬깁니다.
심지어 물은 네모난 그릇을 만나면 네모가 되고, 세모난 그릇을 만나면
세모가 되고, 둥근 사발을 만나면 둥근 사발이 되어도 아무런
불평 한마디 하지 않습니다. 사도바오로는
예수 그리스도를 '물' 곧 '최고의 지혜'라고 말씀하십니다.

| 8장 |

최고의 지혜는 흐르는 물과 같다네.

수녀님, 중국에서 '춘절(春節)'이라고 하는 '설날'을 잘 지냈습니까? 겨울이 아무리 춥고 매섭다 하더라도 결코 오는 봄을 막아설 수는 없는 모양입니다. 바람이 불어도 겨울 바람처럼 살갗을 에어들게는 하지는 못하나 봅니다. 이제는 바람 속에 봄 냄새가 담겨있는 듯 상큼합니다. 겨우내 얼음이 얼어붙어서 조용하기만 하던 계곡도 벌써부터 그 얼음장 밑으로 제법 흐르는 물소리가 세차게 들립니다. 또 버들강아지들은 깊었던 겨울과는 달리 봄을 맞이하려는 것인지 상당히 부퍼 있습니다. 하지만 따지고 보면 이러한 시대의 징후들은 결국 겨울이 있었기 때문에 가능한 것이 아닐까 싶습니다. 가을이 깊어지면 겨울이 되는 것처럼 말입니다. 그러니 자연의 신비로운 변화는 봄 여름 가을 겨울처럼 서로서로의 조화로운 관계로 말미암아 이루어지는 것이고, 그러한 관계를 만드시고 주선하시고 이루어주시는 분은 언제나 창조주 하느님이심을 몸으로 한껏 느끼고 있는 것이 이즈음 저의 일상이랍니다. 지난해 우곡에 사는 주민들은 우곡 골짜기의 물을 식수로 사용하기로 결정하고 봉화군의 협조를 얻어 상수원지로 채택했답니다.

그리하여 현재는 그 주민들이 우곡 골짜기의 물을 식수로 사용하고 있지요.

생각해보면, 최고의 지혜에 대하여 '흐르는 물과 같다네.'라고 노래하는 노자는 확실히 하느님으로부터 받은 예언직(豫言職)을 충실히 수행하는 선지자(先知者)를 닮았다는 생각을 해봅니다. 구약의 예언자들처럼 참하느님이시면서도 자신을 낮추어 사람이 되시기를 주저하지 않으시고 이 땅에 임하신 예수 그리스도를 미리 알려주는 듯 보이기 때문입니다. 뿐만 아니라 노자는 사람이 어떻게 살아야 제대로 사람다운 노릇을 하는 것인지를 그려주고 있습니다.

최고의 지혜는 흐르는 물과 같다네(上善若水).

물은 만물에게 이로움을 주면서 다투지를 않기를 잘하고(水善利萬物而不爭)

많은 사람들이 싫어하는 곳에 자리한다네(處衆人之所惡).

그래서 도에 가깝지(故幾於道).

노자는 '물'을 '최고의 지혜'에 대한 상징으로 표현합니다. '물은 만물에게 이로움을 주면서 다투지를 않고 많은 사람들이 싫어하는 곳에 자리한다네.'라고 노래합니다. 사실 '물'은 높은 데서부터 끊임없이 낮은 곳을 향하여 흐르고 끝에 가서는 가장 낮은 곳에 머무는 특성을 가지고 있습니다. 가장 낮은 곳에 처해서는 주변의 온갖 만물들에게 자신의 전 존재를 다 내어주고는 마침내 '아무 것도 아닌 것(無)'이 되어 버립니다. 이때 '물'은 곧 모든 살아 있는 것들에게 '생명의 자양분'으로서의 역할을 톡톡히 하는 셈이지요. 이사야 예언자도 이러한 물의 소중함을 아주 신명나게 소개해 주고 있습니다.

"그때에 눈먼 이들은 눈이 열리고
귀먹은 이들은 귀가 열리리라.
그때에 다리 저는 이는 사슴처럼 뛰고
말 못하는 이의 혀는 환성을 터뜨리리라.
광야에서는 물이 터져 나오고
사막에서는 냇물이 흐르리라.
뜨겁게 타오르던 땅은 늪이 되고
바싹 마른 땅은 샘터가 되며
승냥이들이 살던 곳에는
풀 대신 갈대와 왕골이 자라리라."(이사35,5-7)

아무 것도 없는 광야에서는 물이 생명의 원천이 됩니다. 모래밖에 없는 사막에서 흐르는 물은 온갖 생명 있는 것들을 싹틔우고 움트게 하고 자라나게 하며, 또 죽어가는 것들에게 새로운 생명의 힘을 불어

넣어 주는 바탕이 되지요. 그래서 노자는 아마도 물을 '도(道)에 가깝다.'라고 했는지도 모르겠습니다. 저는 이미 앞에서 '도'를 '길', '말씀', '방법', '천명을 따르는 것' 등등으로 이야기한 적이 있습니다. '도에 가깝다'는 것은 결국 '도는 하늘에 즉한다(道卽天)'는 의미로 받아들여야 할 것 같습니다. 여기에서 '즉(卽)한다'는 것은 '기(幾)한다'는 것과 동일한 뜻으로 보아야 합니다. 곧 구분(나누어짐)되거나 구별(쪼개어짐)할 수 없고, 혼동하거나 혼돈될 수도 없지만, 본체(本體)로서는 온전히 '하나'라는 뜻입니다. 이러한 '즉'이나 '기'의 의미를 예수께서는 매우 적절하게 우리들에게 설명해 주고 있습니다.

"아버지와 나는 하나다....내가 아버지의 일들을 하고 있지 않다면, 나를 믿지 않더라도 그 일들은 믿어라. 그러면 아버지께서 내 안에 계시고 내가 아버지 안에 있다는 것을 너희가 깨달을 것이다."
(요한10,29. 38)

"아버지께서 가지고 계신 것은 모두 나의 것이다. 그렇기 때문에 성령께서 나에게서 받아 너희에게 알려주실 것이라고 내가 말하였다... 나는 아버지에게서 나와 세상에 왔다가, 다시 세상을 떠나 아버지께 간다."(요한16,15.28)

하느님 아버지의 아드님으로 오신 예수께서는 곧 세상에서 온전히

'물'로 사셨다고 말할 수 있습니다. 물은 모든 것들에게 자신을 모두 내어 줌으로써 죽어가는 모든 것들을 온전히 살립니다. 살리는 방법은 또한 모든 이들이 싫어하는 곳에서부터 처하여 시작하고, 모든 이들이 싫어하는 것이지만 그것이 모든 이들을 살리는 데 이로운 것이라면 무엇이든지 가리지 않고 실행에 옮김으로써 이룩해 냅니다. 물은 끊임없이 낮은 곳을 향하여 움직이고 마침내 가장 낮은 곳에 자리하기 때문에 '겸손'합니다. 예수께서는 말씀하십니다.

"너희 가운데 가장 높은 사람은 가장 어린 사람처럼 되어야 하고, 지도자는 섬기는 사람처럼 되어야 한다. 누가 더 높으냐? 식탁에 앉은 이냐? 아니면 시중들며 섬기는 이냐? 식탁에 앉은 이가 아니냐? 그러나 나는 섬기는 사람으로 너희 가운데 있다."(루카22,26-27)

'물'은 가장 낮은 곳에 자리해서 모든 것들을 섬깁니다. 심지어 물은 네모난 그릇을 만나면 네모가 되고, 세모난 그릇을 만나면 세모가 되며, 둥근 사발을 만나면 둥근 사발이 되어도 아무런 불평 한마디 하지 않습니다. 오히려 그릇을 이용하는 모든 이들을 섬기지요. 뿐만 아니라 물은 누가 자신에게 빨주노초파남보의 물감을 풀어도 저항 한마디 없이 그대로 빨주노초파남보의 빛깔을 뒤집어 써버립니다. 그것은 물을 필요로 하는 이와 온전히 하나 되기 위함이지요. 사도 바오로는 예수 그리스도를 '물' 곧 '최고의 지혜'로 보고 이렇게 편지를 썼습니다.

"그리스도 예수께서 지니셨던 바로 그 마음을 여러분 안에 간직하십시오. 그분께서는 하느님의 모습을 지니셨지만 하느님과 같음을 당연한 것으로 여기지 않으시고 오히려 당신 자신을 비우시어 종의 모습을 취하시고 사람들과 같이 되셨습니다. 이렇게 여느 사람처럼 나타나 당신 자신을 낮추시어 죽음에 이르기까지, 십자가의 죽음에 이르기까지 순종하셨습니다. 그러므로 하느님께서도 그분을 드높이 올리시고 모든 이름 위에 뛰어난 이름을 그분께 주셨습니다. 그리하여 예수님의 이름 앞에 하늘과 땅 위와 땅 아래에 있는 자들이 다 무릎을 꿇고 예수 그리스도는 주님이시라고 모두 고백하며 하느님 아버지께 영광을 드리게 하셨습니다."(필리2,5-11)

또 사도 바오로는 〈로마인들에게 보내는 편지〉에서도 '최고의 지혜'에 대한 자신의 찬미를 적고 있습니다.

"오! 하느님의 풍요와 지혜와 지식은 정녕 깊습니다. 그분의 판단은 얼마나 헤아리기 어렵고 그분의 길은 얼마나 알아내기 어렵습니까? 누가 주님의 생각을 안 적이 있습니까? 아니면 누가 그분의 조언자가 된 적이 있습니까? 아니면 누가 그분께 무엇을 드린 적이 있어 그분의 보답을 받을 일이 있겠습니까? 과연 만물이 그분에게서 나와 그분을 통하여 그분을 향하여 나아갑니다. 그분께 영원토록 영광이 있기를 빕니다. 아멘."(로마11,33-36)

노자에 따르면 "최고의 지혜는 물과 같다."고 했습니다. 노자는 최고의 지혜와 물이 논리상 서로 어울리지 않는다는 것을 알았을 겁니다. 그럼에도 불구하고 그가 최고의 지혜를 물과 같다고 본 것은 사람들의 관념(觀念)을 의식한 배려였다고 여겨집니다. 최고의 지혜를 달리 표현할 길이 없기 때문에 사람들의 생각 속에서 아무 것도 아닌 것처럼 느껴질 수도 있는 물, 하지만 물이 없으면 동시에 온갖 만물도 역시 존재할 수 없고, 존재할 수 없다면 아무 것도 아닌 것이 되기 때문이 아닌가 싶습니다. 말하자면 아무 것도 아닌 하잘 것 없는 것이 곧 모든 것을 내고 살리고 성장하게 만드는 것임을 노자는 강조하고 싶어서 '물'을 최고 지혜의 상징물로 끌어들인 것이 아닌가 싶습니다. 물은 아무런 말이 없습니다. 누가 물어도 물은 대답하지 않습니다. 물은 아무 것도 알고 싶어하지 않고, 배우고 싶어하지도 않으며 잘났다고 우쭐대지도 않고, 못났다고 슬퍼하거나 절망하지도 않습니다. 물은 언제나 위에서 아래로 흐르고 가장 맨 밑바닥에까지 내려가 다시 사물의 물관부를 통하거나 아니면 수증기를 통하여 다시 처음에 있던 자리로 되돌아가지요. 되돌아가서는 또다시 생명 있는 것들을 살리기 위하여 아래로 내려옵니다. 그러니 물은 언제나 만물들 가운데 거처할 수밖에 없고, 그 가운데서 만물들을 풍요롭게 해주고, 행복하게 만듭니다. 그렇기 때문에 노자는 '물'을 최고 지혜의 상징으로 삼아 모든 인간들이 '물'처럼 생활하기를 바라고 또 바랐는지도 모를 일입니다.

거처하기는 낮은 땅바닥에 잘하고(居善地)

마음 쓰기는 깊고도 고요한 곳에 잘하지(心善淵).

함께 할 때에는 너그럽기를 잘하고(與善仁)

말하기는 믿음이 넘쳐나게 한다네(言善信).

정치를 하면 맡겨진 일을 잘 처리하고(政善治)

일 삼을 때에는 가진 능력을 잘 발휘하며(事善能)

움직이면 때에 잘 들어맞게 한다네(動善時).

무릇 오로지 다투지를 않기 때문에(夫唯不爭)

걱정거리를 없애나간다네(故無尤).

이렇게 글을 적어 내려가다가 보니, 문득 나옹선사(懶翁禪師, 1320-1376)의 시가 생각납니다.

청산견아무어거(靑山見我無語居)-

청산은 나를 보고 말없이 살라 하고

창공시오무애생(蒼空視吾無埃生)-

창공은 나를 보고 티 없이 살라 하네

탐욕이탈노포기(貪慾離脫怒抛棄)-

탐욕도 벗어 놓고 성냄도 벗어 놓고

수여풍거귀천명(水如風居歸天命)-

물같이 바람같이 살다가 가라 하네

나옹선사의 이 시처럼 아무런 욕심도 없고 티도 없이 산다면, 또 탐욕도 벗어놓고 성냄도 놓고 물같이 바람같이 살다가 떠난다면 얼마나 멋진 인생이겠습니까? 물같이 살면서, 바람같이 살면서 물처럼 자신을 한없이 낮추고 바람처럼 어디에도 걸리지 않는 삶을 산다면, 세상은 지금과는 사뭇 다른 모습으로 변화되겠지요? 이사야 예언자가 노래하는 세상이 오게 되겠지요?

"불의한 결박을 풀어주고
멍에 줄을 끌러 주는 것
억압받는 이들을 자유롭게 내보내고
모든 멍에를 부수어 버리는 것이다.
네 양식을 굶주린 이와 함께 나누고
가련하게 떠도는 이들을 네 집에 맞아들이는 것,

헐벗은 사람을 보면 덮어 주고
네 혈육을 피하여 숨지 않는 것이 아니냐?
그리하면 너의 빛이 새벽빛처럼 터져 나오고
너의 상처가 곧바로 아물리라.
너의 의로움이 네 앞에 서서 가고
주님의 영광이 네 뒤를 지켜 주리라."(이사58,6-8)

수녀님, 또 2월이 저물어 가네요. 사실 2월이라는 달은 속절없이 가는 것이 아니라 어쩌면 우리들이 2월을 벗어버리고 3월로 향하고 있는지도 모를 일입니다.

속 두꺼운 얼음장 밑으로 몇 가닥씩 모여서 흐르던 계곡의 물줄기들이 이제 속살을 드러내고 제법 신명나게 소리까지 내면서 아래로 내려갑니다. 아래로 내려가는 물줄기들이 결국 바다 밑바닥까지 흘러 갈 것이고, 끝에 가서는 다시 아주 작은 알갱이로 부수어져서는 또다시 하늘로 올라가겠지요? 하지만 승천한 물 알갱이들은 지상에 남겨 둔 온갖 만물들을 잊지 못해 부지런히 '하나'로 모여들어 또다시 땅으로 내려올 것이겠지요? 지금쯤이면 소머리산을 둘러싸고 있는 온갖 수목들도 봄을 맞을 채비를 하고 있지 않나 싶습니다.

겨울이 깊어지면 질수록 봄이 점점 가까이 다가오고 있다는 뜻이 아닐까요? 겨우내 얼었던 물이 녹으면, 그 물은 맨 먼저 초목의 물관

부를 타고 올라가 잎을 틔우고 꽃봉오리를 맺게 하고, 사람에게는 움츠렸던 어깨를 펴는 데 활력소를 제공하게 되지요. 그동안 반갑고 고마운 편지와 엽서 등 기쁜 선물을 받았는데, 저는 이렇게 편지를 쓰는 걸로 대신하게 되니 송구스럽기가 그지없습니다.

며칠 전 우수(雨水) 다음날, 우곡에 눈이 내렸어요. 신학생들이 내가 사는 곳에서 3박 4일의 연수 끝자락에 내린 눈이지요. 이 눈이 서설(瑞雪)이 되기를 간절히 기도했답니다.

모두들 건강하시지요? 저도 수녀님들의 기도와 염려 덕분에 잘 있습니다. 짧아진 겨울을 벗어놓고 오는 봄을 잘 맞이하시기를 바랍니다. 그래도 환절기니 감기 조심하시고요. 꽃 피고 새 우는 춘삼월에 또 소식 드리겠습니다.

2013년 2월 22일 성 베드로 사도좌 축일에

계요등꽃

모든 탐욕을 경계 하여라.
아무리 부유하더라도 사람의 생명은
그의 재산에 달려 있지 않다.(루카12.15)

| 9장 |

움켜쥐고도 더 가득 채우려는 이여

수녀님, 꽃 피고 새 우는 삼월이 돌아왔습니다. 우곡의 골짜기도 봄이 다가오는 모양입니다. 지난 이월부터 망울이 부퍼 오르던 버들가지가 흐르는 냇물에 의지해 게으른 기지개를 켭니다. 버들가지의 기지개 켜는 소리에 산비얄에서는 산비둘기들이 구구구 하고, 산꿩들은 벌써부터 고요한 골짜기를 쩌렁쩌렁 울릴 정도로 부산스러운 것을 보니, 한껏 오는 봄을 만끽하려는 듯 보입니다.

'행복 만들기', 그것은 누가 대신 만들어 주는 선물이 아니라 스스로가 만들어가야 하는 것이란 걸 피부로 절실히 느끼는 요즈음입니다. 세상은 하루가 다르게 '더 빨리, 더 많이, 더 높이' 등등을 외치면서 쉬어갈 줄 모르고 거침없이 내달리는 듯합니다. 하지만 이곳에서는 그저 더없이 고요하고, 한없이 느리고 더디게 모든 것이 움직입니다. 덕분에 저도 점점 느리게 사는 것이 좋아졌고, 천천히 움직이는 데 익숙해져 가고 있습니다. 조금 부정적으로 말해보면 '게으르게 살아가는 법'을 터득하고 있는 중이지만, 조금 그럴듯하게 말하면 자연으로부터

'느림의 미학'을 배우고 있는 중입니다. 어느 언론 기관이 조사하여 보도한 바에 의하면, 인간의 행복지수는 명예와 재물과 권력과 학력과 과학 발전 등등에 따라 비등하는 것은 아니라고 합니다. 그 보도가 전적으로 다 맞는 것은 아니지만, 그래도 여러 가지 정황으로 미루어 볼 때 확실히 동감하는 바가 있습니다. 천천히 아주 느리게, 최다가 아닌 최소한의 소유는 오히려 인간의 몸과 마음을 건강하게 만드는 비결이 아닐까 하는 생각도 듭니다. 예수님께서도 제자들에게 다음과 같은 기도를 가르치셨지요?

"너희는 기도 할 때에 위선자들처럼 해서는 안 된다.
그들은 사람들에게 드러내 보이려고 회당과 한길 모퉁이에 서서
기도하기를 좋아한다.
.................(중략)......................
그들은 말을 많이 해야 들어주시는 줄로 생각한다.
그러니 그들을 닮지 마라.
너희 아버지께서는 너희가 청하기도 전에
무엇이 필요한지를 알고 계신다.
그러므로 이렇게 기도하여라.
.................(중략)......................
오늘 저희에게 일용할 양식을 주시고

저희에게 잘못한 이를 저희도 용서하였듯이

저희 잘못을 용서하시고

저희를 유혹에 빠지지 않게 하시고

악에서 구하소서."(마태6,5-14 참조)

사람은 하느님으로부터 생명을 얻어 태어나고 자라고 살다가 마침내 다시 하느님께로 돌아가는 존재입니다. 그런데도 어찌하여 사람들은 온 세상을 다 움켜잡을 듯이 욕심을 내면서 살아가는지 모르겠습니다. 결국 하느님께 돌아갈 때에는 빈손으로, 알몸으로 돌아가는데 말입니다. 이제 곧 땅에서 토끼풀이 올라오겠지요? 사람들은 토끼풀을 보면 꼭 '네 잎 클로버'를 찾아내려 애쓴답니다. 네 잎 클로버는 세 잎 클로버에 비해서 찾아내기가 대단히 어렵지요. 그래서 네 잎 클로버를 '행운'의 상징으로 여깁니다. 하지만 일반적으로 널려 있고 쉽게 찾을 수 있는 세 잎 클로버는 '행운'이 아닌 '행복'의 상징이라고 합니다. 말하자면 행운은 추상명사이고 행복은 구체적인 보통명사에 해당하지요. 사람은 행복을 찾아 살아야 하지 행운을 찾아 산다면 큰일 나지 않을까 싶습니다. 자기 손으로 열심히 땀 흘려서 행복을 일구어 나가야 하는데도 불구하고, 그것을 버리고 행운이나 요행을 바라는 것이 우리들이고 보면 참으로 딱해도 한참이나 딱합니다.

행복을 얻기 위해서 우리는 참고 기다려야 하지요. 그냥 무작정 기다려야만 하는 것이 아니라 '행복'이 일구어질 때까지 성실하게 일하면서 기다려야 하지요. 기다리지 못하고 참지 못하면 어느 사이 행복은 우리 곁에서 멀어지고 만답니다. 노자는 자꾸만 자연의 이치를 거슬러 살아가려는 못된 욕심으로 똘똘 뭉쳐있는 세상 사람들을 향하여 일갈(一喝)합니다.

움켜쥐고도 더 가득 채우려는 이여(持而盈之),
그만두느니만 못하니라(不如其已).
갈아서 더 날카롭게 만들려는 이여(揣而銳之),
오래 보존할 수가 없느니라(不可長保).

사실 역사를 통하여 이른바 '내로라'하는 폭군들이나 그에 버금가는 욕심쟁이 지도자들이 자기 자리를 지켜내려고 온갖 노력을 다 기울였지만, 결국 아무 것도 가지지 못하고 역사의 뒤안길로 사라져버린 사례들을 우리는 역사를 통하여 수도 없이 많이 만나 보아왔지요. 그들은 대부분 탐욕을 부려서 너른 자기 곳간에 가득 채워 만수무강을 누리려 하였고, 또 자신의 안위를 지키려고 무기를 많이 만들어서 경쟁자들을 쳐 죽이고 힘없는 이들을 탄압하며 작은 나라들을 빼앗아 부귀영화를 누리려 했습니다. 하지만 그렇게 해서 누리려 했던 부귀영화는 끝에 가서는 물거품이 되어버리고 자신은 세세대대로 악명 높은 못된 사람으로 낙인 찍혀 오늘날까지도 사람들의 입에 오르내리고 있지요. 이 얼마나 서글픈 사연입니까? 예수님께서 또 말씀하십니다.

"너희는 주의하여라.
모든 탐욕을 경계하여라.
아무리 부유하더라도
사람의 생명은
그의 재산에 달려 있지 않다."(루카12,15)

지금 세상은 너와 나 할 것 없이 모두들 온통 '경제 살리기'에 목을 매고 있지요. 먹고 사는 문제가 인간의 삶 안에서 중요한 것은 맞지만, 거기에 모든 것을 걸 정도로 지상 최대의 가치를 가질 수 있는 것이냐 하는 것에 대해서는 다소 회의적입니다. 왜냐하면 인간의 행복은 먹고 사는 문제에 달려 있는 것이 아니라 어떻게 타자와 더불어 살아갈 것이냐에 달려 있지요. 의식주 문제는 인간의 삶을 영위할 수 있는 최소한의 방편일 뿐이지 그것이 최종 목적으로는 될 수 없다는 말씀입니다. 그런데도 현대인들이 '경제'에 목을 매고 있는 것은 본말이 전도되었다고밖에 볼 수 없습니다. 방편이 목적을 넘어서고 있기 때문이지요. 시편에서도 작가는 현대를 살아가는 인간들에게 인간이 소유하고 있고 또 소유하고자 하는 것들에 대해서 단호하게 '모든 것은 하느님의 것'이라고 노래합니다.

"주님의 것이라네,
세상과 그 안에 가득 찬 것들
그분께서 물 위에 그것을 세우시고
강 위에 그것을 굳히신 까닭일세."(시편24,1-2)

곧이어 또 〈시편〉 작가는 하늘에 계신 하느님께서 뜻하시는 것은 무엇이나 다 이루신다고 고백하면서, 탐욕으로 가득 찬 인간에 대해서는 이렇게 일침을 가합니다.

"저들의 우상은 은과 금
사람 손의 작품이라네.
입이 있어도 말하지 못하고
눈이 있어도 보지 못하며
귀가 있어도 듣지 못하고
코가 있어도 맡지 못하네.
그들의 손은 만지지 못하고
그들의 발은 걷지 못하며
그들의 목구멍으로는 소리 내지 못하네.

그것들을 만드는 자들도 신뢰하는 자들도

모두 그것들과 같네."(시편115,4-7)

뿐만 아니라 예수님께서도 "사람은 빵만으로 살지 않는다...(중략)...주 너의 하느님께 경배하고 그분만을 섬겨라."(루카4,1-13절 참조)고 하셨지요. 그런데도 예수님을 모시고 따르는 우리들마저 눈앞에 보이는 물욕(物慾)에 마음이 더 기울어지고 있으니 큰일이 아닐까 싶습니다. 사실 의식주를 해결해 주는 물질적인 것들이 우리 삶에 중요한 한 부분이긴 합니다. 그렇지만 '일용할 양식' 이외에는 가난하고 어려운 이웃들과 나눌 줄을 알아야 하는데, 지금의 세상은 도무지 그럴 기미가 잘 보이지 않으니 걱정이 앞섭니다. 사도 바오로가 고린토 공동체에 "하느님께서는 각 사람에게 공동선을 위하여 성령을 드러내 보여 주십니다."(1코린12,7)라고 하신 말씀도 예수님과 맥을 같이하는 신앙고백이 아니겠습니까?

금은보화가 집안에 가득 채워지면(金玉滿堂)

지켜나갈 수가 없으며(莫之能守)

부유하고 귀하게 되더라도 교만해지면(富貴而驕)

스스로 자기 허물을 남기게 되지(自遺其咎).

공덕이 이루어지면 스스로 물러나나니(功遂身退)

하늘의 도라네(天之道也).

그러고 보면 행복이란 결국 누가 만들어주는 것이 아닌 자기 스스로가 만들어 나가는 것이 아닐까 싶습니다. 하느님께서는 이미 우리들의 행복을 위하여 모든 것을 마련해 주셨으며 심지어는 당신마저 내어놓으셨지요. 당신만이 곧 '영원한 행복'이기 때문입니다.

따라서 '행복이신 분'을 찾아나서는 길은 누가 대신해 걸어줄 수 없다는 말씀이 아닌지요? 그 옛날 불가의 고승(高僧) 원효(元曉, 617-686)는 "모든 것은 오직 마음먹기에 달렸다."고 하면서 이른바 '일체유심조(一切唯心造)'라는 대중들을 위하여 유명한 학설을 설파했답니다. 살면서 무엇을 선택하며 살 것인가? 그것이 행복이냐 불행이냐를 결정해줄 것이기 때문이랍니다. 사실 하느님이시며 사람이 되신 분이 말씀하시기를 "아무도 두 주인을 섬길 수 없다. 한쪽은 미워하고 다른 쪽은 사랑하며, 한쪽은 떠받들고 다른 쪽은 업신여기게 된다. 너희는 하느님과 재물을 함께 섬길 수 없다."(마태6,24)고 전제하신 뒤, 다시 말씀하시기를 "누구든지 내 뒤를 따라오려면, 자신을 버리고 제 십자가를 지고 나를 따라야 한다. 정녕 자기 목숨을 구하려는 사람은 목숨을 잃을 것이고, 나 때문에 자기 목숨을 잃는 사람은 목숨을 얻을 것이다.

사람이 온 세상을 얻고도 제 목숨을 잃으면 무슨 소용이 있겠느냐?"(마태16,24-27)고 하셨지요. 그러면서 인간이 참된 행복을 얻어 누릴 수 있는 길을 제시하십니다.

"행복하여라, 마음이 가난한 사람들!
하늘나라가 그들의 것이다.
행복하여라, 슬퍼하는 사람들!
그들은 위로를 받을 것이다.
행복하여라, 온유한 사람들!
그들은 땅을 차지할 것이다.
행복하여라, 의로움에 주리고 목마른 사람들!
그들은 흡족해질 것이다.
행복하여라, 자비로운 사람들!
그들은 자비를 입을 것이다.
행복하여라, 마음이 깨끗한 사람들!
그들은 하느님을 볼 것이다.
행복하여라, 평화를 이루는 사람들!
그들은 하느님의 자녀라 불릴 것이다.
행복하여라, 의로움 때문에 박해를 받는 사람들!
하늘나라가 그들의 것이다.
사람들이 나 때문에 너희를 모욕하고 박해하며,
너희를 거슬러 거짓으로 온갖 사악한 말을 하면,

너희는 행복하다."(마태5,3-11)

수녀님, 위의 말씀의 제목을 사람들은 흔히들 '참된 행복'이나 '산상수훈' 혹은 '진복팔단'이라 부르지요. 하지만 저는 그 말씀을 '하느님 나라의 대헌장'이라고 부른답니다. 하느님 나라만이 참으로 우리가 꿈꾸고 희망하는 참된 행복이기 때문입니다. 노자는 그것을 '하늘의 도(天之道)'라고 불렀지요. 황금만능의 세상에서, 물질숭배의 세상에서 하느님 나라의 삶을 살아가기란 참으로 힘든 것도 사실입니다. 하지만 우리의 주님이시고 '길이요 진리요 생명이신 분'(요한14,6)께서 우리를 참 행복에로 부르시며 앞장서 가시고 우리와 함께 계시기 때문에 무엇이 힘들고 두렵겠습니까? 지금 우곡의 하늘은 참 아름답습니다. 바람소리도 참 맑고요. 새소리며 물소리는 또 얼마나 정겹게 들려오는지요? 이제 완연히 봄이 온 것 같습니다. 하느님께서 마련해 주신 자연의 이치로 돌아가는 계절이 언제 한 번이라도 하느님의 뜻을 거역한 적이 있었는지요? 이제 곧 참된 행복이신 분이 우리들에게 참 행복을 주시기 위해 오시는 부활대축일이 다가옵니다. 그분이 주시는 부활만이 곧 참 생명이요, 자유요, 진리이며 참된 행복이지요. 수녀님, 행복이신 분, 진리이신 분, 생명이신 분이 죽으셨다가 다시 살아나셔서 부활의 희망을 우리들에게 부어 주십니다. 끝으로 하느님께서 새 교황님으로 프란치스코(1세)를 보내주셔서 기쁜 마음으로 찬미와 감사를 드려봅니다.

수녀님, 다가오는 부활대축일에 부활하신 분께서 주시는 참 행복을 기쁜 마음으로 체험하시기를 기도하면서 또 뵙겠습니다.

알렐루야!

2013년 3월 17일 사순 제5주일에

국수나무

"파르헤지아" 속에서 말하는 자는 궤변으로 설득하기가 아니라
솔직하게 말하기를 선택하며, 거짓이나 침묵이 아니라 진실을 선택하고,
생명과 안전이 아니라 죽음의 위험을 선택하며, 아첨이 아니라 비판을,
자신의 이익이 아니라 도덕적 의무를 선택한다.

| 10장 |

혼과 백을 싣고서

수녀님, 잘 계시지요? 주님부활 대축일을 잘 보내셨는지 모르겠네요? 벌써 사월이네요. 시간이 얼마나 잘 흘러가는지 모르겠습니다. 사월이 되면 언제나 생각나는 시(詩) 구절이 있지요. '사월은 잔인한 달'이라는 시구로 시작되는 영국의 유명한 시인 엘리어트(Thomas Steams Eliot)의 《황무지》라는 시의 첫 구절 말입니다. 사람들은 그의 시를 읽으면서 "그는 황무지로 변한 현대 서구문명과 인간사회를 묘사함으로써, 이 불모지의 메마른 땅 위에 신의 자비로운 비가 내릴 것을 희구하는 마음으로 이 시를 읊었다."고 생각했습니다. 하지만 그가 '사월은 잔인한 달'이라고 노래하기 전에는 많은 시인들, 그 가운데서도 낭만파 시인들이 사월을 지극히 아름다운 달이라고 예찬했다고 합니다. 1922년에 발표된 이 '황무지'라는 작품은 많은 평론가들이 아마도 제1차 세계대전 이후 폐허가 되어버린 유럽의 정신적 공황상태를 묘사한 것이 아닐까 생각했지요.

21세기를 살아가는 인간 각자의 마음은 점점 더 황폐해져가고 있다는 느낌을 지울 수 없습니다. 사람들은 '개발'이라는 명목을 앞세워 하느님께서 만들어주신 자연을 파괴하고 급기야는 자신들의 정신마저 파괴되어 가는데도 욕심은 그칠 줄 모르니 말입니다. 그럼에도 오히려 자연은 새로운 생명의 기운을 대지 위에 내뿜으며, 모든 살아 있는 것들에게 생명의 싹을 움트게 하고, 꽃을 피워냅니다. 그러기에 우리네 인간은 상대적으로 더더욱 꽃 피고 새 우는 이 사월에 대하여 잔인하게 느꼈을 가능성이 크다고 생각하고 있을지도 모릅니다. 이러한 느낌을 아마도 그 시인은 일찍부터 예리하게 지적하여 시로써 표현했던 것이 아닐까 싶습니다. 사실 저는 이 사월이 아름답게만 느껴집니다. 아니 이 사월뿐만이 아니라 사시사철이 모두 그러하지요. 다만 우리가 못나서, 게을러서, 욕심이 많고 시기와 질투가 심해서 자연을 통해서 말씀하시고 보여주시는 하느님의 뜻을 깨달으려고 하지 않기 때문에 그것이 안타까울 따름입니다.

수녀님께서도 이미 눈치로 알아채셨겠지만, 노자가 흥얼거리는 이번 노래는 처음부터 끝까지 '의문문'으로 되어 있습니다. 의문문은 대체로 의혹이 드는 사안이나 무엇에 대하여 잘 모르는 것에 대하여 질문을 던지거나 양자택일을 요구할 때나 혹은 안부 등을 묻거나 어떤 사안을 요청하거나 요구할 때 사용합니다. 여기에서 노자는 양자택일에 대하여 묻고 있는데, 주로 "~하는데 ~할 수 있겠는가?"라는 '대당(對當)'형식을 빌리고 있습니다. 예수께서도 이러한 대당 명제를 사용하여 사람들을 가르치시는 모습을 복음서 안에서 종종 보여주고 계시지요. 물론 이 경우 예수께서는 의문문을 사용하시기보다는 평서문을 주로 사용하시고 있는 것이 노자와는 일정 정도 차이가 있다고 볼 수 있지만, 구성상으로는 거의 차이가 없어 보입니다.

"내가 율법이나 예언서들을 폐지하러 온 줄로 생각하지 마라. 폐지하러 온 것이 아니라 오히려 완성하러 왔다."(마태5,17)

"'살인해서는 안 된다.' '살인한 자는 재판에 넘겨진다.'고 옛사람들에게 이르신 말씀을 너희는 들었다. 그러나 나는 너희에게 말한다. 자기 형제에게 성을 내는 자는 누구나 재판에 넘겨질 것이다."(마태5,21)

"'간음해서는 안 된다.'고 이르신 말씀을 너희는 들었다. 그러나 나는 너희에게 말한다. 음욕을 품고 여자를 바라보는 자는 누구나 이미 마음으로 그 여자와 간음한 것이다."(마태5,27)

"'자기 아내를 버리는 자는 그 여자에게 이혼장을 써 주라.'하신 말씀을 너희는 들었다. 그러나 나는 너희에게 말한다. 불륜을 저지른 경우를 제외하고 아내를 버리는 자는 누구나 그 여자가 간음하게 만드는 것이다."(마태5,31)

"'거짓 맹세를 해서는 안 된다. 네가 맹세한 대로 주님께 해 드려라.'하고 옛사람들에게 이르신 말씀을 너희는 또 들었다. 그러나 나는 너희에게 말한다. 아예 맹세하지 마라."(마태5,33)

"'눈은 눈으로, 이는 이로.'하고 이르신 말씀을 너희는 들었다. 그러나 나는 너희에게 말한다. 악인에게 맞서지 마라."(마태5,38)

"'네 이웃을 사랑해야 한다. 그리고 네 원수는 미워하라.'고 이르신 말씀을 너희는 들었다. 그러나 나는 너희에게 말한다. 너희는 원수를 사랑하여라."(마태5,43)

혼과 백을 싣고서 하나로 껴안으면(載營魄抱一)

떨어져버림을 없이 할 수 있겠는가? (能無離乎)

기를 오롯이 하고 부드러움으로 나아가게 하면(專氣致柔)

갓난아이로 될 수 있을까?(能嬰兒乎)

어둑해진 마음의 거울을 씻고 닦아내면(滌除玄覽)

흠결을 없애버릴 수 있을까?(能無疵乎)

백성을 아끼고 나라를 바로 잡아가는데(愛民治國)

무위로 할 수 있을까?(能無爲乎)

하늘의 문이 열리고 닫히는데도(天門開闔)

어미를 없이 할 수 있을까?(能無雌乎)

사통팔달을 밝게 알아내는데도(明白四達)

무지로 할 수 있겠는가?(能無知乎)

사실 노자가 의문문을 사용한 것은 곧 양자 사이의 택일을 요구하는 것이라 볼 수 있습니다. '선택'과 '포기' 사이에서 어떠한 형태로 든지 분명한 삶의 태도를 취해야 할 것을 종용하고 있는 셈이지요. 인생살이에서는 태어날 때부터 죽을 때까지 매 순간 '선택'과 '포기'를 끊임없이 요구받습니다. 이것을 선택하게 되면, 반드시 저것을 포기해야 하고, 저것을 선택하게 되면 이것을 포기해야 하는 것이 우리네 삶이 아닌가 싶습니다. 두 가지 다를 동시에 선택하거나 동시에 포기하는 경우는 없다고 보아야 할 것입니다. 우리는 가끔씩 매우 이례적으로 '이것을 위하여 저것을 포기하고, 저것을 위하여 이것을 포기해야 하는' 경우를 만납니다. 하지만 그러한 경우도 결국 '취사선택(取捨選擇)'이란 결론으로 귀결됩니다. 어떤 철학자는 사람이 "무엇을 버리고 무엇을 취할 것인가?"의 귀로에서 상당한 용기가 필요하다고 이야기 합니다. 그리하여(미셸 푸코(1926~1984)) 그는 '파르헤지아(parrhesia)'라는 개념을 사용하여 생의 마지막까지 철학적 주제로 삼았다고 합니다. '파르헤지아'라는 말은 '솔직하게 숨김없이 진실 말하기'를 뜻합니다. 그러나 진실을 말한다고 해서 다 '파르헤지아'라고 볼 수는 없다는 것이 그의 입장입니다. '파르헤지아'란 의미는 진실을 말하는 것이 위험을 불러올 수도 있는데, 설령 그 위험이 닥쳐오더라도 그것을 무릅쓰고 용감하게 진실을 말해내야 함을 가리키기 때문입니다. 이때 진실을 말할 수 있는 용기야말로 참으로 '파르헤지아'를 '파르헤지아답게' 만들어 주는 미덕이 됩니다. 그에 따르면, "파르헤지아 속에서 말하는 자는 (궤변으로) 설득하기가 아니라 솔직하게 말하기를 선택하며 거짓이나 침묵이 아니라 진실을 선택하고, 생명과 안전이 아니라 죽음의 위험을 선택하며 아첨이 아니라 비판을, 자신의 이익이 아니라 도덕적 의무를 선택한다."고 합니다. 하느님께 대한 신앙을 선택할 것인가? 현실의 안락함을 선택할 것인가? 진리를 선택할 것인가? 거짓을 선택할 것인가? 생명을 선택할 것인가? 죽음을 선택할 것인가? 정의와 평화를 선택할 것인가? 불의와 불화를 선택할 것인가? 등등의 취사선택의 문제는 '용기' 그것도 '순교자적인 용기'가 필요하지 않으면, 취하고 버리기가 대단히 어려워지며 더러는 '애매하기'까지 합니다. '갈등'이나 '긴장' 가운데서 우리는 "'예' 할 것은 '예'하고, '아니요' 할 것은 '아니요'라고만 해야"(마태6,37) 하지요. 문득 이와 관련하여 미국의 유명한 시인이 노래한 시편이 생각납니다. 아마도 수녀님께서도 잘 아시는 시편이 아닐까 싶습니다.

《가지 않은 길》

노란 숲 속에 길이 두 갈래로 났었습니다.
나는 두 길을 다 가지 못하는 것을 안타깝게 생각하면서
오랫동안 서서 한 길이 굽어 꺾여 내려간 데까지
바라다볼 수 있는 데까지 멀리 바라다보았습니다.
그리고, 똑같이 아름다운 다른 길을 택했습니다.

그 길에는 풀이 더 있고 사람이 걸은 자취가 적어

아마 더 걸어야 될 길이라고 나는 생각했었던 게지요.

그 길을 걸으므로 그 길도 거의 같아질 것이지만

그 날 아침 두 길에는

낙엽을 밟은 자취는 없었습니다.

아,

나는 다음 날을 위하여 한 길은 남겨 두었습니다.

길은 길에 연하여 끝없으므로

내가 다시 돌아올 것을 의심하면서

훗날에 훗날에 나는 어디선가

한숨을 쉬며 이야기할 것입니다

숲속에 두 갈래 길이 있었다고

나는 사람이 적게 간 길을 택하였다고

그리고 그것 때문에 모든 것이 달라졌다고

로버트 프로스트

(Robert Lee Frost, Robert Frost, 1874-1963/ 피천득(1910-2007) 옮김)

수녀님, 어쩌면 우리는 모두 '가지 않은 길' 혹은 '두 갈래길'에서 후회와 그리움과 같은 이름으로 무엇이 옳고 그른 것인지를 끊임없이 묻고 또 묻고 하면서 살아가고 있는지도 모를 일입니다. 하지만 남들이 가지 않거나 가기를 꺼려하는 것을 과감하게 선택하였다면, 거기에는 분명히 순교자적인 용기가 뒷받침 되었겠지요. 순교자적 용기는 하느님께서 주신 은총이고요. 그렇다면 그 길을 걸어가는 우리는 다른 사람들이 보기에 비록 나약해 보이고 어리석어 보이지만 '기쁘고 떳떳한 길'이 아닐 수 없습니다. 하느님께서 부르셨고 우리가 용감하게 선택하여 성실하게 응답하였기 때문입니다. 그것 때문에 '모든 것이 달라졌다'고 해도 결코 실망하거나 절망할 필요는 없답니다.

노자가 노래한 '능무이(能無離)', '능영아(能嬰兒)', '능무자(能無疵)', '능무위(能無爲)', '능무자(能無雌)', '능무지(能無知)'등은 모두 예수그리스도의 '십자가의 어리석음'과 어쩌면 그렇게도 닮아 있는지요?

낳고 기르고(生之畜之) / 낳았으면서도 소유하지 않으며(生而不有) / 일을 하고도 자랑하지 않고(爲而不恃) / 키워내고도 지배하려 들지 않지요(長而不宰). 이를 일러서 '거룩한 덕'이라 하지(是謂玄德).)

위 ( )안의 내용은 많은 학자들이, 특히 중국 베이징대학에서 문자학을 가르치던 마서륜(馬敍倫, 1885-1970) 선생의 고증에 따르면, 잘못 끼워져 있는 것이라는 말을 하고 있는 것이랍니다. ( )안의 내용이 51

장과 잘 어울리기 때문에 원래 51장에 있었던 것인데 편집 과정에서 잘못되어 지금의 장에 들어와 있다는 뜻이겠지요. 실제로 여러 판본들에서 이 장과 51장의 후미에 ( )안의 내용이 들어 있기도 합니다.

하지만 제가 찬찬히 들여다보기에 그 내용은 본장과 그렇게 동떨어진 것으로 이해하기보다는 본장의 결어(結語)로 보아도 손색이 없을 듯합니다.

왜냐하면 본장에 나타나는 '능무이(能無離)', '능영아(能嬰兒)', '능무자(能無疵)', '능무위(能無爲)', '능무자(能無雌)', '능무지(能無知)' 따위의 언사(言辭)들은 '나(我)'를 주체로 하여 서술한 것이기에 결국 인생에 있어서 '나'는 결코 '해낸 일'이 없으니, '나'는 거기에 없는 것이고 따라서 '무아(無我)'일 수밖에 없기 때문이지요. 마치 예수님처럼 말입니다.

"그분께서는 하느님의 모습을 지니셨지만,
하느님과 같음을 당연한 것으로 여기지 않으시고
오히려 당신 자신을 비우시어 종의 모습을 취하시고
사람들과 같이 되셨습니다.
이렇게 여느 사람처럼 나타나
당신 자신을 낮추시어
죽음에 이르기까지,
십자가 죽음에 이르기까지 순종하셨습니다."(필리2,6-7)

그러니 수녀님, 사도 바오로께서 "그리스도 예수께서 지니셨던 바로 그 마음을 여러분 안에 간직하십시오."(필리2,5)라고 말씀하셨던 것처럼 우리도 이 시대에 '비움'과 '비하'와 '포기'와 '없앰(없음)'이 필요하지 않겠습니까? 사월 하순, 곧 오월이 눈앞에 다가왔는데도 여전히 겨울처럼 눈발이 땅으로 거침없이 낙하합니다. 하지만 눈발이 땅속으로 들어간 자리에 새싹은 돋아나고 봄꽃은 의연하게 하느님을 찬송하고 있습니다. 고즈넉한 가르멜 수도원에도 지금 담장 아래에서는 봄꽃들이 하늘거리며 하느님을 찬송하고들 있겠지요. 수녀님께서 올해도 어김없이 보내주신 부활초에 불을 댕기며 미사를 봉헌합니다. 사람들은 홀로 어떻게 미사를 봉헌하냐고들 합니다. 그러나 저는 웃으면서 홀로 미사를 봉헌하지 않는다고 대답한답니다. 거기에는 삼위일체이신 분이 계시고, 골짜기를 흐르는 시냇물, 나무들, 새와 꽃들 그리고 무수한 풀벌레와 눈에 보이지는 않지만 갖가지 동물들이 성당 안팎에서 이 미사에 참여하고 있다고 말입니다. 그래서 외롭지 않고, 그래서 미사를 봉헌할 때마다 언제나 풍요로움을 느낀답니다. 아참, 데레사 수녀님과 까리따스 수녀님께서도 여전히 건강하시겠지요? 언제나 건강하시고 예쁜 마음 고이 간직하시길 기도드립니다.

2013년 4월 23일 부활 제4주간 화요일에

"공동체"로 살고자 하면 우선 자기 자신부터 내다 버려야 되겠지요?
자신을 내다 버린다면 텅 빈 그 안에 주님께서 마련해주시는
생명, 사랑, 평화, 정의 등등이 그 곱고 아름다운 싹을 틔우겠지요.

"공동체"는 사랑을 먹고삽니다.
공동체의 양식인 사랑이야말로 그 구성원 각자가 자신을 비우거나,
낮추지 않으면 결코 이루어내기가 불가능한 그 무엇이 아닐까 싶습니다.
사도바오로도 그리스도의 모습을 "비움과 낮춤"으로 소개합니다.

| 11장 |

서른 개의 바퀴살이 하나의 곡에로 모이지.

수녀님, 잘 계시지요? 겨울이 가는 듯 서 있고, 서는 듯 또 가고 하더니 어느덧 봄이 완연해진 오월이 왔습니다. 지금쯤 새로 들어오신 수녀님들은 적응하여 잘 지내고 계시겠지요? 생년월일도, 고향도, 집안도 다 다르지만 하느님 안에서 '믿음' 하나만을 가지고 식구로 살아간다는 것은 그 자체로 놀라운 신비요 그분의 은총이 아닐 수 없습니다. '지구촌'이라는 말도 있듯이, 세상의 모든 사람들이 한 하늘 밑에서 수녀님들처럼 한 식구가 되어 정답게 오순도순 살아간다면 얼마나 좋을까요? 나무나 풀들은 다투지 않고 서로 어울려 살아가는데, 유독 인간들만이 욕심을 내고 다투면서 살아가는 듯해서 주님께 기도드릴 때마다 송구스럽기 그지없더이다.

'공동체(共同體)'란, 생각만 해도 가슴 설레는 말입니다. 어느 누구도 제외되거나 배제되지 않고 서로 마음을 모아 오순도순 기쁨도 슬픔도 함께 나누면서 살아가는 것이 하느님께서 바라는 바이고 또 모든 믿는 이들의 간절한 소망이지요. 아마도 새로 한 식구가 된 수녀님들도 이제는 밥상공동체의 일원으로서 제법 의젓한 삶을 살고 계시지 않을까 생각해 봅니다. 노자 역시 이곳에서 공동체적 삶이란 무엇인지를 말하려는 듯합니다.

서른 개의 바퀴살이 하나의 곡에로 모이지(三十輻 共一轂).

거기에는 아무것도 없어야만(當其無)

수레로 쓸모가 있게 되지(有車之用).

흙을 반죽하고 빚어서 그릇을 만들지(埏埴以爲器).

거기에는 아무것도 없어야만(當其無)

그릇으로 쓸모가 있게 되지(有器之用).

문과 창을 뚫어서 방을 만들지(鑿戶牖以爲室).

거기에는 아무것도 없어야만(當其無)

방으로 쓸모가 있게 되지(有室之用).

'없음(無)'과 '있음(有)'을 적절하게 사용하여 둘의 상호 보조 역할을 노래하고 있지요. 없다는 것은 아무것도 없이 하는 것, 곧 그 속이 텅 비어 있다는 것을 뜻하지요. 텅 비어 있어야만 각각의 바큇살이 수레바퀴 통(轂)으로 모여 하나의 완전한 수레바퀴가 되어 비로소 수레를 굴릴 수 있습니다. 또 흙을 반죽하고는 그 안을 아무것도 없게 다 들어내야만 비로소 하나의 그릇으로 쓸 수가 있고, 사람이 들어가서 쉬고 잘 수 있는 방 안도 역시 텅 비어 있어야만 들어갈 수 있는 문도 만들고 햇발이 잘 들어올 수 있도록 창문도 낼 수 있다는 겁니다.

이와 같이 공동체로 산다는 것은 자신을 없이하고, 자신 속에 꽉 채워 둔 자신도 모조리 비워내고 타자(他者)를 들어올 수 있게 해야 비로소 가능하게 되는 삶이지요. 만일 누군가가 자신을 자신의 잇속으로 꽉꽉 채우면서 다른 사람을 받아들인다고 한다면, 이는 거짓말쟁이고 사기꾼이며 위선자일지도 모를 일입니다.

욕심으로 꽉 찬 거기에는 더 이상 타자가 들어올 방법이 없기 때문이지요. 그래서 노자는 일찍부터 '유무상생(有無相生)'(2장 참조)라고 노래했는지 모릅니다. 그래서 노자는 '없음'을 하늘과 땅의 시작이라 하고, '있음'을 만물의 어머니라고 했는지도 모릅니다. 그래서 그는 '있음'은 '없음'에서 태어나게 되고(有生於無), 세상의 만물은 '없음'을 통하여 '있음'으로 태어나게 되었다(天下萬物於有)고 노래하고 있는지도 모를 일입니다.(40장 참조)

그렇지요. 노자의 이 노래로 '비움의 삶' 혹은 '십자가의 삶'을 이야기해 보기에 충분하겠지요?

우리가 만일 마음에 무엇을 이루어 보겠다는 헛된 욕심으로 꽉 채우려 든다면, 결국 아무 것도 받아들일 수 없는 헛된 삶을 살고 말게 되겠지요. 〈시편〉의 작가는 이렇게 노래합니다.

“진정 사람이란 숨결일 따름
인간이란 거짓일 따름
그들을 모두 저울판 위에 올려놓아도
숨결보다 가볍다.
너희는 강압에 의지하지 말고
강탈에 헛된 희망 두지 마라.
재산이 는다 하여
거기에 마음 두지 마라.”(시편62,10-11)

우리가 이른바 ‘공동체’로 살고자 하면, 우선 자기 자신부터 내다버려야 되겠지요? 자신을 내다버리지 않고서는 다른 사람을 인정하고 받아들이기 어려울 것이니까요. 자신을 내다 버린다면, 텅 빈 그 안에 주님께서 마련해 주시는 생명, 사랑, 평화, 정의 등등이 그 곱고 아름다운 싹을 틔우겠지요. 만일 자신을 내어버리지 않는다면 사랑은커녕 오히려 사랑이신 주님과의 관계도 금방 단절되고 말 것입니다.

왜냐하면 ‘하느님은 사랑이시기’ 때문이고 또 ‘사랑 안에 머무르는 사람은 하느님 안에 머무르고 하느님께서도 그 사람 안에 머무르시기’(1요한4,16) 때문입니다.

공동체는 사랑을 먹고 삽니다. 공동체의 양식인 사랑이야말로 그 구성원 각자가 자신을 비우거나, 포기하거나 낮추지 않으면 결코 이루어내기가 불가능한 그 무엇이 아닐까 싶습니다. 사도 바오로도 그리스도의 모습을 '비움과 낮춤'으로 소개합니다.

"오히려 겸손한 마음으로
서로 남을 자기보다 낫게 여기십시오.
저마다 자기 것만 돌보지 말고
남의 것도 돌보아 주십시오.
그리스도 예수님께서 지니셨던 바로 그 마음을
여러분 안에 간직하십시오.
그분께서는 하느님의 모습을 지니셨지만
하느님과 같음을 당연한 것으로 여기지 않으시고
오히려 당신 자신을 비우시어
종의 모습을 취하시고 사람들과 같이 되셨습니다.
이렇게 여느 사람처럼 나타나
당신 자신을 낮추시어
죽음에 이르기까지,
십자가 죽음에 이르기까지 순종 하셨습니다."(필리2,3-8)

저는 이 글을 쓰면서 가르멜의 수녀님들을 생각합니다. 수녀님들의 면면을 떠올려봅니다. 물론 새로 가족의 일원이 되신 분들은 아직 일

면식이 없기 때문에 떠올리기가 어렵습니다만 그래도 분위기는 조금은 알 것 같기도 합니다. 언젠가 밭에서 일을 할 때, 담 너머로 들려오는 수녀님들의 웃음소리를 아직도 기억합니다. 또 미사를 봉헌할 때나 각자의 소임에 따라 분주하게 움직이시는 모습들이 마치 복음서 안에서 '고별만찬'을 나누시던 예수님과 그 제자들의 소담스런 공동체적 모습을 닮았다는 느낌도 가져봅니다.

공동체적 삶이란 자기를 없애버리고(無) 타인을 존재하게 하는(有) 삶입니다. 자신을 '무화(無化)'하여 다른 모든 이를 '유화(有化)'하게 하는 것이겠지요. 사랑이란 자신을 십자가에 못 박아버리고(無) 다른 사람을 소중히 여기며 섬기는 행위(有)가 아니겠는지요? 그렇지 않다면 공동체도 사랑도 모두 공허한 말, 메아리에 지나지 않겠지요. 그런 점에서 수녀님들은 참 '좋은 몫'(루카10,42)을 택한 것이지요. 아니 좋으신 분께서 부르시고 수녀님들은 그 부르심에 제대로 응답하신 것이지요.

그래서 있음이 이로움으로 삼는 까닭은(故有之以爲利)
없음이 쓰임으로 되었기 때문이라네(無之以爲用).

수녀님, 오월이 또 속절없이 갑니다. 오월은 손으로 움켜잡을 수 없는 그 무엇이지만, 푸르러가는 신록의 싱그러움을 보면 분명 오월이 작용(用)하였을 것입니다. 아니 그보다도 하느님께서 오월을 통하여 지상에 있는 모든 살아있는 것들을 이롭게 만드신 것이지요. 그러고 보면 오월은 '있는 듯 없는 듯'하면서도 땅에 싱그러움을 내려놓고 자신은 소리도 없이 사라져버리는 하느님의 은총을 닮았습니다. 산다는 것, 그것도 공동체로 산다는 의미가 무엇인지 실감하는 때가 아닐까 싶습니다. 각자 구성원들 스스로는 '아무것도 아닌 것'이지만, 그 아무것도 아닌 것이 결국 사랑의 공동체를 일구어내는 데 밑거름이 되는 것이지요. 오늘날에는 참다운 공동체, 사랑의 공동체가 아쉽고 그리운 시대입니다. 가정은 가정대로 사회는 사회대로 모두들 개인의 이기적인 욕심만 채우려 들기 때문에 어찌 보면 오늘날 세상의 시류는 '콩가루 집안'이 따로 없을 정도로 황폐해져 버린 것이 아닐까 생각해 봅니다. 그만큼 더 교회 공동체가 이 세상을 위하여 해야 할 일이 늘어났다는 뜻이 아니겠는지요? 수녀님, 지금쯤 고즈넉한 가르멜수도원도 온통 수녀님들의 마음만큼이나 푸르른 신록으로 가득 차 있겠지요? 하느님 안에서 몸도 마음도 늘 푸르고 싱그러우시기를 기도합니다. 또 뵙겠습니다.

2013년 5월 19일 성령강림 대축일에

여러분은 더 이상 헛된 마음을 가지고 살아가는
다른 민족들처럼 살아가지 마십시오.
그들은 무지와 완고한 마음 때문에, 정신이 어두워져 있고
하느님의 생명에서 멀어져 있습니다.

| 12장 |

다섯 가지 빛깔은 사람의 눈을 멀게 하고

수녀님, 새소리며 풀벌레 소리가 유난히도 맑게 들려오는 유월이네요. 때 이르게 무덥다고들 하지만, 이곳은 아직 서늘한 바람이 머물고 있고, 게다가 계곡을 따라 시나브로 흐르는 물소리마저 싱그럽습니다.

사람들의 얼굴이며 말소리며 성격들이 다 다른 것처럼 새소리도 물소리며 풀벌레 소리도 그리고 피어나는 이름 모를 꽃들의 빛깔도 더하여 점점 녹음 짙어가는 나무들의 옷차림도 모두 다 다름을 느끼기에 충분한 계절이네요. 생각해보면, 세상에 드러난 모든 것들이 모두 같은 빛깔, 같은 생김새, 같은 소리를 낸다면 참으로 그런 세상은 살맛나지 않겠지요? 그래서 아마도 『아가』서의 작가는 이런 노래를 불렀나 봅니다.

"땅에는 꽃의 모습을 드러내고
노래의 계절이 다가왔다오.
우리 땅에서는 멧비둘기 소리가 들려온다오.

무화과나무는 이른 열매를 맺어가고

포도나무 꽃송이들은 향기를 내뿜는다오.

나의 애인이여, 일어나오.

나의 아름다운 여인이여, 이리 와 주오."(아가2,12-13)

·

땅에 피어난 꽃들의 모습은 아름답지만, 저마다 타고난 자태가 모두 다르지요. 이산저산에서 우짖는 새들의 노래는 정겹지만, 저마다 노래하는 빛깔은 모두 다 다르답니다.

'다름의 신비'를 묵상하는 시간입니다. 저마다 다르지만, 아름다운 화음을 발산하기 때문에 동시에 '일치의 신비'를 체험하는 시간이기도 합니다. 저마다 다르기 때문에 하나하나가 소중하고, 소중하기 때문에 모두가 아름다운 신비 안에서 하나가 된답니다.

또 사도 바오로는 〈에페소인들에게 보내는 편지〉에서 말하기를 :

"여러분은 더 이상 헛된 마음을 가지고 살아가는

다른 민족들처럼 살아가지 마십시오.

그들 안에 자리 잡은 무지와 완고한 마음 때문에,

그들은 정신이 어두워져 있고

하느님의 생명에서 멀어져 있습니다.

감각이 없어진 그들은 자신을 방탕에 내맡겨

온갖 더러운 일을 탐욕스럽게 해댑니다.

여러분은 예수님 안에 있는 진리대로,

그분에 관하여 듣고 또 가르침을 받았을 줄 압니다.

곧 지난날의 생활방식에 젖어 사람을 속이는 욕망으로

멸망해 가는 옛 인간을 벗어버리고

여러분의 영과 마음이 새로워져,

진리의 의로움과 거룩함 속에서

하느님의 모습에 따라 창조된 새 인간을

입어야 한다는 것입니다."(에페4,17-24)

꽃이 피면 피는 꽃마다 사연이 다르고, 새가 울면 우는 새마다 울음소리가 다 다르지요. 그 '다름'을 이해하지 못하고 어떤 새의 소리는 듣기가 좋으니 마냥 들어주고, 어떤 새는 듣기가 거북하니 눈살을 찌푸린다면 결국 우리는 우리들의 욕망에 따라 판단하여 좋고 나쁨을 결정하게 될 따름입니다. 언제 새가 우리에게 무엇이라 말합니까? 언제 꽃이 우리에게 무엇이라 판단하는 것을 보았습니까? 따지고 보면, 하느님께서는 각자에게 필요한 만큼의 은총을 주시고, 또 그 은총을 받은 이들은 그 은총에 힘입어 마음껏 살아가지요. 그런데 유독 우리네 인간들만 그 은총에 불만을 품으니, 이것이 바로 신의 욕망에 근거한 행위가 아니고 무엇이겠습니까? 노자도 '도'나 혹은 '자연'에 근거하지 못하고 오로지 자신의 욕망에만 근거한 인간의 행위가 어떠한 결과를 초래하는지에 대해 대놓고 노골적으로 이야기합니다.

다섯 가지 빛깔은 사람의 눈을 멀게 하고(五色令人目盲)
다섯 가지 소리는 사람의 귀를 먹게 하며(五音令人耳聾)
다섯 가지 맛깔은 사람의 입맛을 잃게 하지(五味令人口爽).
말을 내달리며 짐승을 쫓아 사냥하는 것은(馳騁畋獵)
사람의 마음을 미쳐 날뛰게 한다네(令人心發狂).
얻기 어려운 재화는 사람의 행실을 어지럽히지(難得之貨令人行妨).

'오색(五色)' 곧 다섯 가지 빛깔을 가리키는데, 푸름(靑), 누름(黃), 붉음(赤), 흼(白), 검음(黑)인데, 주로 사람들은 이들을 통해서만 세상 만물의 빛깔을 보고 이해하려고 한답니다.

이 다섯 가지 빛깔 말고도 세상에는 우리가 말로 다 형용할 수 없는 무수한 빛깔이 존재하는데도 말입니다.

또 '오음(五音)'은 다섯 가지 소리 혹은 음계를 가리키며, 궁(宮), 상(商), 각(角), 치(徵), 우(羽)를 말하는데, 사람들은 이들을 음률의 기본이라고 말합니다.

마치 서양의 "도-레-미-파-솔-라-시-도"가 음계의 기본이라고 말하는 것과 같지요. 그러나 어디 자연에서 들려오는 소리가 이 다섯 가지뿐이겠습니까? 그리고 '오미(五味)'는 다섯 가지 맛인데, 매운맛(辛), 신맛(酸), 짠맛(鹹), 쓴맛(苦), 단맛(甘)입니다. 사람들은 이 다섯 가지 맛 이외에는 다른 맛이 없다고 생각합니다. 하지만 세상에 존재하는 맛이 어찌 이 다섯 가지 맛밖에 또 다른 맛이 없겠습니까? 사람들이 품고 있는 욕심 예컨대 불교에서 말하는 탐(貪), 진(瞋), 치(癡) 때문이 아니겠는지요? "탐, 진, 치"는 곧 욕계(欲界)의 해로운 마음으로 탐욕과 성냄과 어리석음에 뿌리박은 마음입니다. 사람들이 가지고 있는 마음의 작용으로 어리석음, 양심 없음, 수치심 없음, 들뜸을 기본으로 하고, 탐욕, 사견, 자만이 있으면 탐심(貪心)이 되고, 성냄, 질투, 인색, 후회가 있으면 진심(嗔心)이 되며 해태(懈怠), 혼침(昏沈), 의심이 있으면 치심(痴心)이 된다고 합니다.

결국 인간들은 자신들이 찾았다고 자부하고 있는 빛깔과 소리와 입맛의 기본을 '오색', '오음', '오미'라고 규정하고 거기에 매임으로써 하느님께서 만드신 세상 안의 무수한 빛깔과 소리와 맛들을 알지 못하는 자기모순에 빠지게 되었지요. 그래서 눈과 귀는 멀어지고 입맛을 잃어버리는 꼴이 되어버린 것이 아닐까 싶습니다. 지식인들이나 지도자들 그리고 전문가들이라고 자처하는 자들이 대부분 이러한 어리석음을 범하고 또 다른 사람들의 생각마저도 조장하고들 있지요. 예수님께서도 군중과 제자들 앞에서 어리석고 욕심 많은 율법학자들과 바리사이들을 꾸짖으십니다.

"그들이 너희에게 말하는 것은 다 실행하고 지켜라. 그러나 그들의 행실은 따라하지 마라. 그들은 말만 하고 실행하지는 않는다. 또 그들은 무겁고 힘겨운 짐을 묶어 다른 사람들 어깨에 올려놓고, 자기들은 그것을 나르는 일에 손가락 하나 까딱하려고 하지 않는다."
(마태23,3-4)

"잔칫집에서는 윗자리를, 회당에서는 높은 자리를 좋아하고, 장터에서는 인사 받기를, 사람들에게 스승이라고 불리기를 좋아한다."
(마태23,6-7)

그리하여 예수님께서는 그들을 싸잡아 '위선자들'(마태23,15) '눈먼 인도자들'(마태23,16)이라고 호통을 치십니다. 입만 열면 거짓말하고, 남을 선동하여 나쁜 길로 빠지도록 인도하기 때문입니다. 노자 역시 자신의 글에서, "말을 내달리며 짐승을 쫓아 사냥하는 것은 사람의 마음을 미쳐 날뛰게 한다네."라고 노래합니다. 사냥꾼의 목표는 짐승을 몰아서 잡아들이는 것이지요. 곧 사냥꾼이 추구하는 것은 어떤 특정한 사회가 공통적으로 인정한 삶의 가치이자 이상적인 꿈입니다. 그 가치와 꿈을 쫓아가도록 질서 지어지고 규정 지어진 세상에서는 그러한 가치와 꿈에서 조금이라도 벗어난 행위를 하는 자가 있다면, 그 사회는 즉시 그를 향해 죄인 취급하고 억압과 폭력을 가하게 되지요. 따라서 하느님으로부터 부여받은 인간의 고유한 권리는 찾아볼 수 없게 되고, 사회의 합의에 따라 규정되고 질서 지어진 것들은 결국 소수의 능력자들에 의해 지배의 수단으로 변질되어 버리고 말겠지요. 예수님 시대에 율법학자들과 바리사이들이 바로 이러한 자들이라고 보면 좋을 것입니다. 우리가 사는 지금의 세상도 결국 그렇게 미쳐버리는 세상이 되어버리지 않을까 걱정이 앞섭니다. 요즈음의 화두로써 회자되고 있는 '갑(甲)을(乙)논쟁'이 곧 경직된 세상임을 잘 대변해 주고 있다고 봅니다. 소수인 기득권자 '갑'이 다수인 '을'을 지배하면서 동시에 '갑'이 '을'을 대변해 준다는 논리를 앞세워 여론을 어수선하게 몰아가고 있지요. 또 "얻기 어려운 재화는 사람의 행실을 어지럽히지."라는 노자의 생각도 결국 '사냥꾼의 말달리기'와 다르지 않는 이야기지요. '재화'는 사람들이 일상적으로 사용하는 것의 바탕이 되는 어떤 것이지만, '얻기 어려운 재화'라고 할 때는 그 의미가 '일반적'이 아닌 '특수적' 가치를 지닌 것을 말합니다. 곧 이미 형성된 사회적 틀 안에서 그 틀을 넓혀가거나 실현하기 위해서 반드시 지녀야 할 것들이지요. 예를 들면 학벌과 권벌, 다이아몬드나 금 등을 가리킵니다. 사람들은 그것을 획득하기 위해 물불을 가리지 않고 탐욕을 일삼지요. 그렇게 되면 결과적으로 자신뿐 아니라 그 사회를 형성하고 있는 모든 사람들의 마음을 온통 들뜨고 날뛰게 하여 미치게 만들고 말지 않을까요? 예수님께서는 "너희는 좁은 문으로 들어가도록 힘써라."(루카13,24)고 하신 뒤, 이어서 "누구든지 자신을 높이는 이는 낮아지고 자신을 낮추는 이는 높아질 것이다."(루카14,11)라고 '겸양지덕(謙讓之德)'을 강조하십니다. 하지만 지금의 세대는 '겸양지덕'을 말로만 이야기할 뿐, 실제 생활에 있어서는 오히려 자신을 낮추고 남을 높여 볼 생각을 하지 않을 뿐 아니라, 오히려 다른 사람들을 '디디고 밟고 올라서야 내가 산다.'는 생각부터 머리에 꽉 채우고 있으니 그저 답답할 따름입니다.

천지만물 안에서 빛깔과 소리와 입맛을 단지 다섯 가지로만 구분하려는 것은 오히려 하느님으로부터 부여받은 감성을 망칠 수 있지 않을까요? 자연을 둘러보면서 눈에 들어오는 빛깔, 귀에 들려오는 소리, 그리고 입안을 자극하는 입맛이 어디 다섯 가지뿐이겠습니까? 오로지 다섯 가지로만 구분하여 주장하는 사람들은 결국 힘이 센 사람, 가진 사람, 배운 사람들이겠지요? 이들은 오늘날에도 올바르지 못한 것을 가지고 여론을 형성하고 있지요. 힘이 센 사람들일수록 힘이 약한 이들을 돌보아 주어야 할 것이고, 가진 자일수록 덜 가진 이들에게 가진 것을 나누어 주어야 할 것이며 많이 배워 아는 사람일수록 못 배우고 잘 알지 못하는 사람들에게 자기의 앎을 나누어 주어야 하는데 실상은 그렇질 못하니 이 얼마나 못난 세상입니까? 그래서 노자는 오히려 그들을 눈먼 이(盲), 귀먹은 이(聾), 입맛을 잃은 이(爽)라고 말하지요. 사냥꾼이나 얻기 어려운 재화를 구하기 위해 뛰어다니는 사람들도 결국 노자에 의하면, '거룩한 사람' 곧 성인 되기에는 틀려먹은 사람들에 해당된답니다. 노자에 따르면, 성인은 배를 채울망정 눈요기 따위는 하지 않는다는 것입니다.

이래서 거룩한 사람은 배를 채우지 눈요기는 하지 않는다네
(是以聖人爲腹不爲目).
그래서 저쪽을 버리고 이쪽을 고른다네(故去彼取此).

사실 배(腹)배는 하늘로부터 타고난 자연 상태 그대로의 것이지요.

그것은 사람들이 말하는 구별, 구분, 차별, 편향성, 배타성, 욕망 등등을 별도로 가지지 않습니다.

어떤 이는 '배(腹)'를 '정(精)', '기(氣)', '신(神)'으로 이해하여 '무로써 유를 제어한다(以無制有)'고도 합니다. 말하자면, 배는 그 자체로 텅 비어 있는 공간이지요. 비어 있기 때문에 무엇이든 받아들일 수 있고, 받아들여서는 소화를 시켜서 밖으로 내보내지요.

그러니 성인은 눈에 보이고, 귀에 들리며 입맛을 내거나 짐승을 사냥하고, 얻기 어려운 재화에 매달리는 욕망들을 모두 제거시켜 버리면서 오히려 '자기 비움' '자기 포기'등을 택한답니다. 예수님께서도 복음서 곳곳에서 이와 유사한 말씀을 하셨습니다.

"그러므로 너희에게 말한다. 목숨을 부지하려고 무엇을 먹을까, 몸을 보호하려고 무엇을 입을까 걱정하지 마라. 목숨은 음식보다 소중하고 몸은 옷보다 소중하다... 너희 가운데 누가 걱정한다고 해서 자기

수명을 조금이라도 늘릴 수 있느냐? 너희가 이처럼 지극히 작은 일도 할 수 없는데, 어찌 다른 것을 걱정하느냐?"(루카12, 23-24. 26)

"제 목숨을 얻으려는 사람은 목숨을 잃고, 나 때문에 제 목숨을 잃는 사람은 목숨을 얻을 것이다."(마태10,39)

수녀님, 오늘 따라 계곡을 흘러가는 물소리가 참으로 힘차고 아름답게 들립니다. 그 아름다움을 어떤 음악가가 있어서 제대로 표현하겠습니까? 또 밤을 택하여 우는 '휘파람새' 소리를 어떤 가수가 있어서 흉내를 낼 수 있겠습니까? 하느님께서 내려주신 참으로 소중한 벗들이지요. 사람과 사람 사이의 관계도 아마 이와 같이 소중하지 않을까 생각합니다. 사도 바오로가 "은사는 여러 가지지만 성령은 같은 성령이십니다.

직분은 여러 가지지만 주님은 같은 주님이십니다. 활동은 여러 가지지만 모든 사람 안에서 모든 활동을 일으키시는 분은 같은 하느님이십니다. 하느님께서 각 사람에게 공동선(共同善)을 위하여 성령을 드러내 보여 주십니다."(1코린12,4-7)라고 고백한 것도 결국 이치가 서로 닮은게 아닌가 싶습니다. 유월 들어서 얼마 전에 사제관 들어가는 현관문 바로 곁 후미진 곳에 꽃밭을 하나 일구었습니다. 거기에 작약이며 국화, 금잔화와 제비꽃이며 채송화를 심었는데, 채송화는 벌써 손톱만한 꽃을 제법 우아하게 피워 올렸답니다.

올해는 장마가 예년보다 빨리 왔다고는 하지만, 아직 본격적인 장마철은 아닌 것 같습니다. 다만 국지성 호우가 시도 때도 없이 내리퍼붓고 있네요. 수도원의 식구들, 오락가락하는 날씨에 몸도 마음도 모두 건강하시기를 기도합니다.

『도덕경』 13장에서 뵙겠습니다.

2013년 6월 23일 민족의 화해와 일치를 위한 기도의 날에

벌개미취

나는 어떠한 처지에서도 만족하는 법을 배웠습니다.
나는 비천하게 살줄도 알고 풍족하게 살줄도 압니다.
배부르거나 배고프거나 넉넉하거나 모자라거나 그 어떠한 경우에도
잘 지내는 비결을 알고 있습니다.
나에게 힘을 주시는 분 안에서 나는 모든 것을 할 수 있습니다.

| 13장 |

총애를 받든지 수모를 당하든지

수녀님, 올해의 장마는 어느 해보다 일찍 시작해서 지금까지 계속 되고 있네요. 하루는 비가 억수같이 쏟아지다가 또 하루는 햇볕이 땅을 녹이듯이 쨍쨍합니다.

하루가 멀다 하고 변하는 날씨에 수녀원의 식구들 모두 별고 없으신지요? 특히 몸을 다쳐서 병상 생활을 하시는 데레사 수녀님의 환우(患憂)는 좀 어떠하십니까? 속히 나으셔서 예전처럼 모든 식구들에게 웃음을 주고 힘을 주시는 모습을 뵙고 싶습니다.

장맛비가 오르락내리락하는 이 칠월에 인생이란? 사람살이란 무엇인가에 대해 생각해 봅니다. 어쩌면 우리네 인생도 오르락내리락하는 삶을 거듭 반복하면서 지내는 것은 아닌지 모르겠기 때문입니다.

오르막이 있으면 내리막이 있고, 내리막이 있으면 또 오르막이 있는 것은 세상의 이치이고 인지상정(人之常情)이 아닌가 싶습니다. 문제는 롤러코스터 같은 인생을 어떤 마음으로, 어떠한 생각으로 받아들이며 살아가는가가 아닐까요? 주어진 인생을 잘 살았는가 아닌가의 관건이 곧 자신의 마음가짐에 달려있다 생각해도 틀린 것은 아니리라는 것입니다.

옛날에 두 아들을 둔 어떤 어미가 있었다고 합니다. 이 어미는 비가 오면 오는 대로 햇볕이 나면 나는 대로 늘 걱정거리로 세월을 보냈다고 하지요. 두 아들 가운데 큰 아들은 나막신을 만들어 파는 나막신 장수였고, 둘째 아들은 소금을 팔러 다니는 소금장수였기 때문이랍니다. 비가 오면 작은 아들이 소금을 팔지 못하기 때문에 걱정이요 햇볕이 나면 큰 아들이 나막신을 팔지 못하기 때문에 이 또한 걱정거리지요. 그런데 어느 날 지나가는 어떤 스님이 "당신은 왜 그리도 걱정이 많습니까?"하고 물으니, 어미가 자신의 걱정거리를 털어놓았다고 합니다. 그 말을 듣던 그 스님이 껄껄껄 웃으면서 "그렇다면 그건 큰 걱정거리가 아니지요. 거꾸로 생각하면 언제나 즐겁지가 않겠소? 비가 오면 소금 파는 아들은 잠시 쉬고 대신에 나막신을 파는 아들이 장사를 하러 가면 되고, 햇볕이 나면 나막신을 파는 아들은 잠시 쉬고 소금을 파는 아들이 장사를 나가면 이 또한 얼마나 큰 축복이겠소?"라고 말했다고 합니다.

이 말을 들은 그 어미가 문득 깨달은 바가 있어서 그때부터 비가 오나 햇볕이 나나 별 상관 않고 날마다 행복하게 지냈더라는 이야기랍니다. 사람이 태어나서 어떠한 인생을 살아가느냐 하는 것은 오로지 자신이 먹고 있는 마음가짐이 어떠하냐에 따라 결정되는 것이 아닌가 싶기도 합니다.

그래서 어떤 이는 인생만사가 '새옹지마(塞翁之馬)'라고 했는지도 모르겠습니다. 오르락내리락하는 삶 안에서 자신이 품고 있던 생각들을 한번쯤 뒤집어본다면 '인생반전(人生反轉)'이 일어나지 않겠는지요?

모든 이가 '좋은 곳'이라 하면서도 막상 실제로 생활할 것을 제안하면 '꺼려했던' 이곳, 우곡성지에 올 때를 떠올려보면, 저에게는 그 제안을 전폭적으로 받아들인 저의 결정이 옳았고 또 실제 생활에 있어서도 충분한 만족을 누리고 있답니다.

어차피 사람살이에 있어서 어떤 것은 누구에게는 좋으나 또 다른 누구에게는 좋지 않는 것들이 허다하지요. 똑같은 것을 두고 좋고 나쁨이 갈라지는 것은 각 사람마다 받아들이는 마음 상태가 다르기 때문이 아니겠습니까? 이럴 때 누가 어떤 마음을 품고 있느냐에 따라서 '걱정거리'가 되기도 하고 '기쁨거리'가 되기도 하다는 것이 노자의 생각이기도 합니다. 노자는 말합니다.

총애를 받든지 수모를 당하든지 깜짝 놀란 듯이 여겨라(寵辱若驚).

큰 근심거리를 내 몸처럼 귀히 여겨라(貴大患若身).

어째서 총애를 받든지 수모를 당하든지 깜짝 놀란 듯 하라는 걸까

(何謂寵辱若驚)?

총애를 받는다는 것은 아랫사람이기 때문이니(寵爲下),

그것을 얻어도 놀란 듯이 하고(得之若驚)

그것을 잃어도 놀란 듯이 한다(失之若驚).

이를 총애를 받든지 수모를 당하든지 놀란 듯이 한다는 것이지.

(是謂寵辱若驚).

큰 근심거리를 내 몸처럼 귀히 여기라 함은 어째서일까(何謂貴大患若身)?

내가 큰 근심거리를 가지고 있는 까닭은(吾所以有大患者)

내가 몸을 가지고 있기 때문이라네(爲吾有身).

내가 몸을 없애버리면(及吾無身)

나는 무슨 근심거리를 가지고 있겠는가(吾有何患)?

수녀님, 세간에는 '총애'와 '수모'에 대해 민감한 반응을 보이지요. 누구든지 총애를 받는 것에 대해서는 기뻐하고, 수모를 당하는 것에 대해서는 감당하기 어려울 정도로 모멸감이나 수치감을 느끼고 나아가서는 억울함까지 호소할 정도로 슬퍼하는 것이 사실이지요. 하지만 따지고 보면, 세간에서 이렇게 혹은 저렇게 총애를 주거나 받거나 혹은 수모를 주거나 받거나 하는 행위들은 모두 그가 속한 사회의 일정한 가치문제나 통념에서 비롯된 것이리라 생각합니다.

이러이러한 것은 총애에 해당하고, 저러저러한 것은 수모에 해당된다고 사람들이 인위적으로 설정해놓은 기준에서 비롯되는 것이 아닐까요? 이러한 인위적 가치체계나 통념상의 준거는 모두 인간 내부의 욕심에서 비롯되는 마음의 문제, 곧 인간의 마음이 하느님께서 마련해 주신 자연의 원리를 따르는 것이 아니라 순전히 인간의 못된 욕심에서 잉태된 기준일 뿐이라는 것입니다. 그래서 노자도 "총애를 받든지 수모를 당하든지 깜짝 놀란 듯이 하라. (오히려) 큰 근심거리를 내 몸처럼 귀히 여겨라."라고 하지 않았나 싶습니다.

예수님께서도 "사람들이 너희를 (법정에) 넘길 때 어떻게 말할까, 무엇을 말할까 걱정하지 마라. 너희가 무엇을 말해야 할지 그때에 (성령께서)너희에게 일러주실 것이다."(마태10,19) 하시고, "그러니 너희는 두려워하지 마라. 숨겨진 것은 드러나기 마련이고 감추어진 것은 알려지기 마련이다."(마태10,26) 하신다. 하지만 노자가 말하는 "큰 근심거리를 내 몸처럼 귀히 여기라."는 대목에 이르면 예수님의 말씀과 사뭇 다름을 볼 수 있습니다.

예수께서는 "제 목숨을 얻으려는 사람은 목숨을 잃고, 나 때문에 제 목숨을 잃는 사람은 목숨을 얻을 것이다."(마태10,39)라고 하시지요. 얼핏 보면 예수님과 노자의 말이 서로 상반되는 것 같지만, 자세히 들여다보면 그 맥이 서로 닿아 있음을 알 수 있답니다.

노자의 이 말은 결국 인간들이 인위적으로 만들어 놓은 틀에 사로잡혀 일희일비(一喜一悲)하지 말고, 또 자신의 몸을 '자신의 것'이라고도 하지 말고, 오히려 어디에도 매여 있지 않는 '자유로운 삶을 살라'는 것입니다.

'자유로운 삶'은 태초에 하느님께서 피조물에게 당신 생명을 나누어 주실 때의 바로 그 상태이지요. 예수님이야말로 참으로 '자유로운 분' 이시라고 우리가 고백할 수 있지 않을까요? 그렇다면 예수님과 노자의 언사에서 우리는 일정 정도 유사한 점을 발견할 수 있지 않겠는지요?

그래서 몸을 천하로 삼아 귀히 여기면(故貴以身爲天下)
천하에 기댈 수 있고(若可寄天下).
몸을 천하로 삼아 아껴 준다면(愛以身爲天下)
천하를 받쳐 들 수 있다네(若可託天下).

아시다시피 우리들의 '몸'은 얼핏 보면 둔한 것 같지만, 참으로 민감하지요. 특히 누가 나를 총애하고 있는지 아니면 나 말고 다른 누군가를 총애하고 있는지 금방 느끼지요. 뿐만 아니라 누군가가 나에게 수모를 주어도 마찬가지로 상당히 민감한 반응을 보이는 것이 우리들의 형편이랍니다. 그러나 노자는 그러한 총애나 수모에 대해 민감하게 반응하지 말 것을 주문합니다.

우리가 생각하는 몸은 지극히 편협한 것이고 지극히 사사로운 것이며, 그러한 몸을 가지고 있는 한 끝없이 인간들이 스스로 만들어 놓은 굴레인 총애와 수모에 대해 민감하게 반응할 수밖에 없다는 것입니다. 그러나 우리들의 몸이 곧 하느님께서 태초에 만들어 주신 바로 그 몸(Imago Dei)이라고 생각한다면, 뭇 인간들이 자신들의 잣대로 지껄여 대는 그 어떠한 총애나 수모에 대해서도 연연하지 않을 수 있다는 것입니다. 오히려 사사롭게 자신에게 갇혀 있고 타인과의 관계에 얽매여 있는 자신의 몸을 해방시켜서 그야말로 자유로운 몸으로 탈바꿈할 때, 우리는 인간의 범위를 넘어서 하느님께서 마련해 주신 온갖 창조물들(자연)과 소통할 수 있는 보편적이고 공의로운 몸이 될 수 있다는 뜻이 아니겠는지요? 사도 바오로도 사람들에게 "여러분은 어느 누구의 허황한 말에도 속아 넘어가지 마십시오. 그러한 것 때문에 하느님의 진노가 순종하지 않는 자들에게 내립니다.

여러분은 한때 어둠이었지만 지금은 주님 안에 있는 빛입니다. 빛의 자녀답게 살아가십시오. 빛의 열매는 모든 선과 의로움과 진실입니다. 무엇이 주님 마음에 드는 것인지 가려내십시오. 사실 그들이 은밀히 저지르는 일들은 말하기조차 부끄러운 것입니다. 밖으로 드러나는 것은 모두 빛으로 밝혀집니다. 밝혀진 것은 모두 빛입니다."(에페5,6-14)라고 하지 않았습니까?

유월 중순부터 시작된 장마가 지루할 정도로 계속되네요. 하지만 이렇게 지속되는 장마철도 나름대로 다 이유가 있으리라 생각합니다. 우리가 '이랬으면 좋겠다.' 혹은 '저랬으면 좋겠다.'고 말한들 그게 무슨 소용이 있겠습니까? 모두 하느님께서 주관하시는 일이 아니겠습니까? 짜증을 내거나 기뻐하거나 하는 모든 행위들은 그저 사사로운 우리들 '몸'의 잣대에서 비롯될 뿐이지요. 만일 소금 장수와 나막신 장수를 둔 어머니의 심정으로 돌아가서 비 오면 비 오는 대로 기뻐하고 햇볕이 나면 햇볕이 나는 대로 기뻐하는 마음을 가지면 어떨까 싶습니다.

그것이 곧 자신의 몸을 천하와 한 몸으로 삼는 것이고 또 하느님께서 만드신 온갖 피조물과 소통하는 태도가 아닐까 싶습니다. 그렇게 살 줄 안다면 우리의 몸은 어느새 세상의 온갖 피조물과 하나가 되고 마침내 세상 만물을 만드신 하느님과 하나가 되는 삶을 살 줄을 알게 되지 않을까 싶습니다. 그렇게만 되면 성인(聖人)이 따로 없겠지요? 끝으로 이와 관련된 사도 바오로의 말씀을 기억해 봅니다. "나는 어떠한 처지에서도 만족하는 법을 배웠습니다. 나는 비천하게 살 줄도 알고 풍족하게 살 줄도 압니다. 배부르거나 배고프거나 넉넉하거나 모자라거나 그 어떠한 경우에도 잘 지내는 비결을 알고 있습니다. 나에게 힘을 주시는 분 안에서 나는 모든 것을 할 수 있습니다. 그러나 내가 겪는 환난에 여러분이 동참한 것은 잘한 일입니다."(필리4,11-13)

수녀님, 며칠 전에 수도원의 꿈을 꿨습니다. 모든 식구들이 함께 모여 즐거운 시간을 보내고 있는데 데레사 수녀님도 함께 계셨지요. 데레사 수녀님이 휠체어를 벗어던지고 기쁘게 박수치고 춤추는 꿈을 꾸었답니다. 참, 까리따스 수녀님도 잘 계시지요? 칠월 하순입니다. 이제 조금만 더 있으면 이곳 골짜기가 시끌벅적할 것입니다. 각지의 성당에서 여름방학을 한 학생들을 데리고 와서 저마다 신앙학교를 열 것이기 때문입니다. 그럴 때면 저는 정신이 하나도 없답니다. 그들이 여기에 와서 안전하고도 뜻 깊은 시간을 보내고 갈 수 있도록 도와주어야 하기 때문이지요. 후텁지근한 날씨지만 '모두들 기쁜 마음으로' 이 계절을 보내시기를 기도합니다. 〈14장〉에서 뵙겠습니다.

2013년 7월 20일 토요일 우곡성지에서

봄맞이

'무화'의 신비 곧 '없어짐'의 신비가 예수님의 삶의 방식이었습니다.
남을 살리면서 자신을 없애버리는 태도가 곧 하느님의 통치방식이지요.
'무화'는 사랑이 아니면 불가능 하지요. 자신을 내어주는 사람은
자신을 한없이 낮추거나 비워내지 않으면 안 됩니다.

| 14장 |

보려고 해도 보이지 않는 것

수녀님, 팔월이 막 시작되었을 때는 짜증스런 날씨가 계속되었지요. 비가 억수처럼 퍼붓다가도 언제 그랬냐는 듯 햇볕이 내리쬐는가 하면, 또 금방 먹장구름이 막 몰려들기도 하였지요. 하지만 곰곰이 생각해보면, 자연의 변화무쌍한 움직임도 결국은 자연을 움직이시는 분의 필요에 의한 것일 것이기 때문에 그렇게 짜증스러워할 일도 아닐 것입니다. '짜증스러움'은 우리가 자연을 만드시고 움직이시는 분의 깊은 뜻을 제대로 헤아리지 못한 결과일 뿐이겠지요.

팔월 하순에 들어선 요즈음은 날씨는 여전히 무덥지만, 그래도 제법 아침저녁으로 선선한 것이 가을 냄새가 납니다. 자연을 만드시고 움직이시는 분의 뜻을 아직도 깨닫지 못했다는 나름대로의 자책을 해본답니다. 문득 '역지사지(易地思之)'라는 말이 떠오릅니다. 상대방과 입장 바꾸어 생각해 본다든가 혹은 그분은 우리를 무척 생각해 주시는데 우리는 눈앞에서 일어나는 잠깐의 불편함에 눈살 찌푸리기가 일쑤이니 말입니다.

그래서 '역지사지'는 우리 시대에 매우 적절한 화두(話頭)가 아닐까 생각해 봅니다. 더 크고, 더 소중한 것들에 대해서는 소홀히 해버리고 그저 눈앞의 한 줌도 안 되는 따위에 목숨을 걸려고 덤벼드는 것이 우리네 인생이라면 인생이지요. 얼마나 서글픈지요!

예수님께서는 저 유명한 '씨 뿌리는 사람'(마태13장 참조)의 비유를 설명하시면서 〈이사야 예언서〉 6,9-10을 인용하셔서 다음과 같이 말씀하셨지요.

"너희는 듣고 또 들어도 깨닫지 못하고
보고 또 보아도 알아보지 못하리라.
저 백성이 마음은 무디고
귀는 제대로 듣지 못하며
눈은 감았기 때문이다.
이는 그들이 눈으로 보고
귀로 듣고
마음으로 깨닫고서는 돌아와
내가 그들을 고쳐주는 일이 없게 하려는 것이다.
그러나 너희의 눈은 볼 수 있으니 행복하고,
너희의 귀는 들을 수 있으니 행복하다."

(마태12,14-16/이사6,9-10 참조)

예수님께서는 우리가 듣고 또 들어도 깨닫지 못하고, 보고 또 보아도 알아보지 못하는 까닭을 '마음이 무디기' 때문이라고 하십니다. 마음이 무디기 때문에 참 하느님이시면서 참 사람으로 오신 분을 알아보지 못하고 또 그분이 하시는 일을 알지 못하며 그분이 말씀하시는 모든 것을 알아듣지 못하는 것이지요. 한마디로 말해서, 사람들이 그렇게 소망하던 참 하느님이신 분께서 우리 곁에 오시고 우리와 함께 사시고 계시는데도 우리는 그분을 알아보지 못하고 있다는 뜻이겠지요. 사실 우리는 하느님의 참 모습을 사람으로 오신 예수님을 통하여 충분히 알 수 있는 통찰력과 혜안이 없지요. 그것은 아마도 우리들의 마음이 닫혀 있고 무뎌 있기 때문이 아닌가 싶습니다. 예수님께서는 "나는 길이요 진리요 생명이다. 나를 통하지 않고서는 아무도 아버지께 갈 수 없다. 너희가 나를 알게 되었으니 내 아버지도 알게 될 것이다.

이제부터 너희는 그분을 아는 것이고, 또 그분을 뵌 것이다."(요한 14,6-7)라고 하셨지요. 말하자면 사람으로 오신 분이 바로 세상을 창조하시고 세상을 구원하시는 유일하신 하느님의 참 모습입니다. 그래서 우리는 그분을 '원성사(原聖事)'라고 고백하는 것이 아닐까요?

예수님은 유일하신 하느님의 참 모습입니다. 노자는 자신이 고백하는 '도의 참 모습'을 다음과 같이 노래합니다.

보려고 해도 보이지 않는 것을 '이'라고 이름 붙였고(視之不見 名曰夷),
들으려고 해도 들리지 않는 것을 '희'라고 이름 하였으며(聽之不聞 名曰希),
잡으려고 해도 만져지지 않는 것을 '미'라고 이름 붙였다네(搏之不得 名曰微).
이 세 가지는 끝까지 따져 물어볼 길이 없지(此三者不可致詰).
그래서 서로 뒤섞여서 '하나'로 있기 때문이라네(故混而爲一).

노자는 자신이 고백하는 도에 관해서 말하기를 '보려고 해도 보이지 않고', '들으려 해도 들리지 않으며', '잡으려 해도 만져지지 않는 것'이라고 합니다. 그렇다고 왜 그런지에 대해서 끝까지 캐묻고 따지려고 해도 묻고 따질 수가 없는데, 그 까닭은 도가 바로 '하나'로 존재하기 때문이라는 것입니다. 그래서 굳이 이름을 붙여보자면, '이(夷)', '희(希)', '미(微)'라고밖에 할 수 없다는 것입니다. 따라서 마치 도는 혼돈 속에 뒤엉켜 있어서 쉽게 알아볼 수 없을 것처럼 보이지만 오히려 그 혼돈스러운 모든 존재를 아우를 수 있는 상태, 끊임없이 변화하고 생성하는 상태의 총괄로서 '일(一)'로 존재합니다. 창세기에서 "한 처음에 하느님께서 하늘과 땅을 창조하셨다. 땅은 아직 꼴을 갖추지 못하고 비어 있었는데, 어둠이 심연을 덮고 하느님의 영이 그 물 위를 감돌고 있었다."(창세1,1-2)라는 말씀을 떠올리게 합니다. 또 "한 처음에 말씀이 계셨다. 말씀은 하느님과 함께 계셨는데 말씀은 하느님이셨다. 그분께서는 한 처음에 하느님과 함께 계셨다. 모든 것이 그분을 통하여 생겨났고, 그분 없이 생겨난 것은 하나도 없다……(중략)……그분께서 세상에 계셨고 세상이 그분을 통하여 생겨났지만, 세상은 그분을 알아보지 못하였다. 그분께서 땅에 오셨지만, 그분의 백성은 그분을 맞아들이지 않았다."(요한1,1-11)는 말씀을 떠올리게도 합니다. 《성경》 속에서 말씀하시는 하느님의 존재 방식은 곧 예수님을 통해서 그대로 드러난다는 것을 알게 됩니다. 또 예수님의 삶을 통하여 드러나는 하느님의 통치와 주재(主宰) 방식을 알 수 있게 됩니다. 하지만 우리는 그분을 보고 그분의 말씀을 들으면서도 보지 못하고 듣지도 못하는 소경이나 귀머거리에 지나지 않으니 얼마나 슬픈 일인지요!

사실 예수님께서는 이미 더 이상의 논리가 필요 없을 정도로 확고하게 당신과 하느님의 관계에 대해서 필립보에게 분명하게 말씀하셨지요.

"필립보야, 내가 이토록 오랫동안 너희와 함께 지냈는데도 너는 나를 모른단 말이냐? 나를 본 사람은 곧 아버지를 뵌 것이다. 그런데 너는 어찌하여 '저희가 아버지를 뵙게 해 주십시오.' 하느냐? 내가 아버지 안에 있고, 아버지께서 내 안에 계시다는 것을 너는 믿지 않느냐? 내가 너희에게 하는 말은 나 스스로 하는 말이 아니다. 내 안에 머무르시는 아버지께서 당신의 일을 하시는 것이다. 내가 아버지 안에 있고 아버지께서 내 안에 계시다고 한 말을 믿어라. 믿지 못하겠거든 이

일들을 보아서라도 믿어라."(요한14,9-11)

결국 우리가 예수님과 하느님이 같은 한 분이심을 고백하는 길은 '믿음'으로만이 가능하게 된다. 믿음이 없다면 하느님과 예수님과의 관계, 예수님과 우리와의 관계, 우리와 이웃과의 관계, 인류와 자연과의 관계 등등이 모두 무너져 버리게 되는 셈이 아니겠습니까?

그러한 관계를 맺어주고 끝없이 이어지게 하시는 분이 곧 하느님이시며, 그분이 곧 사람으로 오신 우리 주 예수 그리스도입니다. 그러면서도 예수님께서는 자신을 드러내셔서 뽐내시거나 자랑하지도 않으시고, 오히려 섬기는 사람(루카22,27)으로 당신을 소개하십니다. 그리고 온 인류를 위하여 십자가를 지시고 가시면서도 죽을 수밖에 없는 인류를 다시 당신의 생명에로 모아 품으시는 분이십니다. 말하자면 모든 이들에게 이로움을 넘기면서도 자신은 '무화(無化)'시키시는 분이 바로 진리이시고 생명이시며, 오시고 사시고 죽으시고 묻히시고 부활하신 분이 아니겠습니까? 이런 의미에서 사도 바오로는 다음과 같이 자신의 믿음을 고백합니다.

"그분께서는 하느님의 모습을 지니셨지만
하느님과 같음을 당연한 것으로 여기지 않으시고
오히려 당신 자신을 비우시어

종의 모습을 취하시고

사람들과 같이 되셨습니다.

이렇게 여느 사람처럼 나타나

당신 자신을 낮추시어

죽음에 이르기까지

십자가 죽음에 이르기까지 순종하셨습니다."(필리2,6-8)

'무화(無化)'의 신비, 곧 '없어짐'의 신비가 예수님의 삶의 방식이었습니다. 남을 살리면서, 있게 두면서도 자신은 없어지게, 자신을 없애버리는 태도가 곧 하느님의 통치 방식이지요. '무화'는 사랑이 아니면 불가능하지요. 사랑으로 사는 사람은 타인을 위하여 자신을 내어 줄 줄 압니다. 자신을 내어주는 사람은 자신을 한없이 낮추거나 비워내지 않으면 안 됩니다.

자신을 낮추거나 내어낼 줄 아는 사람은 곧 자신을 포기하거나 없애버릴 줄 아는 사람이지요. 이렇게 사는 사람이야말로 참으로 하느님의 사랑의 신비 안에 사는 사람이고, 이러한 삶의 태도가 곧 예수님께서 보여주신 삶의 모습인 동시에 그분이 우리에게 요청하신 명령이 아니겠습니까? "내가 너희에게 명령한 것은 이것이다. 서로 사랑하여라."(요한15,17)

사실 온 인류가, 특별히 세상을 경영하겠다고 나선 위정자나 지도

자라는 사람들도 모두 이와 같은 방식으로 세상 사람들에게 봉사한다면, 이 세상은 얼마나 더 아름답고 따스하게 될까요? 얼마나 더 평화스럽고 행복하게 될까요? 노자도 역시 예수님께서 말씀하신 삶의 방식과 지도자들의 통치 방식과 유사한 방식을 제시했다고 볼 수 있습니다. 그러고 보면 예수님께서 말씀하신 방식이나 노자의 방식은 모두 하느님의 뜻의 기본 내용, 혹은 도의 기본 내용이었다고 봐야 할 것입니다.

(하나는) 그 위로 밝지도 않고 그 아래로 어둑하지도 않다네

(其上不皦 其下不昧).

끊어지지 않고 끝없이 꼬여 있어서 이름을 붙일 수가 없고(繩繩不可名)

아무 것도 없는 데로 되돌아간다네(復歸於無物).

이를 '아무 꼴이 없는 꼴', '아무것도 없는 형상'이라 하고

(是謂無狀之狀無物之狀)

이것을 '황홀'이라고 하지(是謂恍惚).

맞이하려 해도 그 머리를 보지 못하고(迎之不見其首)

따르려고 해도 그 뒤를 보지 못한다네(隨之不見其後).

옛적의 도를 거머쥐고서 지금의 있는 것들을 부려보면(執古之道 以御今之有)

옛적의 시작을 알 수 있지(能知古始).

이것을 '도의 실마리'라 한다네(是謂道紀).

말씀의 기본 내용, 그것을 일러서 '도기(道紀)'라고 합니다. 그렇지만 사람들은 예수님의 '도기'에 대해서는 알려고도 하지 않고 오로지 자신의 안위와 탐욕만을 추구하기 위해 예수님을 끌어들이고, 또 노자를 끌어들이기도 하는 것이 지금의 세상 풍토가 아니겠는가 싶습니다. 우리가 걸어온 길, 걸어오면서 남긴 발자국 즉, 역사와 문화, 더 나아가서 전통은 모두 하느님께서 함께하시지 않으셨으면 안 된다는 사실을 우리는 헤아리려 하지 않습니다. 노자도 "옛적의 도를 거머쥐고서 지금의 있는 것들을 부려보면 옛적의 시작을 알 수 있지."라고 노래합니다. 무엇이든 초심(初心), 첫 마음으로 돌아가서 그 처음, 그 시작이 어떠했는지를 깨닫는다면 세상은 보다 아름다워지지 않겠는지요?

사도 바오로는 이런 의미에서 그리스도인의 새로운 생활을 거듭 강조합니다. "여러분은 현세에 동화되지 말고 정신을 새롭게 하여 여러분 자신이 변화되게 하십시오. 그리하여 무엇이 하느님의 뜻인지, 무엇이 선하고 무엇이 하느님 마음에 들며 무엇이 완전한 것인지 분별할 수 있게 하십시오."(로마12,2) 그렇게 되면 '보려고 해도 보이지 않고 들으려 해도 들리지 않는'것이 아니라 언제나 하느님을 뵐 수 있고, 하느님의 말씀을 들을 수 있지 않겠습니까? 그러면 세상은 하느님 보시기에 더 좋은 세상이 되겠지요?

수녀님, 아이들이 떠난 우곡 골짜기, 그 자리엔 막바지 여름을 보내려는 듯 매미며 풀벌레들이 지천으로 울어댑니다. 덩달아 새들도 지저

귀고요. 어젯밤엔 오랫동안 내리지 않던 비도 뿌리고요. 모두들 잘 계시지요? '동정 마리아 모후'축일이네요. 성모 마리아야말로 '행복하십니다. 주님께서 하신 말씀이 이루어지리라고 믿으신 분!'(루카1,45)이 아니겠습니까? 그분의 삶을 본받는다면 우리 또한 하느님 안에서 행복한 나날을 보내지 않을까 믿어 의심치 않습니다.

건강하시고요. 구월에 또 뵙겠습니다.

2013년 8월 22일 목요일 동정마리아 모후 축일에

멍석딸기

'도'를 보존하는 사람은 언제나 '무엇을 꽉 채우려고' 애를 쓰지 않지요.
좀 모자란 듯 자신의 욕심을 비워내고, 그 자리에 하느님께서
채워주시기를 간절히 바라는 사람들이 아닐까 싶습니다.

평화란 단순히 전쟁이 없는 것이 아니라, 상대의 말을
참을성 있게 들어주는 대화를 통해 이뤄질 수 있다는 확고부동한
믿음에 바탕을 둔다. 대화와 소통이 곧 평화다.

| 15장 |

옛적에 도를 잘 실행한 선비란 자는

수녀님, 구월이며 순교자 성월이네요. 지난 여름 날씨가 그렇게 후텁지근하였는데 어느새 하늘은 맑고 코스모스가 지천으로 피어나며, 풀벌레 소리가 유난히도 구슬프게 들리는 계절이 돌아왔습니다. 한낮에는 가끔씩 어디에 숨어 있었는지 여름 날씨가 이따금씩 고개를 내밀지만, 그래도 하느님께서 마련하신 자연운행 앞에서는 아무리 극성스런 것이라도 별 뾰족한 수는 없는 모양입니다. 자연의 운행, 우리는 그것을 '자연의 도(自然之道)'라고 부를 수 있을지도 모르겠습니다. 자연지도는 자연이 걸어가는 길이지요. 그 길은 너무나 오묘해서 한낱 흙먼지에 불과한 우리들로서는 말로써 표현해 내기가 대단히 어려운데, 하물며 하느님께서 우리를 위하여 마련해 놓으신 길을 이해하기란 얼마나 더 어렵겠는지요? 예수님은 "까마귀들을 살펴보아라. 그것들은 씨를 뿌리지도 않고 거두지도 않을 뿐만 아니라 골방도 곳간도 없다. 그러나 하느님께서는 그것들을 먹여주신다. 너희가 새들보다 얼마나 더 귀하냐?"(루카12,24)라고 말씀하십니다. 또 예수님께서 말씀하시기를 "그리고 나리꽃들이 어떻게 자라는지 살펴보아라. 그것들은 애쓰지도 않고 길쌈도 하지 않는다. 그러나 내가 너희에게 말한다. 솔로몬도 그 온갖 영화 속에서 이 꽃 하나만큼도 차려입지 못하였다. 오늘 들에 서 있다가도 내일이면 아궁이에 던져질 풀까지 하느님께서 이처럼 입히시거든, 너희야 얼마나 더 잘 입히시겠느냐?"(루카12,27-28)고 하십니다.

비록 우리가 하느님께서 우리를 위하여 마련해 놓으신 그 '도(道)'를 직접적으로 알아듣기 힘들더라도, 그분이 건네시는 사랑과 은총의 손길을 우리는 대자연의 신비를 통해 느낄 수 있지요. 이 얼마나 다행한 일입니까? 그러한 느낌조차도 하느님께서 마련해 주시지 않는다면 우리는 그저 차디찬 돌덩어리에 다름 아니겠지요. 오직 하느님께서 보내신 당신의 아드님 우리 주 예수 그리스도만이 하느님의 도를 알아 행하시고 또 우리에게 보여주실 뿐이지요.

옛적에 도를 잘 실행한 선비란 자는(古之善爲士者)

은미하고 오묘하며 거룩해서(微妙玄通)

깊이를 알아낼 수 없었다네(深不可識).

무릇 오직 알 수가 없으니(夫唯不可識)

때문에 억지로라도 그를 묘사해 볼 뿐이지(故强爲之容).

사실 우리가 하느님의 이름으로 오신 분에 대해 제대로 고백하기란 얼마나 많은 시간이 흐를까요? 〈요한복음〉사가는 그분에 대해서 "한 처음에 말씀이 계셨다. 말씀은 하느님과 함께 계셨는데 말씀은 하느님이셨다. 그분께서는 한 처음에 하느님과 함께 계셨다. 모든 것이 그분을 통하여 생겨났고, 그분 없이 생겨난 것은 하나도 없다. 그분 안에 생명이 있었으니 그 생명은 사람들의 빛이었다."(요한1,1-4)고 고백합니다. 그런데도 우리는 아직 그분을 완전히 깨닫지 못하고 또 우리 가운데 계시는데도 알아보지 못하니 참으로 답답할 노릇입니다. 사도 바오로는 하느님에 대한 찬미가를 이렇게 부릅니다.

"오! 하느님의 풍요와 지혜와 지식은 정녕 깊습니다.
그분의 판단은 얼마나 헤아리기 어렵고
그분의 길은 얼마나 알아내기 어렵습니까?
누가 주님의 생각을 안 적이 있습니까?
아니면 누가 그분의 조언자가 된 적이 있습니까?
아니면 누가 그분께 무엇을 드린 적이 있어
그분의 보답을 받을 일이 있습니까?"(로마11,33-36)

그렇기 때문에 노자도 사도 바오로처럼 "무릇 오직 알 수가 없으니/ 때문에 억지로라도 그를 묘사해 볼 뿐이지."라고 노래했는지도 모를 일입니다. 사실 우주의 삼라만상을 포함한 우리는 모두 엄밀한 의미에서 '하느님의 작품'이지요. 우리는 모두 선을 행하도록 그리스도 예수님 안에서 창조되었고, 하느님께서는 우리가 선행을 행하도록 그 선행을 미리 준비하셨습니다.(에페2,10) 하느님의 작품이기 때문에 참된 예술가이신 하느님을 보아도 볼 수 없고, 만져도 알 수 없으며 다만 함께 계심을 어렴풋이 느낄 따름이랍니다.

이런 의미에서 사도 바오로는 매우 적절하게 우리들의 처지를 잘 대변해 주었다고 생각합니다.

"우리가 지금은 거울에 비친 모습처럼 어렴풋이 보지만,
그때에는 얼굴과 얼굴을 마주할 것입니다.
내가 지금은 부분적으로 알지만
그때에는 하느님께서 나를 온전히 아시듯
나도 온전히 알게 될 것입니다."(1코린13,12)

노자도 도를 잘 실천하는 자의 모습을 묘사해 보지만, 결국 묘사에만 그칠 뿐 생생한 증거를 제시하지는 못합니다.

'도'가 그러하듯이 '도를 실천하는 사람' 또한 도와 하나가 되었기 때문에 너무도 '미묘하고 현통'해서 다만 그림으로 어렴풋이 그려만 볼 뿐 구체적으로 파악할 수 없다고 노래합니다. 도는 인간의 상상력으로

또 인간의 개념 안에 가두어 둘 수 없는 무엇이랍니다. 그래서 '억지로라도 그를 묘사해 볼 뿐'이라고 한 것이지요. 이는 사도 바오로가 하느님을, 그리고 하느님께서 보내신 외아들 우리 주 예수 그리스도에 대해서 고백하는 것과 많은 점에서 상당히 닮아 있지요.

노자는 도와 하나 된 자의 행동거지를 다음과 같이 묘사해 줍니다.

조심도 하여라! 마치 겨울에 시내를 건너듯 하는구나(豫兮若冬涉川).

신중도 하여라! 마치 사방의 이웃을 두려워하는 듯하구나(猶兮若畏四隣).

의젓하기도 하여라! 마치 길손인 듯하구나(儼兮其若客).

풀어져 있기도 하여라! 마치 녹아져가는 얼음인 듯하구나(渙兮若氷之將釋).

도탑기도 하여라! 마치 통나무인 듯하구나(敦兮其若樸).

허허롭기도 하여라! 마치 골짜기인 듯하구나(曠兮其若谷).

어리숙도 하여라! 마치 흙탕물인 듯하구나(混兮其若濁).

수녀님, 위에서 노자가 노래한 "마치 사방의 이웃을 두려워하는 듯하구나."라는 두 구절을 보면, 이렇게도 해석해 볼 수 있을 겁니다.

"예(豫)여! 마치 겨울에 시내를 건너듯 하는구나.
유(猶)여! 마치 사방의 이웃을 두려워하는 듯하구나."

위 대목을 읽노라면, 다산(茶山) 정약용(丁若鏞, 세례자 요한, 1762-1736) 선생이 생각납니다. 그분은 1801년 신유박해를 기점으로 천주교와 내통했다는 트집을 잡혀 두 차례나 유배되었답니다. 하지만 정작 그분은 겉으로는 천주교 신자라는 사실을 내세우지 않았지만, 뼈속까지 확실히 천주교 신자였습니다. 그분의 대작이자 명저들이 수록된 『여유당전서(與猶堂全書)』를 읽어보면, 금방 그분이 천주교 신자임을 알 수 있지요. 그분은 유배를 다니면서부터 자신의 당호(堂號)를 '여유당(與猶堂)'으로 붙였답니다. 어째서 그분은 여유당으로 하였을까? 그 해답은 바로 이 장에서 노자가 노래한 대목을 보면 자세히 알 수 있습니다. "여(與)여, 겨울 냇물을 건너듯이 유(猶)여, 너의 이웃을 두려워하듯이"라는 글귀에서 따온 것으로 조심스럽게 세상을 살아가리라는 강한 의지가 담겨 있지요.

'예(豫)'자는 원래 거대한 코끼리를 뜻합니다. 육중한 코끼리가 겨울에 살얼음 내를 건널 때는 깨어질까봐 조심스러워 머뭇거릴 수밖에 없겠지요. 또 '유(猶)'자는 원숭이를 뜻하는 글자입니다. 원숭이는 겁이 많고 의심이 많아 주변을 살피기를 잘하고 매사를 두려워한다지요. 하지만 인용한 구절을 잘 보면, '豫焉若冬涉川(예언약동섭천)'에서 여(與)자는 없습니다. 그리고 '猶兮若畏四隣(유혜약외사린)'에서는 유(猶)자가 있지요. 그런데 다산 선생이 스스로 작성한 묘지명(墓誌銘)인 『자찬묘지명(自撰墓誌銘)』과 『여유당기(與猶堂記)』에는 '豫焉若冬涉川'가 '與兮若冬

涉川'으로 되어 있습니다. 왜 '豫'자를 '與'자로 바꾸었는지에 대해서는 좀 더 생각해 봐야겠지만, '與'자에는 '함께 하다'거나 '한 패거리가 되다'라는 뜻이 있는 것으로 보아 '원숭이처럼' 사방을 경계하면서 차디찬 겨울 냇물을 건너듯이 냉혹한 세상을 그렇게 경계를 늦추지 않으면서 살겠다는 뜻이 아닐까 생각합니다.

말하자면 부득이한 경우가 아니면 냇물을 건너지 않는 것처럼 세상이 두려운 사람은 함부로 행동할 수 없을 것이기 때문에 자기를 감시하는 눈길이 항상 따르고 있다는 생각을 해야 하고, 그렇다면 부득이한 경우가 아니면 하지 말라는 뜻이 담겨 있지요. 어찌 보면 예수께서 말씀하신 "너희는 말할 때에 '예' 할 것은 '예' 하고, '아니요' 할 것은 '아니요'라고만 하여라. 그 이상의 것은 악에서 나오는 것이다."(마태5,37)라는 말씀을 연상케 합니다. 사실 다산 선생은 남인(南人) 집안에서 태어났지만, 그분은 결코 자신의 조상이 당쟁의 중심 인물이 되지 않았음을 자랑했고, 그 아들들에게도 그런 일에 가담하지 말 것을 당부했다고 합니다.

또 그는 문벌과 당색의 타파를 강력하게 주장했고, 인재의 고른 등용을 역설하는 등 이미 천주교의 '사회교리'를 몸소 실천한 분이시지요. 다산 선생의 일생에 대해서는 다른 기회에 수녀님들과 함께 이야기할 기회를 갖도록 해보겠습니다.

요 아래 노자가 노래한 대목을 잘 음미해 보시면 좋겠습니다.

제가 앞서 인용한 구절이 생각나지 않습니까? 중복되긴 하지만 한 번 더 인용해 보겠습니다.

"오! 하느님의 풍요와 지혜와 지식은 정녕 깊습니다.
그분의 판단은 얼마나 헤아리기 어렵고
그분의 길은 얼마나 알아내기 어렵습니까?
누가 주님의 생각을 안 적이 있습니까?
아니면 누가 그분의 조언자가 된 적이 있습니까?
아니면 누가 그분께 무엇을 드린 적이 있어
그분의 보답을 받을 일이 있습니까?"(로마11,33-36)

누가 흙탕물을 고요하게 하여 천천히 맑게 할 수 있겠는가(孰能濁以靜之徐淸)?
누가 가만히 있는 것을 오래도록 움직여서 서서히
살아나게 할 수 있겠는가(孰能安以久動之徐生)?
이 도를 보존하는 사람은 꽉 채우려 하지 않는다네(保此道者不欲盈).
무릇 오로지 가득 채우려 하지 않기 때문에(夫唯不盈)
그래서 능히 숨겨서라도 새로이 이루려고 하지는 않는다네(故能蔽不新成).

도를 보존하는 사람은 언제나 '무엇을 꽉 채우려고' 애를 쓰지 않지요. 좀 모자란 듯 자신의 욕심을 비워내고, 그 자리에 하느님께서 채워 주시기를 간절히 바라는 사람들이 아닐까 싶습니다.

'보도자(保道者)'는 곧 '도를 닦는(수행하는) 사람들(修道者)'과 같은 의미입니다. 도를 보존하고, 도를 수행하는 사람은 오히려 자신을 누더기를 뒤집어쓰거나 시궁창에 빠져 허우적대도 결코 부끄러워하지 않으면서 절대로 품고 있는 도를 내팽개치거나 놓치지 않는답니다. 또 그러한 수행자는 결코 자신을 내세우거나 무슨 새로운 일을 꾸미거나 이루려고도 하지 않지요. 도가 그것을 해결해 줄 것이고, 하느님께서 이루어 주실 것이기 때문입니다.

수녀님, 오늘이 가을의 한복판에 들어섰다는 것을 뜻하는 '추분(秋分)'이네요. 추분이 되었지만 여전히 한낮에는 무슨 미련이 남았는지 여름이 서성거리고 있습니다.

이제 곧 여름이라는 놈도 모든 것을 내려놓고 또 가을에게 넘기고 하느님께서 마련하신 길을 따라 순순히 떠나가겠지요. 그리고 가을은 이제 하느님께서 필요하여 주신 은총에 걸맞게 자신에게 맡겨진 나날들을 충실히 살아갈 것입니다. 그러고 보니, 어쩌면 자연이 곧 전형적인 수도자의 모습 같습니다. 지난번에 함께 살고자 들어왔던 자매님들이 다른 길을 걷기 위해 떠났다는 소식을 들었습니다. 함께 산 며칠도 인연이라면 인연인데 수녀님들의 마음이 많이 아팠겠습니다. 그러나 그들에게도 하느님께서 필요한 은총을 주실 것이니 너무 아파하지는 마십시오. 우리도 언젠가는 이 자리에 함께한 이들을 두고 떠날 날이 있지 않겠습니까? 남은 사람들이야 슬프겠지만 그것은 인간적인 슬픔이고 언젠가는 모두 하느님 안에서 다시 만날 수 있을 테니까요. 보십시오. 봄은 여름에게 자리를 내주고, 여름은 가을에게 또 가을은 겨울에게 아무 거리낌 없이 자기 자리를 내주잖아요. 여름이 아직 서성거리고 있다지만 아침 저녁으로는 공기가 찹니다. 몸도 마음도 주님 안에서 건강하시기를 기도하고, 〈제16장〉에서 뵙도록 하겠습니다.

2013년 9월 23일 추분(秋分)에

개구리자리

뿌리로 돌아가는 것을 '고요함'이라고 하는데
이것을 일러 '하늘의 뜻을 회복 한다'고 하네
하늘의 뜻을 회복 하는 것을 '늘 그러함'이라 하고
늘 그러함을 아는 것을 '밝음'이라 한다네
늘 그러함을 알지 못하면 멋대로 흉한 짓을 저지르고
늘 그러함을 알게 되면 너그러워지게 된다네.

너그러워지면 이에 공의롭게 되고,
공의로워지면 이에 왕 노릇하게 되며.
왕 노릇하게 되면 이에 하늘이 되고,
하늘이 되면 이에 도가 되지.
도의 삶을 살게 되면 이에 영원해지고,
몸이 으스러져 없어진대도 위태롭지가 않다네.

| 16장 |

텅 비워내야 지극해지고

수녀님, 하늘은 높고 말은 살이 찐다는 가을의 한복판에 들어섰네요. 세월은 참으로 쏜 화살과 같아서 또 시월이 서서히 떠날 채비를 차리고 있습니다. 우곡성지를 감싸고 있는 산허리며 계곡에 아무렇게나 자라고 있는 나무들이 벌써 하나 둘씩 옷을 벗기 시작합니다. 아직 단풍이 채 들기 전인데도 몸에 걸치고 두르고 있는 것들을 땅에다 내려놓으려고 하나봅니다. 사람이든 자연이든 무엇이든간에 맨 먼저 내려놓는 법부터 배워야 할 일인데 유독 사람들만이 내려놓거나 벗어버리는 일보다는 움켜잡는 것부터 시작하고, 한번 움켜쥐면 결코 내려놓으려는 시도조차 하지 않으니 참으로 걱정이 아닐 수 없네요. 이 땅에서 신앙인으로 산다는 것, 더욱이 성직자나 수도자로 사는 일은 곧 내려놓거나 벗어버리는 일이 아닐까 싶습니다. 내려놓는 일은 원래 나의 것이 아님으로 본래의 주인에게 되돌려주는 일이겠지요. 그래서 예수님께서도 "그러면 황제의 것은 황제에게 돌려주고, 하느님의 것은 하느님께 돌려드려라."(루카20,25)라고 말씀하시지 않으셨습니까?

원래부터 아무 것도 걸치지도 움켜잡지도 않고 맨 몸으로 왔으니, 떠날 때도 모든 것을 그대로 내려놓고 벗어버리고 떠나가는 것은 너무나 당연한 일이 아니겠는지요? 불교에서 '공수래공수거(空手來空手去)'라는 말이 실감나는 때이기도 합니다. 이러한 느낌은 본격적으로 겨울이 들어서기 시작하는 십일월에 들어서면 더욱 더하겠지요. 지금으로부터 2500년 전에 살았던 노자도 인생살이에 있어서 '비움의 법칙'이야말로 하늘의 도(天道)와 가장 잘 어울릴 수 있는 만고불변의 진리임을 이미 깨달은 말하자면 현인(賢人)을 넘어서서 성인(聖人)의 경지에 이른 분이 아니었겠는가 생각합니다.

텅 비워내야 지극해지니(致虛極)

조용함을 지켜내야 도타워진다네(守靜篤).

온갖 피조물이 아울러 만들어지니(萬物竝作),

나는 이로써 되돌아감을 살펴보네(吾以觀復).

무릇 피조물은 제각각 번성해나가느니(夫物芸芸),

각기 자신의 뿌리로 되돌아간다네(各復歸其根)

누구든지 가지고 있는 그 무엇이라도 '텅 비워내야만 지극해지지'요. 지극해진다는 것은 '오래감'이고 '영원해지다'라는 뜻입니다. 사도 바오로는 "그리스도 예수님께서 지니셨던 바로 그 마음을 여러분 안에 간직하십시오. 그분께서는 하느님의 모습을 지니셨지만 하느님과 같음을 당연한 것으로 여기지 않으시고 오히려 당신 자신을 비우시어 종의 모습을 취하시고 사람들과 같이 되셨습니다."(필리2, 6-7)라고 말씀하셨지요. 이렇게 자기 자신을 비워낸 사람은 이미 하느님의 뜻에 가까이 가 있는 자라고도 볼 수 있습니다. 하지만 '비워낸다'고 모두 하느님과 하나 되는 것은 아니겠지요. '비워내는 일'은 다만 그 시작, 그 첫걸음에 불과할 따름이랍니다. 진실로 하느님과 함께하려면 '고요함을 지켜내야만' 가능하지요. 『도덕경』은 여러 판본들이 있는데 어떤 판본에서는 '고요함(靜)'을 '한가운데(中)'로 적고 있기도 합니다. 여기에서 '중'은 '텅 빎'과 같고, 텅 비어 있다는 것은 그 안에 모든 것을 다 담을 수 있다는 뜻이기도 합니다. 그리고 '고요함'이라는 것은 다양한 욕망으로 어지러워졌던 세상을 다시 새롭게 원래의 모습으로 회복하기 위한 방법이지요. 모든 것을 다 담을 수 있는 그릇이나 어지럽혀졌던 것을 원래 상태로 되돌려 놓으실 수 있는 분은 오직 하느님 한 분밖에 더는 존재하지 않습니다.

예수께서는 "나에게 '주님, 주님!' 한다고 모두 하늘나라에 들어가는 것이 아니다. 하늘에 계신 아버지의 뜻을 실행하는 이라야 들어간다."(마태7,21)고 하시지 않으셨습니까? 또 '고요함'이란 고요한 상태, 만물이 새로워지는 상태이기 때문에 '쉼'이라고도 말 할 수 있을 것 같습니다. 사람이 얼마나 잘 쉬느냐에 따라서 얼마나 하느님의 뜻을 잘 실행할 수 있느냐의 여부가 판가름 지어진다고도 볼 수 있습니다. 그래서 또 예수님께서는 "고생하며 무거운 짐을 진 너희는 모두 나에게 오너라. 내가 너희에게 안식을 주겠다."(마태11,28)고 하시면서 '쉼', '고요함'의 참 의미를 말씀해 주시고 계시지요.

또 노자는 온갖 피조물이 서로 조화롭게 만들어지는 것을 보고 또 결국에는 그것들이 본래 온 곳, 곧 각자의 '뿌리'로 되돌아간다는 사실을 깨닫습니다. 뿌리로 되돌아가는 것은 비단 자연만이 아니라 사람 또한 마찬가지지요. 얼핏 보면 만물은 온 곳으로 되돌아가고, 되돌아가서는 다시 오게 된다는 '순환의 원리'로 오해하거나 착각할 수 있지요. 마치 불교의 '인연법'처럼 말입니다. 그러나 조금만 더 생각해 보면, 노자 세계의 존재 형식을 순환이나 인연의 원리로 설명하는 것이라기보다는 오히려 일그러진 존재의 회복을 넘어서서 이전보다 훨씬 더 새롭게 변화된다는 것을 노래하고 있음을 볼 수 있습니다. '뿌리' 역시 태극(太極) 부호의 정점으로서 반대편으로 넘어가는 꼭짓점으로 해석할 수도 있겠지만, 그보다도 그가 원래 세상에 나오기 전의 상태를 가리킨다고 보는 편이 더 낫지 않을까 싶습니다.

노자의 노래를 들여다보고 있으니 문득 유명한 구약성경 〈코헬렛〉의 저자가 외친 노랫말이 생각납니다.

"허무로다, 허무!

코헬렛이 말하다.

허무로다, 허무! 모든 것이 허무로다!

태양 아래에서 애쓰는 모든 노고가

사람에게 무슨 보람이 있으랴?

한 세대가 가고 또 한 세대가 오지만

땅은 영원히 그대로다.

태양은 뜨고 지지만

떠올랐던 그곳으로 서둘러간다.

남쪽으로 불다 북쪽으로 도는 바람은

돌고 돌며 가지만

제자리로 되돌아온다.

강물이 모두 바다로 흘러드는데

바다는 가득 차지 않는다.

강물은 흘러드는 그곳으로

계속 흘러든다.

온갖 말로 애써 말하지만

아무도 다 말하지만

아무도 다 말하지 못한다.

눈은 보아도 만족하지 못하고

귀는 들어도 가득 차지 못한다.

있던 것은 다시 있을 것이고

이루어진 것은 다시 이루어질 것이니

태양 아래 새로운 것이란 없다.

'이걸 보아라, 새로운 것이다.'

사람들이 이렇게 말하는 것이 있더라도

그것은 우리 이전

옛 시대에 이미 있던 것이다.

아무도 옛날 일을 기억하지 않듯

장차 일어날 일도 마찬가지.

그 일도 기억하지 않으리니

그 후에 일어나는 일도 매한가지다."(코헬1,2-11)

뿌리로 돌아가는 것을 '고요함(靜)'이라고 하는데(歸根曰靜),

이것을 일러 '하늘의 뜻을 회복한다(復命)'고 하네(是謂復命).

하늘의 뜻을 회복하는 것을 '늘 그러함(常)'이라 하고(復命曰常),

늘 그러함을 아는 것을 '밝음(明)'이라 한다네(知常曰明).

늘 그러함을 알지 못하면 멋대로 흉한 짓을 저지르고(不知常 妄作凶),

늘 그러함을 알게 되면 너그러워지게 된다네(知常容).

노자는 뿌리로 돌아가는 것을 '고요함'이라 하고, 이러한 행위를 일컬어서 "하늘의 뜻을 회복한다."고 노래합니다. 고요함의 상태, 그것은 안식(安息)이지요. 안식의 상태는 곧 쉼의 상태이고, 쉼은 꺼져가는 생명을 다시 회복시켜 주는 매우 중차대한 행위입니다. 숨을 쉬는 상태, 숨을 고르는 상태는 생명을 생명답게 해 주는 일이지요. 생명은 곧 '하늘의 뜻', '하늘의 명령'이고 하늘의 뜻, 하늘의 명령이 곧 우리에게는 생명입니다. '고요함' 속에 들어가야 우리는 하느님을 만날 수 있습니다. 하느님과의 만남이 곧 기도요 통교(通交)이지요. 엘리야가 호렙산에서 하느님과 만남을 이룰 때의 분위기를 잘 아시겠지요?

바로 그때 주님께서 지나가시는데,
크고 강한 바람이 산을 할퀴고
주님 앞에 있는 바위를 부수었다.
그러나 주님께서는 바람 가운데 계시지 않았다.
바람이 지나간 뒤에 지진이 일어났다.
그러나 주님께서는 지진 가운데에도 계시지 않았다.
지진이 지나간 뒤에 불이 일어났다.
그러나 주님께서는 불 속에도 계시지 않았다.
불이 지나간 뒤에 조용하고 부드러운 소리가 들려왔다.
엘리야는 겉옷자락으로 얼굴을 가린 채,
동굴 어귀로 나왔다.

그러자 그에게 한 소리가 들려왔다.(1열왕19,11-13)

그렇습니다. 생명이신 하느님께서는 바로 그 '고요함' 속에서 우리를 부르시고, 우리에게 생명을, 바로 당신의 생명을 주시고 계시지요. 그렇듯이 거룩한 생명을 부여받은 우리이건만, 스스로가 못나서 그 생명을 잃어버리기 직전까지 와 있다는 것은 참으로 슬픈 일이 아닐 수 없습니다. 그 구체적인 증거가 오늘날의 험악한 상황 곧 사회 구석구석까지 만연된 죽음의 문화가 아니겠는지요? 해서 죽음의 문화를 내려놓고, 벗어버리고 하느님 안에서 안식을 누릴 줄 안다면, 그것이 바로 하느님께서 마련해 주신 생명을 회복하는 일이 되겠지요. 생명을 회복하게 되면 우리의 일상(日常)은 그야말로 '늘(常)'한결 같게 되겠지요? 매일의 순간이 한결 같음을 알게 된다면 모든 것이 밝아지게 되고, 밝아지면 하느님과 하나 되어 있음을 깨닫게 되지 않을까 싶습니다. 하지만 하느님께서 언제나 우리와 함께 계심을 알지 못하면 오만방자해져서 흉악한 짓을 저지르고도 알지 못하게 되고, 반대로 하느님께서 우리와 함께 언제나 함께 계심을 알게 된다면 우리의 일상은 언제나 정의와 평화가 강물처럼 넘실거릴 것입니다.

노자의 노래는 결국 '비움의 삶', '자기 포기의 삶'이 타자의 삶에 어떠한 모습으로 비추어지는지 혹은 타자와의 관계에서 어떠한 영향을 끼치는지를 단적으로 보여주는 대목이 아닐까 싶습니다. 아래 대목은 십자가에 못 박히신 예수님의 모습을 떠올리기에도 부족함이 없어 보입니다. 이 대목을 보면서 저는 저의 삶을 되돌아보게 됩니다. 사도 바오로도 〈갈라티아〉 신자들에게 당부합니다. "사실 누가 아무것도 아니면서 무엇이나 되는 듯이 생각한다면, 그는 자신을 속이는 것입니다. 저마다 자기 행동을 살펴보십시오. 그러면 자기 자신에게는 자랑거리라 하여도 남에게는 자랑거리가 못 될 것입니다. 누구나 저마다 자기 짐을 져야 할 것입니다. 말씀을 배우는 사람은 그것을 가르치는 사람과 좋은 것을 모두 함께 나누어야 합니다. 착각하지 마십시오. 하느님은 우롱 당하실 분이 아니십니다. 사람은 자기가 뿌린 것을 거두는 법입니다."(갈라6,3-7)

너그러워지면 이에 공의롭게 되고(容乃公),

공의로워지면 이에 왕 노릇하게 되며(公乃王),

왕 노릇하게 되면 이에 하늘이 되고(王乃天),

하늘이 되면 이에 도가 되지(天乃道).

도의 삶을 살게 되면 이에 영원해지고(道乃久),

몸이 으스러져 없어진대도 위태롭지가 않다네(沒身不殆).

비움의 삶, 내려놓는 삶으로부터 출발하여 땅의 온갖 피조물과의 관계를 거쳐 마침내 하늘의 도와 부합하는 삶으로 옮아가려는 것이 하느님을 믿고 살아가는 우리들 삶의 궁극적인 목적이겠지요? 유가의 '성즉리(性卽理)'나 동학의 '인내천(人乃天)', 노자의 '인내도(人乃道)'는 모두 비우고 포기하며 내려놓는 삶을 통하여 '리'와 '천'과 '도'와 합일의 경지에 이르려는 경지를 일컫는 것이겠지요. 그렇다면 천주교 신앙 또한 모든 것을 비우고 내려놓고 온 데로 되돌아가는 것이 곧 하느님과 합일하는 길이라고 믿는 것이 아니겠습니까? 이런 의미에서 노자가 부른 이 노래가 전하고자 하는 알맹이는 어쩜 그렇게도 가톨릭 수도자들의 수도생활, 수행 방법과 닮아 있는지요?

수녀님, 하느님께서 만드신 세상의 온갖 피조물들, 곧 자연은 모두 자신들을 보내신 분께로 오롯이 되돌아갑니다. 하지만 유독 우리 인간들만이 자신들의 욕망에 도취되어 되돌아갈 줄도 모르고, 돌아갈 노력도 하지 않고 있으니 참으로 답답할 노릇입니다. 세상 만물은 비울 줄도 알고 포기할 줄도 알며 날 때와 죽을 때를 정확히 알아냅니다. 그런데 우리 인간들은 비울 줄도 모르고 포기할 줄도 모르면서도 날 때와 죽을 때를 제대로 알지 못합니다. 이제 우곡 골짜기에서 살아가고 있는 온갖 생명 있는 것들이 서서히 비우고 포기할 채비를 차리고 있는 모양입니다.

소머리산이 굽어보고 있는 수도원을 둘러싼 주변의 분위기도 이와 흡사하지 않을까 생각합니다. 끝에 가서는 모두 빈손으로 온 것처럼 그렇게 빈손으로 갈 것이 분명한데 지금의 세상 사람들, 곧 우리들은 세상의 모든 것이 자기 손을 거쳐야 제대로 이루어진다고 믿고 있으니 참으로 오만하기가 하늘을 찌르지요. 마침 오늘은 '민족들의 복음화를 위하여' 미사를 봉헌하는 날이네요. 세상의 모든 민족들의 복음화를 위해서 기도하고 일을 하려면 우리가 먼저 복음화가 되어야겠지요? 우리가 먼저 그리스도의 옷으로 갈아입어야겠지요? 아무튼 지금은 계절이 서로 갈마드는 계절입니다. 이 계절에 몸도 마음도 건강하시기를 기도합니다. 수녀님, 그럼 또 뵙겠습니다.

2013년 10월 20일 민족들의 복음화를 위하여 미사를 봉헌하는 주일에

까실쑥부쟁이

하느님께서 처음부터 끝까지 우리를 살려주시고, 길러주시며
거두어주시는데도 사람들은 모두 하느님께서 베푸신 은혜에 대해
말하지 않고 자신이 열심히 산 덕분이라고 자화자찬(自畵自讚)을 합니다.

| 17장 |

가장 윗분이면 아래에서는

수녀님, 온갖 생명 있는 것들이 고요 속으로 침잠하려는 십일월이네요. 우리는 또 온 길로 되돌아가신 분들을 추억하고 우리도 언젠가는 그 길을 따라갈 것을 생각하는 위령성월을 보내고 있지요.

이즈음의 이 나라를 생각하면 참으로 걱정이 되지 않을 수 없습니다. 정치하는 사람들, 이른바 나라의 지도자들이라고 자처하는 사람들은 너도나도 자신의 존재를 세상에 드러내느라 정신이 없고, 국민들은 그 가운데 누가 옳고 그른 사람인지를 가려내느라 참으로 고단한 생활을 이어가고 있지요.

하느님께서 마련하신 자연의 온갖 살아있는 것들은 저마다 고요의 상태로 돌아가려는데, 유독 인간들만이 어느 것이 옳고 어느 것이 그른 것인지 따지지도 않으면서 저마다 정신없이 자신들만의 잣대로 시시비비(是是非非)만 가려내려고 안달이 나 있는 것이 요즈음의 세상이지요. 물론 그것을 분별하는 잣대 역시 아전인수(我田引水) 격임은 두말할 것도 없겠지요? 저마다 자신의 잣대로 상대편을 평가하니 그것이 어디 제대로 된 평가가 되겠습니까?

사실 우리는 살아가면서 교황님이 계신 줄만 알면 되지 그분의 일상에 대해서는 몰라도 된답니다. 우리는 살아가면서 대통령이 있다는 것만 알면 되지 대통령의 일거수일투족에 대해서 알아야할 의무나 책임감을 가질 필요가 없겠지요? 마찬가지로 하느님께서 계시는 것만 알면 될 뿐 우리가 구체적으로 그분의 활동하심에 대해서 알아내야 할 당위성도 없거니와 알아내려고 노력해도 알아낼 도리도 없겠지요? 그저 사람으로 우리들 가운데 오신 그분께서 가르쳐 주시고 보여주신 것만 알고 삶으로 살면 그뿐이지요. 노자 역시 가장 높은 위치에 처해 있는 사람이나 정치에 대해서 일반 백성들은 그저 최고의 통치 행위자의 존재만 알고 있을 뿐, 그가 위에서 무슨 생각을 하고 무슨 일을 하는지 관심이 없어야 한다고 이야기합니다.

백성들의 삶은 그저 등 따습고 배부르게 해주면 그만이라는 것입니다. 그런데 통치자들이 백성들의 삶을 풍요롭게 해주지 못하고 언제나 고단하게만 만들어 준다면, 백성들은 통치자에 대해서 냉랭한 시선을 보내고 마침내는 봉기(蜂起)하기에 이르겠지요?

그렇다면 하느님이시면서 사람으로 오시어 하느님에 대해 말씀해 주시는 예수님은 어떤 분이셨을까요? 그분은 기회가 있을 때마다 우리들에게 말씀하셨지요. 예수님은 “내 나라는 이 세상에 속하지 않는다. 내 나라가 이 세상에 속한다면, 내 신하들이 싸워 내가 유다인들에게 넘어가지 않게 하였을 것이다. 그러나 내 나라는 여기에 속하지 않는다."(요한18,36) 또 "나는 진리를 증언하려고 세상에 왔다. 진리에 속한 사람은 누구나 내 목소리를 듣는다."(요한18,37)라고 말씀하십니다. '진리를 증언하려고', '진리에 속한 사람'에서 '진리'란 도대체 무엇이겠습니까? 예수님께서는 "너희가 내 말 안에 머무르면 참으로 나의 제자가 된다. 그러며 너희가 진리를 깨닫게 될 것이다.

그리고 진리가 너희를 자유롭게 할 것이다."(요한8,31-32)라고 하십니다. 그분이 말씀하시는 진리는 곧 우리를 자유롭게 해 준다는 것이지요. 우리를 자유롭게 해주시는 진리는 곧 하느님 당신 자신이시며 최고의 통치자이시지요. 결국 최고의 통치자는 모든 백성들을 자유롭게 해 줄 수 있는 분이어야 한다는 뜻이지요.

그런데 이즈음의 사회는 어떻습니까? 노자에 따르면, 그 다음 단계는 백성들이 통치자가 백성들을 위하여 올바른 모습을 보여 준다는 것을 알고 그를 추앙하게 되며 또 그 다음 단계는 통치자가 백성들을 억지로 끌고 가는 모양새를 가지기 때문에 백성들은 그를 두려워하게 되고, 더 아래 단계는 통치자가 허약해서 백성들이 통치자를 우습게 여기게 되며 그 다음 단계는 통치자가 자기 백성들을 믿지 못하기 때문에 따라서 백성들도 통치자를 믿지 못한다는 것입니다. 그러니 지도자와 구성원들 사이에 서로 불신만 가득해서 마침내 그 나라는 자멸(自滅)하고 말게 되겠지요.

가장 윗분이면 아래에서는 그분이 계시다는 것만 알지(太上下知有之).

그 다음이면, 가까이 하면서 그를 영예롭게 대하고(其次親而譽之)

그 다음이면, 그를 두려워하며(其次畏之)

그 다음이면, 그를 업신여기는데(其次侮之),

거기에는 믿음이 부족하고 불신만 있기 때문이라네(信不足焉有不信焉).

예수님께서는 저 유명한 '목자의 비유'(요한10장)에서 통치자 혹은 지도자가 어떻게 처신해야 하는가를 자세하게 가르쳐 주십니다. "나는 착한 목자다. 착한 목자는 양들을 위하여 자기 목숨을 내놓는다."(요한10,11)고 하시지요. 또 예수님께서는 "너희도 알다시피 다른 민족들의 통치자라는 자들은 백성 위에 군림하고, 고관들은 백성에게 세도를 부린다.

그러나 너희는 그래서는 안 된다. 너희 가운데에서 높은 사람이 되려는 이는 너희를 섬기는 사람이 되어야 한다. 또한 너희 가운데 첫째가 되려는 이는 모든 이의 종이 되어야 한다. 사실 사람의 아들은 섬김을 받으러 온 것이 아니라 섬기러 왔고, 또 많은 이들의 몸값으로 자기 목숨을 바치러 왔다."(마르10,42-45)라고 하셨지요.

사실 사람이면 누구나 혼자 살지 못하고 함께 서로 관계를 맺으면서 살아가는 존재가 아닐까요? 서로 관계를 맺으면서 살아가는 존재가 바로 사람이라면 사람들은 '공동체(共同體)'를 형성해야 하는 것이 맞지 않을까요? 공동체란 무엇입니까? 서로 몸과 마음을 하나로 합해서 살아가는 것이지요. 그러한 삶은 인위적으로 억지로 꾸린다고 해서 되는 것이 아니라 함께 살고 있는 각자가 서로 자신에게 맡겨진 일을 충실히 그리고 정성스럽게 해야 할 뿐 아니라, '자신의 목숨을 내놓을 각오로' 투신할 때만이 가능한 삶이지요. 그래서 거기에는 정의가 살아 있고, 정의가 살아 있으니 평화가 가능하게 되고, 평화가 가능하다는 구체적인 증거로서는 곧 서로서로 '사랑'을 살기 때문이 아닐까 싶습니다. 사랑을 산다는 것은 서로가 서로에게 자신을 내어줄 때만이 가능해지겠지요? 자신을 내어주는 행위는 곧 자신이 취하고자 하는 이기적인 마음, 욕심을 내려놓고 더 나아가서 자기 자신마저 포기하고 대신에 구성원들, 즉 '너'를 위하는 삶이어야 하지요. '나'를 포기하고 '너'를 위하는 삶은 자신을 드러내지 않고 타자를 먼저 들어 높이는 행위에서 비롯한다고 봅니다. 그러니 무엇보다도 앞장서서 일하는 지도자가 되려는 사람들은 예수님의 말씀대로 "섬김을 받으러 온 것이 아니라 섬기러 왔다"는 바로 그러한 태도를 살아야 하지 않겠습니까?

어떤 나라든지 국민들이 행복해지려면 그 나라의 국민들이 정치가 어떻게 돌아가는지에 대해서 관심을 기울이지 말아야 합니다. 정치는 정치인들이 수행해야 하고, 그 목적은 모든 국민을 편안하게 살아갈 수 있도록 온갖 노력을 다 기울여야 합니다. 그러나 작금의 현실은 그렇지 못하지요. 국민들이 정치에 관심을 갖지 않으려고 해도 관심을 갖지 않을 수 없는 불안의 시대를 정치인들 뿐 아니라 통수권자마저도 조장을 하니까요. 이러한 사안에 대해 그 범위를 좀 더 구체적으로 나열해 본다면 나라 뿐 아니라 도, 시, 군, 심지어는 마을의 이장까지 모두 해당되지요. 더 나아가서 가정은 물론이고 우리 교회 공동체도 예외는 아니라고 봅니다. 구약성서 〈지혜서〉의 저자는 벽두부터 세상의 통치자들에게 일갈(一喝)합니다.

"세상의 통치자들아, 정의를 사랑하여라.
선량한 마음으로 주님을 생각하고
순수한 마음으로 그분을 찾아라.
주님께서는 당신을 시험하지 않는 이들을 만나 주시고
당신을 불신하지 않는 이들에게 당신 자신을 드러내 보이신다.
비뚤어진 생각을 하는 사람은 하느님에게서 멀어지고
그분의 권능을 시험하는 자들은 어리석은 자로 드러난다.
지혜는 간악한 영혼 안으로 들지 않고
죄에 얽매인 영혼 안에 머무르지 않는다.
가르침을 주는 거룩한 영은 거짓을 피해가고
미련한 생각을 꺼려 떠나가 버리며
불의가 다가옴을 수치스러워 한다.

지혜는 다정한 영,
그러나 하느님을 모독하는 자는 그 말에 책임을 지게 한다.
하느님께서 그의 생각을 다 아시고
그의 마음을 샅샅이 들여다보시며
그의 말을 다 듣고 계시기 때문이다.
온 세상에 충만한 주님의 영은
만물을 총괄하는 존재로서 사람이 하는 말을 다 안다."
(지혜1,1-7)

침착도 하여라! 그는 말을 귀히 여기는구나(悠兮其貴言).
공적은 이루어지고 사업은 마무리되었어도(功成事遂)
백성들은 모두 '나 스스로가 그러했어.'라고 말한다네(百姓皆謂我自然).

따지고 보면 국민은 단순하지요. 하느님께서 처음부터 끝까지 우리를 살려주시고 길러주시며 거두어 주시는데도 사람들은 모두 하느님께서 베푸신 은혜에 대해 말하지 않고 자신이 열심히 산 덕분이라고 자화자찬(自畵自讚)을 합니다.

이러한 자화자찬은 지위가 올라갈수록 더욱 심해지는 것이 오늘날 우리 사회의 형편입니다. 4대강 사업이 엉망진창이 된 것도, 숭례문 복원사업이 엉터리가 된 것도 따지고 보면 윗자리에 앉아 있는 자들이 제대로 사업을 실행할 생각은 않고 그 자리에 앉아 있을 때의 치적(治績)에 연연한 결과이지요. 모두가 자신을 드러내놓고 과시한 때문이 아닌가 싶습니다. 그러면서도 오히려 자신에게 돌아오는 모든 정치적인 부담을 국민들에게 지우고, 국민들에게 족쇄를 채우기를 주저하지 않지요.

진정한 통치자는 결코 자신을 내세우거나 앞세우지 않습니다. "침착도 하여라! 그는 말을 귀히 여기는구나."라고 노래한 노자에 따르면 참된 통치자는 자신의 백성을 옭아매고 복종하기를 바라면서 자신의 구미에 맞는 기준, 법령, 이념 따위를 자기 백성들에 짊어지게 하거나 덮어씌우지 않습니다.

오히려 백성을 위하여 백성들의 멍에를 짊어지고, 백성들의 십자가를 대신 짊어지고 한마디 말씀도 않으시고 걸어가시는 분이 아니겠습니까? 백성들의 고단한 삶을 위로하고 백성들이 흘리는 눈물을 닦아주지요. 그러면서 오히려 백성을 위하여 기쁜 소식을 선포하시겠지요? 〈이사야〉 예언자는 말합니다. "얼마나 아름다운가, 산 위에 서서 기쁜 소식을 전하는 이의 저 발! 평화를 선포하고 기쁜 소식을 전하며 구원을 선포하는구나."(이사52,7)

수녀님, 날씨가 추워졌습니다. 곧 십이월이 되겠지요? 지금 우곡 성지는 마치 불교에서 말하는 '동안거(冬安居)'에 들어가 있는 듯 고요합니다. 나뭇잎도 땅에 내려앉아 천명에 귀 기울일 준비를 하고 있고,

헤진 옷소매 끝으로 들어온 겨울이 넌지시 문안인사를 건넵니다. 해서 지금 우곡은 적막(寂寞)만이 똬리를 틀고 앉아 골짜기를 지나는 바람이 전해주는 세상 돌아가는 이야기를 듣고 있지요. 아마도 소머리산 밑 수도원의 풍경도 이와 비슷하지 않을까 생각해 봅니다. 하느님께서는 당신이 우리를 위해 하시는 일을 자랑하지도 내세우지도 않으시지요. 그 분을 믿는 모든 이들은 압니다.

세상사 모든 일이 그분이 아니시면 단 한 걸음도 단 일분일초도 버텨낼 수 없다는 것을. 불현듯이 지난해 심었다는 키 작은 소나무들의 안부가 궁금해집니다.

수녀님들의 정성이 담겨졌으니 무탈하리라는 기대는 가지고 있지요. 그렇듯이 수녀님들의 몸도 마음도 건강하시고 강건하시기를 기도합니다.

데레사 수녀님과 까리따스 수녀님께서도 잘 계시지요? 특별히 안부 전해 주십시오. 그럼 또 뵙겠습니다.

2013년 11월 22일 금요일 성녀 체칠리아 동정 순교자 축일에

'위대한 도(大道)'란 무엇이겠습니까?
바로 하느님의 뜻, 천명(天命)이 아니겠습니까?
그것이 알량한 인간의 욕심에 의해 무너져버렸으니 인간의
삶은 구차하고 고단하게 될 것이 불을 보듯 뻔하지 않겠습니까?

| 18장 |

위대한 도가 허물어지자

수녀님, 드디어 말도 많고 탈도 많았던, 그러나 그 어느 해보다 그만큼 하느님의 은총도 풍성했던 2013년 마지막 달에 와 있습니다. 지금의 우곡성지는 고요 속으로 침잠하려 듭니다. 낙엽수들은 자신의 겉옷을 벗어나 땅에 내려놓은지 오래고, 상록수들은 푸른빛을 더욱 푸르게 하여 대자연의 신비를 온몸으로 드러내는 듯합니다. 공중에 나는 새들은 차가운 날씨 때문인지 풀숲이나 커다란 나뭇잎 사이에 깃들어서 자신들만의 목소리로 기쁜 소식을 전하고, 골짜기 사이로 흐르는 냇물도 저마다의 언어로 하느님을 찬미하면서 아래로 쉼 없이 흘러갑니다.

우곡에서 들려오는 언어들은 사람의 말이 아니라 자연이 들려주는 그래서 들으면 들을수록 맛깔나고 구성진 복음(福音)이지요. 옛사람들은 그것을 '도(道)'라고 불렀답니다. '도'는 말씀, 길, 방법이기 때문이지요. 하느님께서 주신 참된 이치, 곧 진리를 전해주는 말씀이요 길이요 방법이 바로 자연이고, 이 자연은 그대로 하느님의 신비를 전해주는 통로가 아니겠는지요? 그러니 이즈음의 세상 돌아가는 꼴을 볼 것 같으면 차라리 아무것도 알지 못하던 원시시대가 더욱 부러워집니다. 하지만 사도 바오로가 "율법이 들어와 범죄가 많아지게 하였습니다. 그러나 죄가 많아진 그곳에 은총이 충만히 내렸습니다."(로마5,20)라고 가르치신 말씀에 위안을 삼습니다.

그래서 어쩌면 동정 마리아를 통하여 오신 참 하느님이시면서 참 사람이신 아기 예수님을 감히 '주님'으로 고백하는 영광을 얻어 누릴 수 있게 되었는지도 모를 일입니다. 사람으로 오시고 사시고 죽으시고 부활하신 바로 그분이 우리의 '은총이신 분'이시지요.

지금부터 2천 5백 년 전에 살았던 노자라는 분도 이러한 은총의 신비를 비교적 일찍이 깨달은 모양입니다. 그래서 다음과 같은 노래를 읊조리게 되었는지도 모르겠습니다.

위대한 도가 허물어지자 인의가 있게 되었고(大道廢 有仁義).

지혜가 나오자 큰 거짓이 있게 되었지(慧智出 有大僞).

'위대한 도(大道)'란 무엇이겠습니까? 바로 하느님의 뜻, 천명(天命)이 아니겠습니까? 그것이 알량한 인간의 욕심에 의해 무너져버렸으니 인간의 삶은 구차하고 고단하게 될 것이 불을 보듯 뻔하지 않겠습니까? 하느님께서 당신의 넘치는 사랑으로 만드신 피조물들이 그 사랑을 거부하고 자신의 욕심이나 욕망으로 바꾸어 버렸으니 누가 와서 '인의(仁義)'로 대변되는 그분의 말씀, 그분의 뜻을 다시 세워야할 것이 아니겠습니까? 사도 바오로는 하느님의 뜻을 대신하고자 했던 것이 '율법(律法)'이라고 하였으며 그 율법 때문에 인간은 더 큰 죄악의 길로 빠져들어갔다고 생각하였지요. 실제로 하느님께서는 최초의 사람들에게 복을 내리시면서 "자식을 많이 낳고 번성하여 땅을 가득 채우고 지배하여라. 그리고 바다의 물고기와 하늘의 새와 땅을 기어다니는 온갖 생물을 다스려라."(창세1,28)고 말씀하셨지요. 그러고 나서 하느님께서는 흙으로 들의 온갖 짐승과 하늘의 온갖 새를 빚으신 다음 사람에게 데려가시어 그가 그것들을 무엇이라 부르는지 보셨으며 사람이 생물 하나하나를 부르는 그대로 그 이름이 되게(창세2,19) 하셨지요. 말하자면 생명이신 하느님께서는 사람을 만드시고 사람에게 당신의 생명을 나누어 주셨으며 동시에 자율권을 부여하셔서 사람이 사람의 구실을 제대로 하도록 당신의 권한을 나누어 주셨고, 사람은 알몸이면서도 부끄러워하지 않은 삶(창세2,25)을 살았습니다. 하지만 결국 사람은 태초에 하느님께서 부여하신 은총을 저버리고 그 은총을 가지고서 '하느님처럼 되려는'(창세3,5) 욕망으로 바뀌었으며 그 욕망 때문에 몰라도 되는 '선과 악을 알게'(창세3,5)되었으며 자신들이 '알몸인 것을 알고, 무화과나무 잎을 엮어서 도롱이를 만들어 입고'(창세3,6) 살기 시작했다지요.

사람들의 오만의 극치는 여기에서 끝나지 않았답니다. 사람들은 결국 생명을 함께 나누어 받은 형제를 죽이기까지(창세4,8) 합니다. 그러나 하느님께서는 "네가 무슨 짓을 저질렀느냐? 들어보아라. 네 아우의 피가 땅바닥에서 나에게 울부짖고 있다."(창세4,10)고 호통을 치시지요. 하느님의 이 호통은 21세기를 살아가는 우리들에게도 여전히 유효한 말씀이 아니겠는지요? 걷잡을 수 없는 인간의 못된 욕심은 이제 예전의 인간성을 회복하기에는 돌이킬 수 없을 정도의 위험 수위까지 도달해 버렸지요. 그러나 하느님께서는 당신도 어찌할 수 없는 '사랑' 때문에 결국 인간을 살리시기 위하여 새로운 처방을 내리십니다. 그것이 바로 그 유명한 시나이 산에서의 하느님과 인간의 '새로운 계약'이지요. 이 계약은 하느님께서 당신이 만드신 인간의 잘못에 대해 순전히 일방적으로 당신께서 책임을 지시고 죽게 된 사람을 살리시겠다는 굳건한 의지가 엿보이는 계약입니다.

이 계약은 대략 10가지로 되어 있고 누구나 조금만 노력하면 충분히 지킬 수 있는 계약이지요. 우리는 이 계약을 '십계명'(탈출20,1-17)이라고 하지요. 이 십계명은 인간을 살리시기 위한 '하느님의 도'이자 '하느님의 지혜'입니다. 하느님께서는 당신의 도와 지혜를 곧바로 인간에게 넘겨주신 셈이고, 그렇게 넘겨주신 당신의 도와 지혜는 사람에게는 '인(仁)'과 '의(義)'이면서 동시에 '큰 거짓'을 알게 하는 열쇠가 되었지요.

그럼에도 사람들은 하느님께 감사하기는커녕 오히려 하느님께서 사람과 맺으신 계약서를 없애기만 하면 모든 것이 사람들 마음대로 할 수 있다는 새로운 더 큰 욕심과 욕망을 드러내기 시작했지요. 이러한 욕심은 힘이 있으면 있을수록 재산이 많으면 많을수록 또 학력이 높으면 높을수록 하늘 높고 무서운 줄 모르며 커 나간답니다. 참으로 해를 거듭할수록 인간사회 안에서는 어처구니없는 일이 벌어지고, 그 일은 나날이 점점 커져만 갑니다. 사랑이시고 생명이시며 선하신 하느님의 뜻이 인간 안에서는 더이상 먹혀들어가지 않는 현실 앞에서 한없이 눈물 흘리고 가슴을 치셨을 하느님의 처지를 생각해 보면 참으로 송구스럽기 그지없습니다.

사실 '도'나 '지혜'는 시초부터 하느님께서 사람의 마음속에 박아주신 당신의 모습입니다. 그 모습을 지니고 태어난 모든 사람은 세상에서 주어진 인생을 어떻게 살아야 하는지 생각하고 또 생각해야 할 시점이 오늘이 아닌가 싶습니다. 이사야 예언자는 우리를 내시고 길러 주시고 거두어 주시는 분에 대해서 다음과 같이 노래합니다.

"그분께서는 이 산 위에서
모든 겨레들에게 씌워진 너울과
모든 민족들에게 덮인 덮개를 없애시리라.
그분께서는 죽음을 영원히 없애버리시리라.
주 하느님께서는 모든 사람의 얼굴에서

눈물을 닦아내시고

당신 백성의 수치를 온 세상에서 치워 주시리라."(이사25,7-8)

그렇게 되는 날에는 인간이 인위적으로 만들어 놓은 모든 계명과 계율과 법의 목록들이 다 소용이 없게 되겠지요? 힘센 인간들과 잘못된 전통들이 설정해 놓은 것, 바로 그로 인해 짓눌리면서 눈물로 몹쓸 세월을 살아가야 할 사람들은 거기에서 해방되어 "보라, 이분은 우리의 하느님이시다. 우리는 이분께 희망을 걸었고 이분께서 우리를 구원해 주셨다. 이분이야말로 우리가 희망을 걸었던 주님이시다."(이사25,9)라고 감사와 기쁨의 노래를 부르고 춤을 추겠지요? 사람이 억지로 만든 '인의'라는 규정보다는 하느님께서 말씀하신 바로 그 '도'가 사람을 사람답게 하고, 사람들이 자신을 감추고 감언이설로 타인에게 하는 '큰 거짓말'보다 비록 소리 없어도 하느님께서 사람을 위하여 보여주시는 바로 그 '지혜'가 사람을 살리게 되겠지요? 이것이 그 옛날 노자가 꿈꾸고 소망했던 세상이 아니겠습니까? 이제 노자는 그러한 꿈과 소망을 좀 더 구체적으로 가정과 나라에도 적용합니다.

가족들이 어울리지 못하니 효성과 자애가 있게 되었고(六親不和 有孝慈).

나라가 혼란스러우니 충신이 있게 되었지(國家昏亂 有忠臣).

'가족'이란 피로 맺어진 인연이지요. 그래서 '혈연(血緣)'이라고 합니다. 하지만 조금만 더 눈을 크게 떠 보면 세상의 모든 '사사물물(事事物物)'은 가족이 아님이 없지요. 한분 생명이신 분께서 만드셨고, 그분의 도와 지혜로 말미암아 한 지붕 아래서 길러지고 자라나고 서로 관계를 맺으며 살아가기 때문이지요. 일찍이 이사야 예언자는 또 이렇게 노래했지요.

"하늘을 창조하시고 그것을 펼치신 분
땅과 거기에서 자라는 온갖 것들을 펴신 분
그곳에 사는 백성에게 목숨을,
그 위를 걸어 다니는 사람들에게 숨을 넣어 주신 분
...........(중략).................
네 손을 붙잡아 주었다.
내가 너를 빚어 만들어
백성을 위한 계약이 되고
민족들의 빛이 되게 하였으니
보지 못하는 눈을 뜨게 하고
갇힌 이들을 감옥에서
어둠 속에 앉아 있는 이들을 감방에서
풀어주기 위함이다."(이사42,5-7)

'충신(忠臣)'이란 또 누구입니까? 충신이란 나라와 임금에게 일편단심(一片丹心)으로 자신을 바치는 사람들이 아니겠습니까? 하지만 나라가 혼란스러운 것은 사실 충신의 문제가 아니라 군주에게 더 큰 문제가 있습니다. 군주가 제대로 나라를 다스리지 못하고 자신의 욕심만 채우려 든다면 결국 간신(奸臣)을 충신으로 여기고 충신을 역적으로 몰기 때문이지요.

또 이와는 반대로 아무리 간신이 득실거려도 군주가 정의로우면 더 이상 간신은 발붙이지 못하게 되지 않겠습니까? 그러니 올바른 임금이라면 간신과 충신을 올바르게 분별할 수 있으니, 다시는 그의 입에서 간신이니 충신이니 하는 말을 하지 않을 겁니다. 결국 '충신이 있게 되었다'라는 말은 나라가 도탄에 빠지는 책임이 임금에게 있는데도 임금은 모든 책임을 자기 신하와 백성에게 돌리고, 그 대신 자기 입맛에 맞는 사람들을 '충신'이라고 추켜세우기 때문이지요.

따라서 노자가 이 장에서 읊은 노래는 오늘날 우리 시대에 새롭게 조명되어야 할 〈시편〉이고, 동시에 하느님을 모시고 살아가는 신앙인들이 다시 새겨보아야 할 교훈적 귀감이 아닐까 생각합니다.

"위대한 도가 허물어지자 인의가 있게 되었고
지혜가 나오자 큰 거짓이 있게 되었지

가족들이 어울리지 못하니 효성과 자애가 있게 되었고

나라가 혼란스러우니 충신이 있게 되었지"

이제 곧 우리의 새 임금이신 분께서 우리에게 새로운 모습으로 오시겠지요? 더불어서 곧 또 한해가 저물어갑니다. 우리에게 오실 임금님은 "평화를 선포하고 기쁜 소식을 전하며 구원을 선포하시는"(이사52,7) 분이시고, "위대함과 권능과 영화와 영예와 위엄"(1역대29,11)을 가지신 분이시며 "찬미와 영예와 영광과 권세가 영원무궁하신 분"(묵시5,13)이시고, "당신 팔로 권능을 떨치시어 마음속 생각이 교만한 자들을 흩으시고, 통치자들을 왕좌에서 끌어 내리시며, 비천한 이들을 들어 높이시고, 굶주린 이들을 좋은 것으로 배불리시며, 부유한 자들을 빈손으로 내치시는 분"(루카1,51-53 참조)이십니다. 아울러 2013년을 당신 은총으로 우리들에게 주셨듯이 또한 새로운 해인 2014년을 아무 조건 없이 우리들에게 그저 내어주시는 분이십니다. 수녀님, 문득 〈아가서〉에서의 '여자'가 속삭이는 노랫말이 떠오릅니다.

"인장처럼 나를 당신의 가슴에

인장처럼 나를 당신의 팔에 지니셔요.

사랑은 죽음처럼 강하고

정열은 저승처럼 억센 것,

그 열기는 불의 열기
더할 나위 없이 격렬한 불길이랍니다.
큰물도 사랑을 끌 수 없고
강물도 휩쓸어가지 못한답니다.
누가 사랑을 사려고
제집의 온 재산을 내놓는다 해도
사람들이 그를 경멸할 뿐이랍니다."(아가8,7-7)

수녀님, 겨울이 점점 깊어만 갑니다. 이미 눈발도 몇 차례 우곡의 계곡이며 산비탈을 덮기도 했고요. 하지만 겨울이 깊어지면 깊어질수록 봄은 점점 가까이 다가오고 있다는 방증이겠지요? 그리고 십이월이 점점 깊은 곳으로 향할수록 마지막 남은 달력의 숫자가 다해지고, 남은 숫자가 다해지는 날 또다시 새로운 해가 기다릴 것이고, 또 새로운 날수가 시작될 것입니다.

이 또한 주님의 도(道)요 지혜이며 우리에게는 더없는 은총이 아닐 수 없습니다. 그리고 언제나 새로움으로 우리 곁에 다가오시는 주님이신 아기 예수님을 기다리는 마음 더욱 오롯해지고요. 수녀님, 그렇게 해서 기쁨과 사랑과 평화로 오시는 그분을 기쁜 마음으로 맞이하시길 바랍니다. 연약한 아기의 모습으로 오시는 우리 주 예수 그리스도께서 건네주시는 은총을 듬뿍 받으시기를, 더불어 또 그분이 새롭게 인류에게 건네주시는 2014년을 감사하고 고맙고 기쁜 마음으로 받아 누리시기를 기도합니다.

그럼 내년(明年)에 보겠습니다. 우리 주님의 성탄을 축하드립니다.

"메리! 크리스마스!"

2013년 12월 15일 대림 제3주일에

애기똥풀

노자의 노래가 더욱 절실히 가슴에 와 닿습니다.
"순진함을 드러내고 질박함을 끌어안으며,
사사로운 것을 적게 하고 욕심을 줄여야만 한다네."

| 19장 |

거룩해지기를 끊어버리고 지식을 포기해 버리면

수녀님, 2014년 갑오(甲午)의 해가 밝아 왔습니다. 새해에도 언제나 그러하였듯이 가르멜의 모든 수녀님들이 몸도 마음도 하느님 안에서 강건하시길 기도합니다. 아울러 좋으신 하느님 아버지께서 한국 천주교회를 통하여 이 땅에 사는 모든 이들을 위해 쓰시려고 가르멜회 출신 수사 신부님을 주교로 간택해 주셔서 무엇보다도 기뻐하면서 축하의 인사를 드립니다. 이는 가르멜 수도회의 경사인 동시에 한국 교회의 경사가 아닐까 싶습니다. 그래서 더더욱 이 자리를 빌려 수녀님들께 깊은 감사와 고마움의 인사를 드리는 것입니다.

지금 제 책상 앞에는 수녀원에서 보내온 달력이 걸려 있고, 1월의 표지에는 예수의 성녀 테레사 수녀님의 서간문 글귀가 적혀 반짝이고 있습니다. "낯선 땅으로 가는 여정 길에서 용기를 가지십시오."(편지 8) 이 글귀는 언젠가 예수님께서 "용기를 내어라. 나다. 두려워하지 마라."(마르6,50)고 하신 말씀과 닮아 있습니다. 그러고 보면 새로 시작하는 이 새해 벽두가 곧 하느님께로 향하는 여정에 발자국을 떼는 우리네 인생의 새로운 출발점이 아니겠는지요?

지금 우곡 골짜기는 너무나 고요합니다. 살을 에는 듯이 불어대던 칼바람마저 또 이곳저곳을 기웃거리던 겨울새마저 오늘은 어디서 무엇을 하는지 모르겠습니다. 그저 계곡을 따라 낮은 곳으로 흐르는 물소리만 이따금씩 들렸다 안 들렸다 합니다. 이런 날엔 바람과 새들과 밖에서 겨울을 나는 모든 살아있는 것들의 안부가 자못 궁금해지기도 합니다. 제가 그들의 삶을 궁금해한다고 해서 또 그들의 삶이 풍요롭거나 빈곤하다고 해서 그들에게 무엇을 해줄 수 있는 것도 아닌데도 말입니다. 그럼에도 제가 그들의 안부를 궁금해하는 것은 아마도 오랫동안 그들과 함께한 골짜기에서 친숙하게 보내고 있었다는, 말하자면 삶의 자리가 같다는 공통점이 있었기 때문이 아닐까 생각합니다. 만일 그들과 조금이라도 소통할 수 있었다는 공통점이 없었다면 그들과 저 사이는 아무런 관계도 형성되지 못했을 것이고, 그렇게 되면 저는 그들이 보이지 않는 것에 대해 궁금해하거나 이상하게 여기지도 않았겠지요? 그들과 아무런 관련이 없다고 생각하면 결국 세상을 창조하시고 생명을 주신 하느님과도 아무런 관계가 없다고 말할 수밖에 없게 되고, 그렇게 되면 저는 하느님을 믿고 살아가는 사람이라고 말할 수 없게 되겠지요. 〈이사야〉 예언자는 일찍이 이렇게 노래했지요.

"모든 인간은 풀이요

그 영화는 들의 꽃과 같다.

주님의 입김이 그 위로 불어오면

풀은 마르고 꽃은 시든다.

진정 이 백성은 풀에 지나지 않는다.

풀은 마르고 꽃은 시들지만

우리 하느님의 말씀은 영원히 서 있으리라."(이사40,6-8)

정녕 우리는 우리를 내신 하느님 앞에 서면 모두가 풀이요 들의 꽃과 같을 테지요. 뿐만 아니라 개미나 풀벌레, 하찮은 지렁이와 같을 테지요. 왜냐하면 그들도 모두 하느님의 생명을 부여받고 우리와 똑같이 이 세상에 태어났기 때문입니다. 그런데도 유독 우리네 사람들만 똑똑한 체하고, 잘난 척하며 만물의 영장이라고 자랑을 해댑니다.

그 결과가 오늘날 우리들이 마주하고 있는 차갑고 냉혹하고 매스꺼운 현실이 아니겠는지요? 그러고 보면, 지금부터 2500년 전에 살았던 노자는 확실히 하느님의 뜻을 미리 안 위대한 '선지자(先知者)'임에 틀림없는가 봅니다. 일찍부터 그는 거룩함도, 지식도, 어짊도, 의로움도, 기교 부림도, 자신에게 돌아올 이로움도 모두 끊어버리고, 포기해버리기를 희망하고 또 다른 사람들에게도 권고했지요. 그런 것들은 어쩌면 사람이면 누구나 바라는 것이긴 하지만 사람살이에서는 오히려 군더더기가 되고, 다른 사람을 살리지 못하는 또 다른 '욕망' 때문이 아닐까 생각합니다. 노자가 부른 "끊어버리고, 포기하고, 버리고, 비워내는 노래"를 한 번 들어 보십시오.

거룩해지기를 끊어버리고 지식을 포기해버리면(絶聖棄智)
백성에게 돌아가는 이로움이 백배나 되지(民利百倍).
어질다는 생각을 끊어버리고 의롭다는 것도 버리게 되면(絶仁棄義)
백성들은 효성스러움과 자애로움을 회복하게 되지(民復孝慈).
기교 부리기를 끊어버리고 이로움을 포기해버리면(絶巧棄利)
도적은 없어지게 되지(盜賊無有).

이 노래를 눈 감고 가만히 생각해보면, 〈시편〉 작가의 노래가 들려오는 듯합니다.

"정녕 천 년도 당신 눈에는
지나간 어제 같고
야경의 한때와도 같습니다.
당신께서 그들을 쓸어내시면
그들은 아침 잠과도 같고
사라져가는 풀과도 같습니다.
아침에 돋아났다 사라져갑니다.

저녁에 시들어 말라버립니다.

.............(중략).............

저희의 햇수는 칠십 년

근력이 좋으면 팔십 년

그 가운데 자랑거리라 해도 고생과 고통이며

어느새 지나쳐 버리니,

저희는 나는 듯 사라집니다."(시편90,4-10)

사실 '거룩하신 분'은 하느님 한 분 뿐이시지요. 물론 하느님께서(레위기11,44-45/19,2)와 베드로 서간의 저자를 통하여 "거룩한 사람이 되십시오."(1베드1,16)라고 말씀하셨지만 그 말씀은 어디까지나 "하늘에 계신 내 아버지의 뜻을 실행하는 사람"(마태12,50)을 두고 하신 말씀이 아니겠습니까? 그렇게 보면 거룩함도, 지식도, 어짊도, 의로움도, 기교부림도, 자신에게 돌아올 이로움도 모두 끊어버리고, 포기해버리기 등등은 모두 하느님께서 우리를 위하여 베푸신 지혜의 은총, 사랑의 은총이 아닐까 싶습니다. 우리가 거룩하게 되려는 마음을 버리고 똑똑함에서 벗어나면 우리 대신 다른 사람이 거룩하고 지혜롭다는 사실을 알게 되겠지요. '겸손(謙遜)함'이 바로 그런 것이 아닐까 싶습니다. "저희는 쓸모없는 종입니다. 그저 해야 할 일을 했을 뿐"(루가17,10)이라고 솔직히 하느님께 고백하는 이실직고(以實直告)하는 삶이 필요하리라 생각합니다. 그렇게 되면 세상은 그야말로 하느님의 뜻이 이루어지는 '하느님의 나라'가 되지 않을까 싶습니다.

사실 살아가면서 거룩함도, 지식도, 어짊도, 의로움도, 기교 부림도, 자신에게 돌아올 이로움도 모두 끊어버리고, 포기해버리기가 얼마나 어려운지요? 우리 신앙인들, 특별히 성직자나 수도자는 자기 자신이 거룩해지고, 어질어지고, 의로워져야 한다는 것을 '사명(使命)'으로 삼고 살아가지요. 하지만 그것도 더 소중히 여겨야 할 것은 "저희는 쓸모없는 종입니다. 그저 해야 할 일을 했을 뿐"(루가17,10)이라는 '삶의 태도'가 아닐까 싶습니다. 왜냐하면 우리가 스스로 거룩해지려고 애를 쓴다기보다 하느님께서 우리를 거룩하게 해주시고, 어질어지도록 힘을 주시고, 의로워지도록 용기를 주시기 때문입니다. 때마침 우리집에 가르멜 수도회 수사 신부님 한 분이 피정(避靜)을 하시겠다고 찾아와 일주일을 머물다 가셨습니다. 그 신부님은 오래 전에도 이곳에 머물다 간 적이 있다고 합니다. 저로서는 처음 뵙는 분이긴 합니다만 내심으로는 '신부님, 이곳에 오셨으니 이 우곡 골짜기 안에서 하느님께서 마련해 놓으신 대자연의 신비를 마음껏 누리시다가 가시길 기도하겠습니다.'라고 말씀드리고 싶었지만, 그런 말조차 그분에게는 쓸데없는 것이 될 것 같아서 그저 숙소만 안내해 드렸답니다. 나머지는 하느님과 그 신부님과의 아름다운 시간이 되지 않았을까 그저 흐뭇한 생각만 해보았답니다.

이 세 가지는(此三者)

억지로 꾸민 것들이기 때문에 충분하지가 않지(以爲文不足).

그래서 돌아갈 곳이 있도록 해야 한다네(故令有所屬).

순진함을 드러내고 질박함을 끌어안으며(見素抱樸)

사사로운 것을 적게 하고 욕심을 줄여야만 한다네(少私寡欲).

잘 아시다시피 올해는 갑오년(甲午年)입니다. 120년 전에 이 땅에서 부정한 관리들에게 눌리고 외세에 수탈당했지만, 어디에도 하소연할 곳 없었던 하층 농민들이 마침내 스스로 뭉쳐서 결연히 '새 세상'을 만들겠다고 일어선 해지요. 하지만 결국 그들은 관군(공권력)과 외세(일본군)에게 무참히 학살당했고, 이 땅은 결국 일본에게 빼앗겨 버리고 말았지요. 전쟁, 불의, 부정, 무도(無道), 수탈, 권력 등등이 난무했던 갑오년이었는데 120년이 지난 오늘날에도 여전히 계속 자행되고 있다는 것이 얼마나 우리를 슬프게 하는 일이 되는지요. 모두가 인간의 못된 '욕심(慾心)'에서 기인하는 것이 아닐까요? 욕심은 다른 사람의 눈과 귀를 틀어막아 버리고, 오로지 자신의 주장만이 최고의 것으로 삼는 교만의 극치랍니다. 〈이사야〉 예언자는 노래합니다.

"내 백성아, 내 말을 들어라.

내 겨레야, 내게 귀를 기울여라.

나에게서 가르침이 나가리라.

나의 공정을 내가 민족의 빛으로 만들리라."(이사51,4)

사실, 지금의 세상은 '억지로 꾸민 것들' 뿐이어서 거기에 한번 맛을 들이면 모두들 '돌아갈 곳'이 없도록 만들어 버립니다. 하느님으로부터 받은 순수한 가치, 양심은 어디로 갔는지 없고, 순박했던 어린 시절의 고왔던 마음들은 다 어디로 가버렸는지 제 자신을 돌아보는 새해 벽두입니다. 하느님께서는 〈예레미야 예언자〉를 통하여 일찍이 이렇게 말씀하셨지요.

"너의 상처는 고칠 수 없고

너의 부상은 심하다.

네 종기에 치료약이 없고

너에게 새살이 돋지 않으리라.

............(중략)...............

어찌하여 네가 다쳤다고,

네 상처가 아물지 않는다고 소리치느냐?

네 죄악이 너무 커서 내가 이런 벌을 너에게 내린 것이다.

그러나 너를 삼킨 자들이 모두 삼켜지고

네 원수들이 모두 유배되리라.
너를 약탈한 자들이 약탈당하고
너를 탈취한 자들이 탈취당하리라.
참으로 내가 너에게 건강을 되돌려주고
너의 상처를 고쳐 주리라."(예레30,12-17)

하느님께서 우리의 상처를 고쳐 주시겠다고 하시니 우린들 가만히 있으면 안 되겠지요? 그래서 노자의 노래가 더욱 절실히 가슴에 와 닿습니다.

"순진함을 드러내고 질박함을 끌어안으며,
사사로운 것을 적게 하고 욕심을 줄여야만 한다네."

수녀님, 세상은 세상이 새로 밝아왔다고 온통 '새해'에 대한 희망을 말하지만, 사실상 새해가 세상에 희망을 가져다주는 것이 아니라 오로지 하느님만이 새로운 희망을 주신다는 바로 그 진실을 세상이 알았으면 좋겠습니다. 지금 우곡에는 눈발이 서릿발처럼 얼어서 마치 언젠가 소설에서 보았던 러시아의 백야(白夜)를 연상케 하는 풍광(風光)입니다.

가르멜회 수사 신부님도 연(年)피정을 마치고 눈이 내린다고 아침 일찍 떠나셨습니다. 내년에 다시 오겠다는 말씀만 남기셨네요. 눈발이 점점 무섭게 날리는데 무사히 잘 도착했는지 모르겠습니다.

사람들이 '거룩해지기(성인되기)를 끊어버리고 지식(현인 되기)을 포기해 버리면' 세상은 좀 더 하느님께서 원하시는 쪽으로 다가갈 수 있지 않을까 생각합니다.

새해를 맞이하여 성인이 되기를 원하는 것과 현인이 되기를 원하는 것을 모두 내려놓으면 세상은 밝아지겠지요. 모두들 저마다 성인이 되고 싶어하고, 현인이 되고 싶어하기 때문에 정작 '하느님의 뜻을 실행하는 데는' 눈길을 돌리지 않는 것이 아닐까 싶습니다.

모두가 '군계일학(群鷄一鶴)'처럼 고고(高高)하게 되기를 꿈꾸기 때문에 세상은 점점 더 추워지고, 소외를 받아 변두리로 밀려난 사람들이 더 많이 늘어나는 것이 아닐까 싶습니다. 성인이 되고 싶어하고 현인이 되고 싶어하는 이들이 결국 "빈곤한 이를 짓밟고, 이 땅의 가난한 이를 망하게 하는 자들"(아모8,4)이 아니겠는지요? 수녀님, 겨울이 아무리 깊어도 결국 봄은 오고야 말겠지요? 벌써 매서운 칼바람 속에서도 봄의 기운이 언뜻언뜻 느껴지는 듯합니다.

수도원의 모든 수녀님들이 새해에는 몸도 마음도 하느님 안에서 건강하시기를 기도합니다.

다음 20장에서 또 뵙겠습니다.

2014년 1월 21일 성녀 아녜스 축일에

흐릿흐릿하여라! 세상 사람들은 밝고 환한데
나만 홀로 어둑어둑 하구나.
세상 사람들은 알뜰히도 살피는데
나만 홀로 순진하구나.

깊고도 아득하여라! 그이는 마치 바다 같구나
바람소리로구나, 마치 아무데도 걸림이 없는 듯하여라.
뭇 사람들은 모두 쓸모가 있는데
나만 홀로 우둔하고 또 촌스럽구나.

| 20장 |

배움을 끊어버리면 근심이 없어지지

수녀님, 세월이 무척이나 빠르게 흘러가네요. 엊그제 새해를 맞이한 것 같은데 벌써 한 달이라는 시간이 훌쩍 지나가버렸습니다. 모두들 잘 계시지요? 지금 우곡에는 2월의 눈이 한마당 쌓여 있습니다. 수녀님들 계시는 곳에도 그러하시지요? 눈 내린 날 사제관에서 성당으로 향하는 길에는 그야말로 사람의 발자국이란 찾아볼 수 없는 '무인지경(無人之境)'입니다. 다만 산짐승들의 발자국들만이 어지럽게 이곳저곳으로 나 있는데, 마치 무슨 알 수 없는 곳의 보물지도라도 그려놓은 듯하답니다.

이런 시간과 공간에서는 책을 펴놓고 공부를 한다는 것도 또 옛 성현들의 훌륭한 글을 읽는 것도 다 무슨 소용이 있을까 싶을 정도로 고요와 평화가 한꺼번에 밀려온답니다. 그럴 때면 이런 것이 참 평화가 아닐까 생각하기도 하지요. 홀연 예수께서 언젠가 하신 말씀이 생각납니다.

"아버지, 하늘과 땅의 주님,
지혜롭다는 자들과 슬기롭다는 자들에게는
이 모든 것을 감추시고 철부지들에게
드러내 보이시니,
아버지께 감사드립니다.
그렇습니다. 아버지!
아버지의 선하신 뜻이
이렇게 이루어졌습니다."(마태11,25-26)

사실 '무엇을 공부를 한다는 것'은 '누구로부터 무엇을 배운다'는 것이 아니겠습니까? 배운다는 것은 결국 예로부터 전해오는 성현들의 말씀을 학습하고 모방한다는 것이 아니겠는지요? 그렇게 된다면 결국 기도하고 행동하고 말하는 것 등등은 모두 '자신의 것'이 아닌 성현들의 것이 되고, 하느님께 신앙고백을 하는 것도 모두 스스로 하느님께 자신의 신앙을 고백하는 것이 아니라 성현들이 남겨놓은 찌꺼기들을 가지고 고백하는 것이 아니겠습니까? 우곡의 골짜기를 덮고 있는 눈밭을 보고 자신이 느낀 바를 하느님께 말씀드리는 것과 예로부터 전해온 성현들의 느낌을 마치 자신의 느낌인양 모방한다면, 결국 앵무새가 사람의 흉내를 내면서 조잘거리는 것과 무엇이 다를까 생각해 봅니다. 이 점에 대해서 노자 선생도 일찍부터 깨달은 바가 있는 모양입니다.

배움을 끊어버리면 근심이 없어지지(絶學無憂).

'예'와 '응'은 서로 거리가 얼마나 될까(唯之與阿 相去幾何)?

'선함'과 '악함'은 서로 또 거리가 얼마나 될까(善之與惡 相去若何)?

사람들이 두려워하는 바는 두려워하지 않을 수 없구나(人之所畏 不可不畏).

아득하기도 하여라! 그 끝은 다함이 없구나(荒兮其未央哉).

"배움을 끊어버리면 근심이 없어지지"라는 노자의 생각에 저도 공감합니다. 특히 오늘날에 있어서 '배운다.'는 말은 인생의 깊은 의미를 배운다는 것이 아니라 어떻게 하면 남들보다 더 잘 살고, 더 많이 돈을 벌고, 더 잘난 행세를 하며 어떻게 하면 약하고 가난한 자들을 내리누르고 부귀영화를 더 누릴 수 있을까 하는 등등의 것들을 배운다는 말이 아닐까요?

사람이 태어나서 무엇을 '배운다.'는 것은 대단히 소중한 일입니다. 그 배움을 통하여 참다운 인생길이 무엇인가를 느끼고 깨달을 수 있기 때문이지요. 사실 사람이 살아가는 데 있어서 배워야 할 것들은 이미 '유치원에서 다 배웠다'라는 말이 있을 정도로 초, 중, 고, 대학교의 교육은 인간으로 참되게 살아가는 데 거의 아무런 쓸모가 없다는 이야기와도 통하지요. 아기 예수의 성녀 데레사나 모든 본당신부의 주보 성요한 마리아 비안네 같은 분들의 일생을 들여다보면, 배움이 우리네 인생에 있어서 그렇게 중요한 부분을 차지하는 것은 아닐 것이라는 생각을 해봅니다. 왜냐하면 사람이 선배들에게서 배워야 할 것들은 이미 유년시절에 다 배웠고, 그 이후에 배우는 것들은 삶에 있어서 자꾸 근심만 쌓이게 만들어줄 것이기 때문입니다.

사도 바오로는 〈코린토 사람들에게 보내는 편지〉에서 다음과 같이 강론합니다.

"여러분이 부르심을 받았을 때를 생각해 보십시오. 속된 기준으로 보아 지혜로운 이가 많지 않았고, 유력한 이도 많지 않았으며 가문이 좋은 사람도 많지 않았습니다. 그런데 하느님께서는 지혜로운 자들을 부끄럽게 하시려고 이 세상의 어리석은 것을 택하셨습니다. 그리고 하느님께서는 강한 것을 부끄럽게 하시려고 이 세상의 약한 것을 택하셨습니다."(1코린1,26-27) 또 "나도 여러분에게 갔을 때에 뛰어난 말이나 지혜로 하느님의 신비를 선포하려고 가지 않았습니다. 나는 여러분 가운데에 있으면서 예수 그리스도, 곧 십자가에 못 박히신 분 외에는 아무것도 생각하지 않기로 하였습니다. 사실 여러분에게 갔을 때에 나는 약했으며 두렵고 또 무척 떨렸습니다. 나의 말과 나의 복음 선포는 지혜롭고 설득력 있는 언변으로 이루어진 것이 아니라 성령의 힘을 드러내는 것으로 이루어졌습니다."(1코린2,1-4) "그러나 그 지혜는 이 세상의 것도 아니고 파멸하게 되어 있는 이 세상 우두머리들의 것도 아닙니다. 우리는 하느님의 신비롭고 또 감추어져 있던 지혜를 말합니

다."(1코린2,6-7)

노자는 또 '예'와 '응'은 서로 거리가 얼마나 될까? '선함'과 '악함'은 서로 또 거리가 얼마나 될까? 라고 우리들에게 묻습니다. '예'라는 대답은 사실 공손한 대답이며 '응'이라 하는 대답은 사실 함부로 하는 대답인데 그 거리, 차이가 얼마나 될까 하고 우리들에게 묻는 것입니다. 따지고 보면, '예'와 '응' 사이의 거리는 단지 입술과 이의 높낮이 사이에 있을 따름이지요. '머리털'이냐 '한 오라기 실'이냐 하는 차이를 두고, 사람들은 배움과 못 배움, 선함과 악함, 빈부귀천 등을 논하고 따지고 더러는 힘으로 내리누르려 합니다. 누가 '예'와 '응' 사이, '선함'과 '악함' 사이의 거리를 잴 수 있겠습니까? 예수님께서도 둘러서 있는 유다인들을 향하여 "너희 가운데 죄 없는 자가 먼저 저 여자에게 돌을 던져라." 하시고, 죄 많은 여자를 향해서는 "여인아, 그 자들이 어디 있느냐? 너를 단죄한 자가 아무도 없느냐?"고 물으셨지요. 그러자 그 여인이 "선생님, 아무도 없습니다."하고 대답하자, 예수께서는 "나도 너를 단죄하지 않겠다. 가거라, 그리고 이제부터 다시는 죄 짓지 마라."(요한8장 1-11절)고 하셨지요. 이럴 경우, 세상 사람들이 따지고 드는 선악에 대한 관점은 예수께서 바라보시는 시각과 판이하다는 사실을 새삼 느끼게 되지요. 이것을 좀 더 넓게 가져다보면 아름다움과 추함, 군주와 신하, 부모와 자식, 스승과 제자, 부자와 빈자, 양반과 평민, 어른과 아이 사이를 구분하는 것이 과연 무슨 큰 의미가 있겠는지요? 예수께서도 "내가 진실로 말한다. 여자에게서 태어난 이들 가운데 세례자 요한보다 더 큰 인물은 나오지 않았다. 그러나 하늘나라에서는 가장 작은 이라도 그보다 더 크다."(마태11,11)고 말씀하셨지요.

그러니 세상에서 아무리 '내로라'하는 이라도 결국 노자가 "사람들이 두려워하는 바는 두려워하지 않을 수 없구나."라고 노래한 것처럼 모두가 두려워하는 것에 대해 두려움을 갖지 않을 수가 없을 것입니다. 배우는 자나 못 배우는 자나, 높은 이나 낮은 이나, 부자나 가난한 자나 구체적인 사회 안에서 느끼는 체감은 모두 동일할 것이 아니겠습니까? 만일 모두가 두려워하는 것을 두려워하지 않는다면, 그는 결국 자신의 만용(蠻勇)에 의해 패망하고 말 것이 분명하기 때문이지요. 그래서 노자는 자신이 추구하고 체득한 '도(道)'에 대해서 "아득하기도 하여라! 그 끝은 다함이 없구나."라고 칭송합니다. 이는 마치 다니엘 예언서가 불가마 속에 놓여 있어도 하느님을 칭송하는 세 젊은이의 입을 빌어 "당신의 거룩하신 이름은 찬미 받으소서. 당신의 이름은 드높은 찬양을 영원히 받으실 이름입니다."(다니3, 51-90절 참조)라고 노래한 것처럼 말입니다.

'도'를 체득한 노자나 '하느님의 말씀'을 체득한 세 젊은이의 삶의 태도는 대단히 닮아 있는 모습을 연출하고 있는 듯합니다.

뭇사람들은 희희낙락하여(衆人熙熙)

마치 큰 소를 잡아 잔치를 벌이는 듯(如享太牢)

마치 봄날에 누대에 오른 듯한데(如春登臺),

나 홀로 담박하여 그 아무런 조짐도 드러내지 않도다(我獨泊兮 其未兆).

어리둥절하여라! 마치 아직 웃을 줄도 모르는 갓난아기 같구나(如嬰兒之未孩).

축 늘어지기도 하여라! 마치 아무런 돌아갈 데도 없는 듯하구나(儽儽兮 若無所歸).

뭇사람들은 모두 여유로운데 나만 홀로 모자란 듯하구나

(衆人皆有餘 而我獨若遺).

나만 어리석은 사람의 마음이로다(我愚人之心也哉).

수녀님, 저는 요즘 안동교구 지역에서 신앙을 살다가 조선 후기 정부 당국의 모진 박해로 치명(致命)한 순교자들을 한 곳에 모으는 작업을 하고 있습니다. 아마도 3월쯤에 그것이 자료집으로 엮어져 나올 수 있지 않을까 생각합니다. 그 작업을 통해서 '정말 그분들이야말로 진실로 하느님의 말씀을 몸소 체득한 사람이 아니겠는가?'라고 문득문득 놀라곤 한답니다. 그러나 세상 사람들은 그분들의 삶과 죽음을 재미삼아 구경하고, 그들을 마치 노리갯감으로 여깁니다. 예수께서 "세례자 요한 때부터 지금까지 하늘나라는 폭행을 당하고 있다.

폭력을 쓰는 자들이 하늘나라를 빼앗으려고 한다."고 말씀하신 그대로가 박해시대 때 재연되었고, 이는 21세기인 오늘날에도 여전히 계속되고 있는 듯이 보입니다. 지금 노자는 이렇게 넋두리를 하고 있습니다.

"어리둥절하여라! 마치 아직 웃을 줄도 모르는 갓난아기 같구나.
축 늘어지기도 하여라! 마치 아무런 돌아갈 데도 없는 듯하구나.
뭇사람들은 모두 여유로운데 나만 홀로 모자란 듯하구나.
나만 어리석은 사람의 마음이로다."

이러한 그의 상태가 바로 노자가 생각하는 성인의 경지이지요. 마치 〈이사야서〉의 한 구절을 연상케 하는 듯합니다.

"나는 거역하지도 않고
뒤로 물러서지도 않았다.
나는 매질하는 자들에게 내 등을,
수염을 잡아 뜯는 자들에게 내 뺨을 내맡겼고
모욕과 수모를 받지 않으려고
내 얼굴을 가리지도 않았다."(이사50,5-6)

"의인이 사라져가도
마음에 두는 자 하나 없이
성실한 사람들이 죽어간다.

그러나 의인은 재앙을 벗어나 죽어가는 것이니
그는 평화 속으로 들어가고
올바로 걷는 이는
자기 잠자리에서 편히 쉬리라."(이사57,1-2)

노자가 말하는 성인의 태도란 곧 자신의 모든 삶을 '도'에 근거를 두고 도의 방식을 따르는 사람들이지요. 가톨릭에서 말하는 성인이란 곧 자신의 모든 삶을 '하느님'께 근거를 두고 하느님의 말씀에 따라 사는 자가 아니겠는지요? 그렇다면 노자의 '도'와 하느님의 '말씀'은 일정 정도 닮아 있지 않을까 생각해봅니다. 바로 다음에 나오는 노자의 노래는 곧 자신이 닮고자 하는 도의 모습을 그려 주면서 동시에 도를 따라 사는 사람의 구체적인 모습을 그려주고 있지요. 사실 세상의 사람들은 약삭빠르고 계산에 밝으며 똑똑한 체하고 많이 배운 것을 자랑삼습니다. 그러나 도를 따라가는 사람들은 부족하고, 남들에게 어수룩하게 보이며 배우지 못한 사람처럼 단순하게 살아갑니다. 어쩌면 우리들의 신앙도 바로 하느님 앞에서 그러한 모습으로 서 있어야 되지 않을까 싶습니다.

흐릿흐릿하여라! 세상 사람들은 밝고 환한데(沌沌兮 俗人昭昭)
나만 홀로 어둑어둑하구나(我獨昏昏).

세상 사람들은 알뜰히도 살피는데(俗人察察)

나만 홀로 순진하구나(我獨悶悶).

깊고도 아득하여라! 그이는 마치 바다 같구나(澹兮其若海).

바람소리로구나. 마치 아무데도 걸림이 없는 듯하여라(飂兮若無止).

뭇 사람들은 모두 쓸모가 있는데(衆人皆有以)

나만 홀로 우둔하고 또 촌스럽구나(而我獨頑似鄙).

나만 홀로 사람들과 달리(我獨異於人)

밥 먹여주는 어미를 귀히 여길 뿐(而貴食母).

왜냐하면 하느님 홀로 거룩하시고, 하느님 홀로 지혜로우신 분이시기 때문입니다. 사실 인간의 지혜는 모두 하느님으로부터 나오며, 하느님으로부터 나오지 않는 지혜는 결국 참다운 지혜가 아니라 자신의 욕심이나 욕망을 채우기 위한 나쁜 수단이나 방편에 불과할 뿐이지요 그래서 노자는 참다운 지혜를 '도'에 두고 있고, 하느님을 따르는 사람들은 참다운 지혜를 '하느님'께 두고 있는 것이 아니겠습니까? 그래서 참다운 지혜를 사는 사람은 비록 어리석어 보일지라도 결코 어리석지 않으며 남에게 손가락질 당해도 웃을 줄 알게 되고, 자신의 욕망이나 욕심을 채우기 위해 계산을 빨리 하거나 행동을 민첩하게 하거나 알뜰히 살필 필요가 없을 것입니다.

"지혜 안에 있는 정신은 명석하고 거룩하며
유일하고 다양하고 섬세하며
민첩하고 명료하고 청절하며
분명하고 손상될 수 없으며
선을 사랑하고 예리하며
자유롭고 자비롭고 인자하며
항구하고 확고하고 평온하며
전능하고 모든 것을 살핀다.
또 명석하고 깨끗하며 아주 섬세한 정신들을 모두 통찰한다.
지혜는 어떠한 움직임보다 재빠르고
그 순수함으로 모든 것을 통달하고 통찰한다."(지혜7,22-24)

그래서 노자는 자신이 품고 있는 도에 대해서 "깊고도 아득하여라! 그이는 마치 바다 같구나." 또 "바람소리로구나. 마치 아무데도 걸림이 없는 듯하여라."고 노래하고 있지 않나 싶습니다. 〈지혜서〉의 저자도 거의 노자와 같은 심정일거라는 생각을 해봅니다. 〈지혜서〉 저자는 노래합니다.

"지혜는 하느님 권능의 숨결이고
전능하신 분의 영광의 순전한 발산이며

어떠한 오점도 그 안으로 기어들지 못한다.
지혜는 영원한 빛의 광채이고
하느님께서 하시는 활동의 티 없는 거울이며
하느님 선하심의 모상이다.
지혜는 혼자이면서도 모든 것을 할 수 있고
자신 안에 머무르면서 모든 것을 새롭게 하며
대대로 거룩한 영혼들 안으로 들어가
그들을 하느님의 벗과 예언자로 만든다."(지혜7,25-27)

"그래서 나는 지혜를 맞아들여 함께 살기로 작정하였다.
지혜가 나에게 좋은 조언자가 되고
근심스럽고 슬플 때에는 격려가 됨을 알았기 때문이다."(지혜8,9)

때마침 지난 2월 8일 프란치스코 교황께서는 한국 교회에 크나큰 선물을 주셨다고 하네요. 바로 '하느님의 종 윤지충 바오로와 123위 순교복자들'을 복자품에 올리겠다는 소식이지요. 이번에 복자품에 오르시는 순교자들 역시 모든 것을 하느님께 맡기면서 사셨겠지요? 마치 노자가 모든 것은 '도'에 맡기면서 살았듯이 말입니다.

여기에서 우리는 "하느님을 믿는 이들은 하느님을 믿지 않는 이들과 구별되는 삶을 살아야 한다."는 평범한 지혜를 얻을 수 있지 않을까 싶습니다. 사실 하느님께서는 우리와 천지만물을 만드신 분이시지만, 결코 우리와 천지만물을 떠나시지 않고 언제나 우리 가운데 머물러 계시면서 우리에게 끊임없이 당신의 생명과 사랑과 평화와 정의를 샘솟게 하시는 분이십니다.

그분이야 말로 '평범한 지혜', '평범한 진리'가 아니겠습니까? 이러한 진리와 지혜 앞에서 우리는 이제 우리의 알량한 지식이나 세상이 탐하는 그러한 배움을 끊어버려야 할 것 같습니다. 그래야 참 지혜, 참 진리이신 분이 우리 가운데로 들어오시지 않을까 싶습니다.

저 내리는 눈발, 벌거벗은 나목(裸木), 얼음장 밑으로 흐르는 계곡물, 나뭇가지에서 우짖으며 하늘을 자유롭게 날아다니는 이름 모를 새들이 언제 사람들처럼 배움을 탐하였겠습니까? 언제 배우지 못해서 세상을 어찌 살아갈까 걱정하거나 근심한 적이 있습니까?

그리고 그런 배움을 가졌다고 자부하는 사람들처럼 언제 한 번이라도 참된 자유를 누려 보지 않은 적이 있었겠습니까? 그저 모두들 지혜이신 하느님께서 주신 바로 그 지혜로 하느님의 뜻 안에서 자유롭게 살아가고 있지요. 오히려 배움을 탐하고 지혜롭다고 자처하는 사람들이 그들에게서 자유를 빼앗고, 생명을 빼앗고, 행복을 빼앗았고, 지금도 여전히 그러하지요. 아아! 수녀님, 우리는 언제나 지혜이신 분 안에서 마음껏 자유를 누리면서 서로 오순도순 살아갈 수 있을까요? 아직 우곡은 춥고 또 눈발도 내리지만 차갑게 부는 바람 속으로 하마 봄

기운이 느껴집니다.

이미 멀지 않은 곳까지 따스한 봄이 와 있다는 증거가 아닐까 싶습니다. 지금 우곡의 하늘엔 구름으로 가득합니다. 또 눈발이 내릴 모양입니다.

소머리산 아래 계시는 수녀님들, 아프지 마시고 하느님 안에서 오는 봄을 기쁜 마음으로 맞이하시기를 기도합니다. 다음 장(章)에서 또 뵙겠습니다.

2014년 2월 17일 월요일

백매화

노자는 '도'가 피조물이 되었다. 라고 노래합니다.
피조물이 된 '도'는 원래 '황홀하다'고 했습니다.
황홀함 속에 '형상'과 '만물'이 있다고 합니다.
그래서 그 '도'는 '깊고도 그윽하다' 곧 '심원하다'는
것이며 그 심원한 것 속에 생명의 알맹이가 있다고 합니다.

혹시 '불가사의(不可思議)'라는 관념어를 들어보셨는지 모르겠습니다.
사람으로서는 도저히 생각할 수도 없고 또 말로 글로도 표현할 수
없는 존재나 경지를 이르는 말이지요. 노자는 자신이 말하는 '도'가 곧
'불가사의'하다고 합니다. 마찬가지로 천지를 창조하신 하느님과 그
하느님이 말씀으로서 사람으로 오신 바로 빛이신 그분 역시
'불가사의한 분'이시지요.

| 21장 |

커다란 덕의 모습은

수녀님, '춘삼월호시절(春三月好時節)'이라는 옛말도 있듯이 한 치의 어긋남도 없이 삼월이 돌아왔습니다. 이렇게 꽃피고 새우는 춘삼월에 우리는 또 예수님의 수고수난(受苦受難)하심을 묵상하게 됩니다. 며칠 전 반가운 봄비도 내렸지요. 봄비가 내리던 날, 하염없이 창 밖을 바라보다가 문득 하느님께서 이사야 예언자의 혀를 빌려 땅에 사는 사람들에게 하시는 말씀이 떠올랐습니다.

"비와 눈은 하늘에서 내려와
그리고 돌아가지 않고
오히려 땅을 적시어
기름지게 하고 싹이 돋아나게 하여
씨 뿌리는 사람에게 씨앗을 주고
먹는 이에게 양식을 준다.
이처럼 내 입에서 나가는 나의 말도

나에게 헛되이 돌아오지 않고
반드시 내가 뜻하는 바를 이루며
내가 내린 사명을 완수하고야 만다."(이사55,10-11)

이 얼마나 인간의 잣대로는 결코 잴 수 없을 정도로 커다랗고 위대한 하느님의 말씀이고 또 행위입니까? 그분의 말씀은 그대로 사명이 되고, 그 사명은 그대로 실행되어 땅을 기름지게 하고, 씨앗을 뿌리는 이들에게는 씨앗을 주고, 먹는 이에게 양식을 주는 구체적인 실천적 행위가 되지요. 그분이 만드신 만물 가운데 누가 있어, 땅에서 이렇게 저렇게 살아가는 사람들 가운데 누가 있어서 그분의 말씀을 닮고, 그분의 행위를 닮아갈 수 있겠습니까? 그래서 아마도 요한복음서의 저자는 그분의 말씀과 행위에 대해서 다음과 같이 고백했는지도 모를 일입니다. 그 고백은 제가 수녀님들께 이 편지를 적어드리면서 이따금씩 인용하는 말씀입니다.

"한 처음에 말씀이 계셨다.
말씀은 하느님과 함께 계셨는데
말씀은 하느님이셨다.
그분께서는 한 처음에 하느님과 함께 계셨다.
모든 것이 그분을 통하여 생겨났고

그분 없이 생겨난 것은 하나도 없다.
그분 안에 생명이 있었으니
그 생명은 사람들의 빛이었다.
그 빛이 어둠 속에서 비치고 있지만
어둠은 그를 깨닫지 못하였다."(요한1,1-5)

하느님께서 천지를 창조하시기 전에 '말씀'이 계셨는데 그 말씀이 곧 하느님이며 그 말씀은 살아있는 생명의 근원이자 곧 하느님이시고 그분이 사람들 가운데 생명의 빛으로 오셨는데도 사람들은 알아보지 못했다고 요한복음 저자는 고백하고 있습니다. 그분은 만물에 앞서 '홀로 거룩하시며 홀로 높으시고 홀로 영광을 받으실 분'이시기 때문에 죄 많은, 허물로 범벅이 된 우리들은 그분이 우리 가운데 우리와 함께 계시는데도 알아보지 못하고 있는 것이 아니겠습니까? 노자가 노래하는 '도'와 '덕'의 모습이 흡사 하느님과 그분의 말씀의 존재를 고백하는 것이 아닐까 여겨지기도 합니다. 노자는 그가 가슴에 품고 따르는 '도'와 '덕'에 대해서 다음과 같이 노래합니다.

커다란 덕의 모습은 오직 도를 따를 뿐이지(孔德之容 惟道是從).
도가 피조물이 되시니, 오직 황홀할 따름이라네(道之爲物 惟恍惟惚).
황홀하여라! 그 가운데 형상이 있구나(惚兮恍兮 其中有象).

황홀하여라! 그 가운데 만물이 있구나(恍兮惚兮 其中有物).

깊고도 그윽하여라! 그 가운데 정기가 있구나. (窈兮冥兮 其中有精).

정기가 몹시도 참되니, 그 가운데 미더움이 있네(其有甚精眞 其中有信).

노자가 고백하는 '커다란 덕의 모습'이 무엇을 가리키겠습니까? 아니 우리가 흔히 말하는 '덕(德)'이란 도대체 무엇이겠습니까? 그리고 '도(道)'는 또 무엇이겠습니까? 흔히 말해서 '도덕(道德)'이라고도 하는데 이를 테면 '인의(仁義)', '내외(內外)', '동정(動靜)', '하느님-말씀' 등등과 같은 의미로 보면 되지 않을까 싶습니다. 도가 근원적이라면 덕은 근원이 바깥으로 드러난 것이라고 볼 수도 있지 않을까 싶습니다. 예컨대 "말씀은 하느님과 함께 계셨는데, 말씀은 하느님이십니다."(요한1,1) 혹은 "네가 자선을 베풀 때에는 오른손이 하는 일을 왼손이 모르게 하여라."(마태6,3) 등과 같이 도는 '보이지 않는 하느님의 손길'이지요. 그 분의 손길을 우리는 '음덕(陰德)'이라 한답니다. 그러니까 도는 하느님이시고 덕은 하느님께서 사람에게 베푸시는 은총에 해당한다고 보면 좋겠습니다.

노자는 "도가 피조물이 되었다."라고 노래합니다. 노자에 따르면, 피조물이 된(物化) 도는 원래 '황홀하다'고 했습니다.

황홀함 속에 '형상'과 '만물'이 있다고 합니다. 그래서 그 '도'는 '깊고도 그윽하다' 곧 '심원하다'는 것이며 그 심원한 것 속에 모든 것을 이룰 수 있는 '정기(精氣)' 곧 '생명의 알맹이'가 있다는 것이지요. 그 생명의 알맹이 혹은 알갱이는 그 자체로 '참되고(眞)', 그렇기 때문에 '미더움(信)'을 가지고 있다는 것입니다. 말하자면 노자의 도는 신묘하고 황홀하면서도 몸소 피조물이 되었고, 피조물이 되었다 하더라도 여전히 미더운 존재로 남아 있다는 것입니다. 이는 마치 「요한복음」 사가의 신앙고백과도 무척 닮아 있는 듯합니다.

"그분께서는 한 처음에 하느님과 함께 계셨다.
모든 것이 그분을 통하여 생겨났고
그분 없이 생겨난 것은 하나도 없다.
그분 안에 생명이 있었으니
그 생명은 사람들의 빛이었다.
................(중략).....................
모든 사람을 비추는 참 빛이 세상에 왔다.
그분께서 세상에 계셨고
세상이 그분을 통하여 생겨났지만
세상은 그분을 알아보지 못하였다.
그분께서 당신 땅에 오셨지만
그분의 백성은 그분을 맞아들이지 않았다."(요한1,2-11)

혹시 '불가사의(不可思議)'라는 관념어를 들어보셨는지 모르겠습니다. 사람으로서는 도저히 생각할 수도 없고 또 말로 글로도 표현할 수 없는 존재나 경지를 이르는 말이지요. 노자는 자신이 말하는 '도'가 곧 '불가사의'하다고 합니다. 마찬가지로 천지를 창조하신 하느님과 그 하느님이 말씀으로서 사람으로 오신 바로 빛이신 그분 역시 '불가사의한 분'이시지요. 그래서 일찍이 성 토마스 아퀴나스(1225-1274)는 〈성체찬미가〉에서 다음과 같이 말씀이신 분의 거룩하신 몸(聖體)에 대하여 다음과 같이 자신의 신앙을 아름답게 고백하였지요. 다음은 성 토마스 아퀴나스의 신앙고백문의 전문입니다.

"엎디어 절하나이다.
눈으로 보아 알 수 없는 하느님.
두 가지 형상 안에 분명히 계시오나
우러러뵈올수록 전혀 알 길 없삽기에
제 마음은 오직 믿을 뿐이옵니다.
보고 맛보고 만져 봐도 알 길 없고
다만 들음으로써 믿음 든든해지오니
믿나이다. 천주 성자 말씀하신 모든 것을.
주님의 말씀보다 더 참된 진리 없나이다.
십자가 위에서는 신성을 감추시고

여기서는 인성마저 아니 보이시나

저는 신성, 인성을 둘 다 믿어 고백하며

뉘우치던 저 강도의 기도 올리나이다.

토마스처럼 그 상처를 보지는 못하여도

저의 하느님이심을 믿어 의심 않사오니

언제나 주님을 더욱더 믿고

바라고 사랑하게 하소서.

주님의 죽음을 기념하는 성사여.

사람에게 생명 주는 살아있는 빵이여,

제 영혼 당신으로 살아가고

언제나 그 단맛을 느끼게 하소서

사랑 깊은 펠리칸, 주 예수님.

더러운 저, 당신 피로 씻어주소서.

그 한 방울만으로도 온 세상을

모든 죄악에서 구해 내시리이다.

예수님, 지금은 가려져 계시오나

이렇듯 애타게 간구하오니

언젠가 드러내실 주님 얼굴 마주뵙고

주님 영광 바라보며 기뻐하게 하소서. 아멘 ”

[〈성체찬미가〉의 전문]

물론 노자가 노래한 '도'가 참 하느님이시면서 말씀으로서 참 사람으로 오신 우리 주 예수 그리스도와 비교할 바가 되겠습니까마는 지금부터 2,500여 년 전에 하느님께서는 이미 동아시아의 사상가 노자를 불러서 당신의 땅을 어느 정도 정화시키시려고 계획하셨다는 것에 대해서는 일정 부분 공감을 갖게 되는 것도 사실입니다. 말하자면 하느님께서는 당신이 파견하시는 '선교사들'보다 언제나 먼저 오시고 계시다는 사실을 믿고 또 믿는다는 말씀입니다.

노자의 '도'가 피조물 안으로 들어와서 '덕'의 모습으로 사람들이나 사물에게 그 영향을 끼쳤다면 하느님께서는 당신의 생명을 모든 사물들에게 고루 나누어 주시고, 몸소 사람으로 오시어 사람들에게 당신의 은덕(恩德) 곧 은총을 베풀어주셨지요. 그렇기 때문에 노자의 '덕'은 언제나 '도'를 따르고, 말씀이 되신 그분은 언제나 하느님이신 "아빠! 아버지!"(갈라4,6)를 따르시는 것이 아니겠습니까?

예부터 이제까지 그 이름이 떠나버리지 않았으니(自古及今 其名不去)

이로써 만물의 시원을 보았기 때문이라네(以閱衆甫).

내 어찌 만물시원의 형상을 알겠냐마는 이에 의해서라네

(吾何以知衆甫之狀哉 以此)

수녀님, 때맞춰 봄비가 촉촉이 내립니다. 만물이 이 비를 맞고 비로소 겨울의 기나긴 잠에서 깨어나 소생하게 되겠지요? '중보(衆甫)'는 만물의 시원, 만물의 아버지라는 뜻이랍니다.

노자가 '만물의 시원을 보았다'는 것은 곧 만물의 아버지, 만물의 근원 형상을 보았다는 것이 아니라, 천지만물을 통해서 비로소 그분이 베푸시는 음덕(陰德) 혹은 은덕(恩德)을 보았다는 것이지요. 말하자면 만물을 내시고 거기에 당신의 생명과 사랑을 쏟아 부으시는 하느님 아버지를 직접 뵙는 것이 아니라 예수님께서 말씀하신 바처럼 "나를 본 사람은 곧 아버지를 뵌 것이다."(요한14,9)라는 것과 유사한 이치가 아닐까 싶습니다.

봄비를 통해서 그 비를 맞고 비로소 소생(蘇生)하는 천지만물을 보고, 우리는 천지만물의 어버이 하느님의 모습을 조금이라도 느낄 수 있다는 이야기가 아니겠습니까? 왜냐하면 "내가 아버지 안에 있고 아버지께서 내 안에 계시기"(요한14,10) 때문입니다. 곧 '도'안에 '덕'이 있고, '덕'안에 이미 '도'가 내재되어 있다는 뜻이지요.

지금 곳곳에서는 봄기운이 감돌고 남쪽에서부터 봄꽃이 피었다는 소식들이 있지만 아직 우곡성지의 골짜기에는 봄기운만 돌고 있지요. 그래서 꽃소식은 수녀님들께 전해주지 못하겠네요. 하지만 나무들을 자세히 들여다보면, 특히 제가 사는 사제관 뜰의 명자(榠樝)나무에는 꽃망울이 제법 부풀어 오른 것을 보아서 아마도 며칠만 더 참으면 봄

꽃을 볼 수 있지 않을까 살짝 기대해 봅니다.

지금쯤 소머리산 아래 고즈넉한 수도원 담장 안에서도 목련이며 쑥부쟁이 등등에서 수녀님들처럼 해맑은 꽃망울들이 돋아나고 있지 않을까 상상해 봅니다. 이 사순절에 우리에게 봄길로 오시는, 또 그 봄이 전해주는 소식 안에서 부드러운 하느님 사랑의 손길을 모든 수녀님들이 한껏 느끼시기를 기도합니다. 또 뵙겠습니다.

2014년 3월 20일 우곡성지에서

산괴불주머니

구부리면 온전해지고 굽히면 곧아지지
움푹하면 꽉 채워지고 해지면 새로워지지
적게 하면 얻어지고 포개면 헷갈리게 되지.

이 때문에 거룩한 사람은
하나를 껴안으며 천하의 법으로 삼지
스스로 드러내지 않으니 밝고
스스로 옳다하지 않으니 빛나고
스스로 뽐내지 않으니 공덕이 있고
스스로 자랑하지 않으니 으뜸이 되지
무릇 오직 다투지 않으니 천하는 그와 다툴 수가 없네

| 22장 |

구부러지면 온전해지고

수녀님, 어김없이 또 사월이 돌아왔습니다. 사월인데도 봄을 기다리는 마음과는 달리 아직 문 밖엔 겨울이 서성거리고 있습니다. 소머리산 자락 옴팡진 곳에 기대고 앉아 있는 그곳은 어떠신지요? 봄이 벌써 오셨겠지요? 여기에는 이제 막 개나리꽃, 진달래꽃이 망울을 터뜨리기 시작했습니다. 우리가 사순절 막바지를 치달리고 있는 지금, 곧 조금 있으면 우리를 위하여 십자가에 못 박혀 돌아가시고 부활하신 예수님의 부활절이 시작되겠지요? 부활절이 시작되면 이곳에서도 비로소 봄다운 봄이 시작되지 않을까 짐작해 봅니다.

오늘 노자의 노래를 들어보니 어쩌면 이렇게도 홀로 십자가를 지고 가시는 예수님의 모습과 그분이 꿈꾸고 소망했던 공동체의 모습을 잘 그려 놓았는지요. 일찍이 이사야 예언자는 '고난 받는 주님의 종'의 모습을 이렇게 그렸었지요.

"우리가 들은 것을 누가 믿었던가?

주님의 권능이 누구에게 드러났던가?

그는 주님 앞에서 가까스로 돋아난 새순처럼,

메마른 땅의 뿌리처럼 자라났다.

그에게는 우리가 우러러볼 만한

풍채도 위엄도 없었으며

우리가 바랄 만한 모습도 없었다.

사람들에게 멸시 받고 배척 당한 그는

고통의 사람, 병고에 익숙한 이였다.

그는 멸시만 받았으며 우리도 그를 대수롭지 않게 여겼다.

그렇지만 그는 우리의 병고를 메고 갔으며

우리의 고통을 짊어졌다.

하느님께 매 맞은 자, 천대 받은 자로 여겼다.

그러나 그가 찔린 것은 우리의 죄악 때문이다.

그가 으스러진 것은 우리의 죄악 때문이다.

우리의 평화를 위하여 그가 징벌을 받았고

그의 상처로 우리는 나았다.

주님께서는 우리 모두의 죄악이

그에게 떨어지게 하셨다."(이사53, 1-6)

이 사순절에 우리는 저마다 백성을 행복하게 해주겠다고 속삭이는 정치인들의 달콤하고도 얄팍한 외침의 홍수 속에 살고 있습니다.

모름지기 백성의 지도자가 되려는 사람은 백성들의 고단한 삶을 짊어져야 하고, 그러한 과정 안에서 어떠한 '고난'이라도 마다하지 않고 묵묵히 짊어지고 가야 하는데 이즈음의 정치인들은 지도자라기보다 자기를 과시하고 자기의 업적을 뽐내며 자기만이 온 세상을 변화시킬 수 있는 유일한 사람인 것처럼 과대 포장합니다.

그러나 이사야 예언자가 선포하였고, 또 노자가 부른 노래에 포함되어 있는 의미는 모두 오늘날의 정치꾼들의 언행과는 사뭇 다르답니다. 다음엔 노자가 부른 노래입니다.

구부리면 온전해지고 굽히면 곧아지지(曲則全 枉則直)

움푹하면 꽉 채워지고 해지면 새로워지지(窪則盈 敝則新)

적게 하면 얻어지고 포개면 헷갈리게 되지(少則得 多則惑)

"구부리면 온전해지고 굽히면 곧아지지"라는 구절을 곰곰이 생각해 보면, 우리는 노자가 왜 이런 말을 했는가를 짐작해 볼 수 있을 것입니다.

곧 사람들 앞에서 자신을 구부리고 자신의 존재가치가 드러나지 않도록 낮추어 사는 삶이야말로 참으로 하늘의 뜻(천명, 천도)에 걸맞는 온전한 삶, 올곧은 삶을 누릴 수 있다는 뜻이 아니겠습니까?

자신의 삶은 굽히지 않으면서 다른 사람더러 굽힐 줄 아는 사람이 되라고 말한다면 어디 가당키나 한 이야기이겠습니까? 하늘 아래 성인, 곧 하느님의 뜻에 따라 사는 사람이라면 그 삶의 방식이 어떠해야 하는지를 다시 이사야 예언자가 선포한 말씀을 통해서 확인해 보고 싶습니다.

"학대 받고 천대 받았지만
그는 자기 입을 열지 않았다.
도살장에 끌려가는 어린 양처럼
털 깎는 사람 앞에 잠자코 서 있는 어미 양처럼
그는 자기 입을 열지 않았다.
그가 구속되어 판결을 받고 제거되었지만
누가 그의 운명에 대하여 생각해 보았던가?
정녕 그는 산 이들의 땅에서 잘려나가고
내 백성의 악행 때문에 고난을 당하였다.
폭행을 저지르지도 않고
거짓을 입에 담지도 않았건만
그는 악인들과 함께 묻히고
그는 죽어서 부자들과 함께 묻혔다.
그러나 그를 으스러뜨리고자 하신 것은 주님의 뜻이었고

그분께서 그를 병고에 시달리게 하셨다.

그가 자신을 속죄 제물로 내놓으면

그는 후손을 보며 오래 살고

그를 통하여 주님의 뜻이 이루어지리라."(이사53,7-10)

노자와 이사야 예언자의 노래를 서로 번갈아 들어보면 두 사람이 부른 시대의 노래가 어찜 이렇게도 서로 닮아 있는지요. 새삼 어느 작가가 "하느님께서는 선교사보다 먼저 오신다."는 말의 의미에 전적으로 동감하게 됩니다. 그 언젠가 수녀님들께서 부탁하신 노자의 '도덕경 강의'에 대해 선뜻 "그러겠노라."고 대답했던 기억들이 이젠 저의 부끄러움으로 다가옵니다. 잘 알지도, 제대로 이해하지도 못하면서 주제님게 대답했던 자만심이나 오만심이 지금은 오히려 수치로 다가오는 것을 어찌 막아내겠는지요? 노자가 말합니다.

이 때문에 거룩한 사람은

하나를 껴안으며 천하의 법으로 삼지(是以聖人抱一爲天下式)

스스로 드러내지 않으니 밝고(不自見故明)

스스로 옳다 하지 않으니 빛나고(不自是故彰)

스스로 뽐내지 않으니 공덕이 있고(不自伐故有功)

스스로 자랑하지 않으니 으뜸이 되지(不自矜故長)

무릇 오직 다투지 않으니 천하는 그와 다툴 수가 없네

(夫唯不爭 故天下莫能與之爭)

옛말에 '구부리면 온전해진다'고 한 것이

어찌 빈말이겠는가(古之所謂曲則全者 豈虛言哉)?

진실로 온전해져서 그에게로 돌아가지(誠全而歸之)

'이 때문에 거룩한 사람은' 하느님을 껴안고 하느님께서 다스리는 방식, 말씀하시는 방식으로 살게 되지요. 오로지 그 방식은 가장 낮은 곳으로 흘러가는 '물'과 같은 방식이며 그 법도는 언제나 자신을 낮추는 '겸손'의 방식이고, 그 말씀은 '섬김'을 주제로 하는 다스림이지요. 그러면서 또 하느님께서는 이사야 예언자를 통하여 그렇게 사는 사람들을 향하여 말씀해 주시고 계십니다.

그분의 말씀은 진실해서 결코 빈말이 될 수 없고, 그분이 하신 말씀을 따르는 사람들이 결국 그분에게로 돌아가게 되지요.

"두려워하지 마라.
네가 부끄러움을 당하지 않으리라.
수치스러워하지 마라.
네가 창피를 당하지 않으리라."(이사54,5)

내가 잠시 너를 버렸지만,

크나큰 자비로 너를 다시 거두어들인다.

분노가 북받쳐 내 얼굴을 잠시 너에게서 감추었지만

영원한 자애로 너를 가엾이 여긴다."(이사54,7-8)

수녀님, 오늘은 안동 목성동 주교좌성당에서 '성유축성미사'를 봉헌하고 돌아왔습니다. 언제나 그렇듯이 성주간과 부활대축일에는 이 골짜기에서 홀로 보내고 또 맞이합니다.

가끔씩 보내 주시는 수녀님들의 편지와 작은 부활초나 엽서들을 받고 기쁨에 겨워한답니다. 보내주신 그 작은 부활초는 부활 시기가 끝날 때까지 우곡의 작은 성당을 환하게 밝혀 주게 되지요. 하지만 오늘 저녁이 만찬축일인데 올해는 아직까지 보내 주시지 않으니 내심 기다리면서도 '나의 욕심이다.'싶어서 반성부터 먼저 하게 된답니다.

이제 곧 예수부활대축일이 다가오겠지요? 미리 수녀님들의 얼굴을 한 분 두 분 떠올리면서, 특히 데레사 수녀님과 카타리나 수녀님의 온화한 미소를 그리면서 기쁜 마음으로 축하를 드리고 또 함께 그 축복을 나누고 싶습니다. 주 예수님의 부활을 진심으로 축하드립니다.

알렐루야! 23장에서 뵙겠습니다.

2014년 4월 17일 성목요일 성유축성미사를 다녀와서

말을 '성글게 하는 것'이란 재바르거나 논리적으로 따져서
마치 달변가처럼 하는 것을 이르는 것이 아니라
'어눌하게 혹은 반벙어리처럼'
말을 하는 것이 오히려 자연 앞에서
사람이 겸손하게 살아가는 유일한 방법이지요.

| 23장 |

말을 성글게 하라.

수녀님, 오월이 왔네요. 오월이 우리 안으로 오셨는지 아니면 우리가 오월 곁으로 다가가서 오월 안으로 들어왔는지 정확히 알 수는 없지만, 사월은 우리 곁을 떠났고 어느덧 우리는 오월과 하나되어 살아갑니다. 생각해보면 지난 사월은 너무도 가슴 아픈 일이, 일어나지 말아야 할 일이 기어이 일어나고야 말았습니다. 세월호에 탑승했었던 눈 맑고 볼 붉은 아이들을 생각하면 아직도 눈물이 납니다. 물론 하느님께서 그 아이들을 데리고 가셨겠지만, 물욕(物欲)에 눈이 먼 어른들의 잘못된 삶으로 인해 다시는 돌이킬 수 없는 엄청난 사실 앞에 기성세대의 한 사람으로서 아직도 미안함과 부끄러움을 감출 수 없습니다. 사건이 일어나자마자 그 사건에 대해 어른들은 무어 그리 할 말이 많은지 연일 입에 거품을 물고 잘잘못에 대해 이러쿵저러쿵 입방아를 찧어댑니다. 모두들 책임을 회피해 보려는 술책이고 기만책임을 누구보다도 어른들 스스로가 더 잘 알고 있지 않을까 싶습니다.

그래서 그런지는 몰라도 올 들어 우곡 골짜기에 시나브로 피는 꽃들이 모두가 한꺼번에 피어올랐답니다. 여느 때 같으면 날마다 피는 꽃이 달랐는데 이번에는 사월에 피는 꽃과 오월에 피는 꽃이 한꺼번에 피어올라서 무척 놀랐답니다. 계절이며 자연은 언제나 하느님의 뜻에 순종하는데 올해만큼은 예외인 듯 보여서 걱정이 앞선답니다. 소머리산 아래 피는 꽃들도 그러한지 자못 궁금해지는 시간입니다. 그럼에도 힘 있는 사람들과 언론들과 거기에 부화뇌동하는 자들은 자신들의 입맛에 맞는 말들만 골라서 일반 사람들에게 마치 자신의 책임은 전혀 없는 것처럼 떠들어댑니다. 가능한한 말은 적게 하고 자신의 사회적 지위나 체면에 맞는 처신을 겸손하게 수행했으면 좋으련만 그렇질 못하니 참으로 안타깝습니다.

노자는 땅에서 일어나고 있는 온갖 사사건건(事事件件)들이 모두 사람으로서는 어찌할 수 없는 일에 속한다고 말합니다. 바람이 불고, 비가 내리고, 꽃이 피고, 열매가 달리고, 눈이 내리고 하는 것들은 모두 인간의 능력 밖의 것이라고 단호하게 못 박고 있지요.

다만 사람이 할 수 있는 일이 있는데 그것은 곧 '말 하는 것'이라고 전제한 뒤 인간이 하는 말도 가능하면 "성글게 하는 것이 자연스럽다"고 합니다.

'성글게 하는 것'이란 재바르거나 논리적으로 따져서 마치 달변가처럼 하는 것을 이르는 것이 아니라 '어눌하게 혹은 반벙어리처럼' 말을 하는 것이 오히려 자연 앞에서 사람이 겸손하게 살아가는 유일한 방법이라는 것이지요. 사실 사람들은 쓸데없이 너무 많은 말들을 하면서 살아가는 것이 아닌가 싶습니다. 너무나 많은 말들을 하고 살기 때문에 오히려 서로 소통하지 못하고, 자기 자신만을 내세우는 오만방자한 태도를 드러내게 되는 것이 아니겠는지요? 구약성경《코헬렛》에서는 다음과 같은 말을 전해 줍니다.

"하느님 앞에서 말씀을 드리려
네 입으로 서두르지 말고
네 마음은 덤비지 마라.
하느님께서는 하늘에 계시고 너는 땅 위에 있으니
너의 말은 모름지기 적어야 한다.
일이 많으면 꿈을 꾸게 되고
말이 많으면 어리석은 소리가 나온다."(코헬5,1-2)

노자도 다음과 같이 노래하는데, 마치 코헬렛의 말씀을 해설이라도 하듯이 합니다.

말을 성글게 하는 것이 자연스럽다네(希言自然).
그래서 회리바람은 아침내 불지 못하고(故飄風不終朝)
거친 비는 하루를 내리지 못하지(驟雨不終日).

누가 이렇듯이 하는가? 하늘과 땅이라네(孰爲此者天地).

하늘과 땅도 오래할 수 없거늘 하물며 사람에서야(天地尙不能久而況於人乎)?

요즈음 사람들은 말을 너무 빨리하고, 또 너무나 똑부러지게 이야기합니다. 여기에는 아이들이나 어른들이나 모두 비슷합니다. 말을 빨리하고 똑부러지게 한다는 것은 결국 자신의 견해나 주장을 타인에게 강력하게 주입시켜서 마치 자신의 주장이 진리나 진실인 것처럼 꾸며 보려는 것이거나 혹은 다른 사람들보다 자신의 지혜나 지식이 뛰어남을 은근히 과시하려는 것은 아닐까 싶습니다. 하지만 참된 지혜나 지식은 결코 인간에게서 나오는 것이 아니라 하느님으로부터 나오는 것임을 우리는 잘 알고 있지요. 욥은 자신이 체험한 하느님에 관한 신앙을 다음과 같이 고백합니다.

"저는 알았습니다. 당신께서는 모든 것을 하실 수 있음을,
당신께는 어떠한 계획도 불가능하지 않음을!
당신께서는 '지각없이 내 뜻을 가리는 자가 누구냐?' 하셨습니다.
그렇습니다. 저에게는 너무나 신비로워 알지 못하는 일들을
저는 이해하지도 못한 채 지껄였습니다."(욥42,2-3)

그렇지요? 수녀님, 어쩌면 우리네 삶이 욥과 같지 않을까요? 하느

님께서 모든 계획과 구원 경륜을 가지고 계시는데 우리는 그분에 대해 아무것도 모르면서 아는 체하며 온갖 되지도 않은 말을 마구 지껄이면서 살아오지 않았나 싶습니다. 노자도 그렇게 생각한 듯합니다. '도'가 무엇인지도 모르면서 도를 따르고, 도에 관해서는 자신이 제일 잘 안다고 사람들은 마구 말을 내뱉는다는 것입니다. 그것보다는 차라리 '어눌하게' 하는 편이 훨씬 도에 가까이 다가선 사람이라는 것이 노자의 입장입니다. 또 〈집회서〉의 저자는 말합니다.

"아무 바람에나 키질하지 말고
아무 길에나 들어서지 마라.
두 혀를 지닌 죄인의 짓이 그러하다.
네가 깨친 바를 굳게 지키고
네 말을 한결같이 하여라.
듣기는 빨리하고
대답은 신중히 하여라.
네가 이해했거든 이웃에게 대답하여라.
그러지 못했거든 손을 입에 얹어라.
영광과 치욕은 말에 있고
인간의 혀는 파멸이 될 수도 있다.
중상꾼으로 불리지 않도록 하고

네 혀로 올가미를 놓지 마라."(집회5,9-14)

"듣기는 빨리하고, 대답은 신중히 하여라."는 말씀이 곧 노자가 도에 합쳐서 살아가는 것과 닮아 있지요. 노자에 따르면, 도와 함께 있으면 도 역시 그와 함께 있게 되고, 도와 멀어지면 도 역시 그와 멀어진다는 뜻이 아닌가 싶습니다. 야고보 서간에도 "모든 사람이 듣기는 빨리 하되 말하기는 더디 하고 분노하기도 더디 해야 합니다."라고 하였고, 또 예수께서도 이와 유사한 말씀을 하시기를 "내가 너희에게 말한다. 누구든지 사람들 앞에서 나를 안다고 증언하면 사람의 아들도 하느님의 천사들 앞에서 그를 안다고 증언할 것이다. 그러나 사람들 앞에서 나를 모른다고 하는 자는 사람의 아들도 하느님의 천사들 앞에서 그를 모른다고 할 것이다."(루카12,8-9)라고 하셨지요.

그래서 도에 종사하는 이는 도와 함께하고(故從事於道者同於道)

덕스러운 자는 덕과 함께하며(德者同於德)

저버린 자는 잃어버림과 함께하지(失者同於失).

도와 함께하는 자는 도 역시 기꺼이 그를 알고(同於道者 道亦樂得之)

덕과 함께하는 자는 덕 역시 기꺼이 그를 안다네(同於德者 德亦樂得之).

저버림에 동참하는 자는 저버림 역시 기꺼이 그를 알지(同於失者 失亦樂得之)

믿음이 부족한 곳엔 불신만이 있다네(信不足焉 有不信焉).

제가 수녀님들께 편지를 쓰면서 여러번 인용한 예수님의 복음 말씀을 여기에서 또 인용하고 싶어졌습니다.

"너희는 말할 때에 '예' 할 것은 '예' 하고, '아니요' 할 것은 '아니요'라고만 하여라. 그 이상의 것은 악에서 나오는 것이다."(마태5,37) 사실 아무리 말이 어눌하거나 성근 사람이라 할지라도 '예' 혹은 '아니요'라는 말은 분명히 할 수 있다고 봅니다. 어쩌면 우리는 하느님 앞에서나 혹은 그 반대자들 앞에서 해야 할 말은 다만 '예' 혹은 '아니요'라는 이 두 가지가 아닐까 싶습니다.

모두들 오월을 향해 성모의 성월이요 제일 좋은 시절, 그리고 만물이 소생하는 청춘의 때라고 부르지요. 그러나 그렇게 부르는 것은 좋지만 정작 우리네 삶이 제일 좋은 시절로, 청춘의 싱그러움으로, 또 하느님께서 마련해 주신 부활의 삶으로 살아가고 있는지 되돌아봅니다. 세상은 지금 참담한 나날들을 보내고 있는 듯합니다. 어쩌면 우리 모두가 "비참과 사슬에 묶인 채 어둡고 캄캄한 곳에 앉아 있던 그들. 하느님의 말씀을 거역하고 지극히 높으신 분의 뜻을 업신여긴 탓이다."(시편107,10)라는 말씀을 새겨듣지 못한 것이 아닐까 생각합니다. 한국 교회는 프란치스코 교황님의 방한을 앞두고 저마다 '쇄신'을 부르짖고 있습니다만, 우리에게서 쇄신이란 곧 "하늘에 계신 내 아버지의 뜻을 실행하는 사람"(마태12,50)이 되는 것이 아닐까 싶습니다.

수녀님, 곧 오월이 가고 유월이 오겠지요? 날씨가 매우 가뭅니다. 이럴 때, 비라도 시원하게 한줄기 마른 대지를 적셔 주었으면 하고 청해 봅니다. 내일부터는 안동교구 사제단이 일주일 간의 연피정을 시작하는 날입니다. 마침, 참 맑은 모습으로 어린이처럼 그리고 어린이들과 함께 사시다가 주님 품으로 돌아가신 '필립보 네리 신부님'의 축일이기도 하네요. 오월 마지막 주일미사를 혼자 드리고 돌아와서 이렇게 앉아 편지를 씁니다. 편지를 적어가면서 문득 '동심(童心)'이라는 단어를 떠올려봅니다. 우리가 성인으로 공경하는 분들의 삶은 '동심', 곧 '어린이의 마음'이 아니었을까 생각해 봅니다.

지난번에 카타리나 수녀님과 잠시지만 휴대전화를 통해서 건강하신 목소리를 듣게 되어 얼마나 기뻤는지 모릅니다.

데레사 수녀님께서도 건강하시겠지요? 마지막 며칠 남지 않은 오월을 잘 보내시고 또 우리 곁에 은총으로 다가오는 유월을 맞이하시기를 기도합니다.

2014년 5월 25일 부활 제 6주일에

'발꿈치를 들고 있는 자','가랑이를 너무 벌리는 자',
'스스로 드러내는 자''옳다고 여기는 자',
'스스로 뽐내는 자','스스로 잘난체 하는 자'는
모두 허황된 꿈을 꾸고, 과유불급에 해당하는 사람들이 아닐까 한다.

발뒤꿈치를 들고 있는 자는 서있지 못하고.
가랑이를 너무 벌리는 자는 걷지 못하지.
스스로 드러내는 자는 밝지 못하고
스스로 옳다고 여기는 자는 빛나지 못하지.
스스로 뽐내는 자는 공덕을 없애버리고
스스로 잘난 체 하는 자는 어른 노릇 못한다네.

| 24장 |

발뒤꿈치로 선 자는 오래 서 있지 못하지

수녀님, 세월은 왜 이리 쏜 화살처럼 빨리도 흘러가는지요? 어찌 보면 세월은 그냥 그대로인데 세월을 살아가는 우리들의 마음이 까닭 없이 급해져서 그 탓을 세월에다 돌려대는 것은 아닌지 곰곰이 생각해 보는 유월입니다.

오월에서 유월로 넘어오는 시간에도 세상은 참 많은 일들이 일어났네요. 선거바람에다 국무총리 인사 문제, 교황님 방한에 따른 신자들의 참석 여부, 상주 감옥 터의 성역화 등등. 하지만 정작 중요한 것은 세상 속에 살아가면서 우리 자신이 얼마만큼 하느님의 뜻에 부합되게 살아왔느냐? 라는 진솔한 삶의 문제가 아닐까요? 사실 따지고 보면 그동안 우리는 하느님께 모든 것을 의탁하면서 살겠다고 약속해놓고서 얼마나 많은 날들, 얼마나 많은 시간들을 자신의 의지대로만 살아왔는지요? 지금 우곡의 골짜기엔 녹음이 싱그럽고 뻐꾸기 울음소리며 산새들의 소리는 그대로 하나의 아름다운 오케스트라 선율을 연상케 합니다.

예전보다 일찍 여름이 오니 벌써부터 수녀님들의 여름나기가 걱정이 됩니다. 올여름은 내리는 비의 양은 적고 대신에 엄청난 폭우가 지엽적으로 쏟아질 것이라는 예보가 있습니다. 예보를 물론 다 믿을 건 못되지만 이따금씩은 더러 예보가 맞아들어갈 때도 있으니 걱정이 앞설 수밖에요.

요즘 들어 공자(孔子)님이 말씀하신 이런 구절이 자주 떠오릅니다. '과유불급(過猶不及)'이라는 구절이지요. 이 구절은 『논어(論語)』의 〈선진편(先進篇)〉에 나오는 것인데 그 내용을 보면 다음과 같습니다.

먼저 자공(子貢)이 공자께 "사(師 : 자장(子長)의 이름)와 상(商 : 자하(子夏)의 이름) 중 어느 쪽이 어집니까?"하고 묻자, 공자는 "자장은 지나치고 자하는 미치지 못한다."고 대답하였다는 데서 유래하지요. '과유불급', 이는 이즈음의 우리 사회에 만연된 잘못된 행태 가운데 가장 많은 부분을 차지하고 있는 행태인데 아마도 모두가 허황된 꿈, 자신의 욕망만을 채우려는 못된 욕심, 이기심에서 비롯된 것이 아닐까 싶습니다.

그렇게 되면 결국 가난하고 소외받고 변두리로 밀려난 힘없는 사람들의 아픔과 슬픔과 흐르는 눈물을 위로해 주고 닦아 줄 이 누가 있겠습니까? 〈집회서〉의 저자는 '허황된 꿈'에 관하여 다음과 같이 노래합니다.

"지각 없는 사람은 헛된 거짓 희망을 지니며

꿈은 미련한 자를 흥분시킨다.

꿈에 집착하는 자는 그림자를 붙잡고 바람을 좇는 자와 같다.

꿈의 환시는 현실의 반영일 뿐

제 얼굴을 자기가 보는 것과 같다.

더러운 것에서 어찌 깨끗한 것이 나오고

거짓에서 어찌 참이 나오겠느냐?

점과 징조와 꿈은 헛된 것이다.

마음은 사고를 겪는 여인처럼 환상을 본다.

그것들이 지극히 높으신 분께서 보내신 것이 아니라면

거기에 마음을 주지 마라.

꿈은 수많은 이들을 속이고

그것에 희망을 품는 자들을 몰락시켰다."(집회34,1-7)

확실히 공자의 '과유불급'이나 집회서의 저자가 노래한 '허황된 꿈'은 결국 삼라만상 속에서 그 어떤 것도 자신이 옳다고 여기는 것이나 자신을 드러내는 것, 자신을 내세우는 것 모두가 허황된 것, 내버려야 할 것임을 지적하는 것이 아닐까 싶습니다. 세상 안에서 그 어떤 것도 자기 자신만을 위해 존재하거나 주어지는 것이 없으니 결과적으로 사람들의 '허황된 꿈'은 그야말로 허황되고 헛된 것일 수밖에 없다는 뜻이겠지요? 그러한 터무니없고 허황된 꿈에 부풀어 사는 사람들을 향하여 노자도 일갈(一喝)합니다.

발뒤꿈치를 들고 있는 자는 서 있지 못하고(企者不立).

가랑이를 너무 벌리는 자는 걷지 못하지(跨者不行).

스스로 드러내는 자는 밝지 못하고(自見者不明)

스스로 옳다고 여기는 자는 빛나지 못하지(自是者不彰).

스스로 뽐내는 자는 공덕을 없애버리고(自伐者無功)

스스로 잘난 체하는 자는 어른 노릇 못한다네(自矜者不長).

'발꿈치를 들고 있는 자', '가랑이를 너무 벌리는 자', '스스로 드러내는 자', '옳다고 여기는 자', '스스로 뽐내는 자', '스스로 잘난 체하는 자'는 모두 허황된 꿈을 꾸고, 과유불급에 해당하는 사람들이 아닐까 싶습니다. 이런 유형의 사람들은 세상 안에서뿐 아니라 우리 교회 안에서도 심심찮게 만날 수 있는 인물들이지요. 마치 세상을 초월해 있다거나 세상 사람들과 차별을 두려고 자신을 공중에서 날아다니는 특별한 사람으로 생각하는 사람도 있고요. 남들보다 빨리 달리고 멀리 가려고 두 다리를 있는 대로 다 벌려서 가려는 자는 결국 자신의 가랑이가 찢어지는 줄도 모르는 어리석은 사람과 다름 아니겠지요? 또 스스로 자신을 드러내고자 애쓰는 사람은 도리어 자신을 망치는 꼴을 면하지 못할 것이고, 이는 스스로 옳다고 여기는 자도 마찬가지가 아니겠는가 싶습니다. 공로는 쌓았으면서도 뽐내고 자랑하는 바람에 모든 것을 오히려 잃게 되지 않을까요? 예수님도 율법학자들과 바리사이들의 이러한 면 때문에 꾸짖으셨지요.

"율법학자들과 바리사이들은 모세의 자리에 앉아 있다.......그들은 말만 하고 실행하지 않는다."(마태23,2-3)

"그들은 무겁고 힘겨운 짐을 묶어 다른 사람들 어깨에 올려놓고, 자기들은 그것을 나르는 일에 손가락 하나 까딱하려고 하지 않는다. 그들이 하는 일이란 모두 다른 사람들에게 보이기 위한 것이다."(마태23,4-5)

"성구갑을 넓게 만들고 옷자락 술을 길게 늘인다. 잔칫집에서는 윗자리를, 회당에서는 높은 자리를 좋아하고, 장터에서 인사받기를, 사람들에게 스승이라 불리기를 좋아한다."(마태23,6-7) 그리하여 예수님은 그들에게 "눈먼 인도자"(마태23,16), "위선자"(마태23,23)라고 하시면서 서슴없이 질타하셨지요.

도의 입장에서 그것들이란(其在道也),

말하자면, 남은 밥 찌꺼기와 쓰잘데기 없는 행동이지(曰餘食贅行).

만물도 그런 것들을 싫어하고(物或惡之),

때문에 도를 지닌 자는 그런 것에 머무르지 않는다네(故有道者不處).

진실을 말하자면, 우리는 모두 하느님 앞에서 "벌레 같은 야곱, 구더기 같은 이스라엘"(이사41,14)이 아니겠는지요? 노자의 표현대로 밥값도 제대로 못하는 '남은 밥 찌꺼기'에 불과하고 입만 열면 자기 자랑만 늘어놓고, 하는 일이라곤 모두 '쓰잘데기 없는 행동'뿐이겠지요? 요며칠 동안 우곡에도 몇 차례 비가 내렸답니다. 천둥을 동반한 요란한 비였지만 아직도 입술을 축이기엔 부족하답니다. 하지만 그래도 그것이 어디에 견주겠습니까? 꿀같이 달콤한 은총입니다.

그마저도 내려 주시지 않으시면 벌레만도 못한 우리들이 어떤 대책을 강구할 수 있겠는지요? '도'는 '말씀'이라고도 번역될 수 있습니다. 따라서 '도에 관한 입장'은 곧 '하느님의 말씀에 관한 입장'이라고도 생각해 볼 수 있지요. 곧 그분의 입장에서 보면 우리는 '아무것도 아닌' 존재입니다. 돋아나는 풀들이나 기어다니는 벌레들도 싫어해서 피해갈 정도로 형편없는 존재가 바로 우리들이 아닐까 싶습니다. 그래도 하느님께서는 그러한 미욱하고도 투미한 존재에 대해서도 이토록 큰 일을 맡기시고 꿀보다 단 은총을 내려주시니 그저 감읍하고 또 감읍할 따름입니다.

수녀님, 지난번에 보내주신 '제병(祭餠)' 감사하고 고마운 마음으로 잘 받았습니다. 거기에 수녀님들의 정성어린 손길이 수백 번 수천 번 보태어졌다고 생각하니 미사를 드릴 때마다 언제나 수녀님들을 보내주신 하느님께 감사를 드리고, 또 수녀님들을 위해서 기도하게 된답니다. 요즘은 계속해서 운동 삼아 길섶에 우거진 풀을 베고 있답니다. 풀은 곡식들과 달라서 얼마나 잘 자라는지 모르겠습니다. 아깝지만 이곳을 찾는 순례자들을 위해서라도 어느덧 풀베기는 멈출 수 없는 일과가 되었답니다.

모든 것을 하느님께서 베풀어 주시니 아쉬울 것 없고, 하느님께서 보내주신 풀, 새, 나무, 풀벌레, 뱀, 도마뱀, 시냇물 등등이 저와 함께 하니 혼자 있어도 혼자 있는 것이 아니고, 함께 있으니 또한 일상의 삶이 즐겁기가 그지없답니다.

가끔씩 수녀님들의 웃음소리가 아름답게 저의 귓전을 울리는 환청도 들려오고요. 비가 그치니 기온이 또 올라갑니다. 언제나 밝은 웃음 잃지 않는 하느님의 사랑스런 공동체가 되기를 기도합니다. 늘 건강하시고요.

다음 제25장에서 또 뵙겠습니다.

2014년 6월 25일 한국전쟁 기념일에

세상 안에는 네 가지 큰 것이 있는데,
왕이 그 하나를 차지하지, 사람이 땅을 본받고,
땅은 하늘을 본받으며, 하늘은 도를 본받고,
도는 스스로 그러하신 분을 본받는다네.

| 25장 |

있는 것은 뒤섞여 이루어져 있다네.

수녀님, 신나게 우곡 산책길섶으로 어지럽게 어우러진 풀을 깎고 나무 그늘에 앉아서 시원한 물 한 모금 마시다 보니 어느덧 칠월이 되었네요. 칠월 속에 묻혀 있으니 마치 저도 칠월이 된 듯 착각 속에 머물러 있는 것처럼 느껴집니다. 그만큼 칠월은 녹음(綠陰)이라는 짙푸름 속에 모든 것이 뒤섞여 있기 때문이 아닐까 싶습니다.

사회도, 경제도, 문화도, 종교도, 그리고 사람서리에서 엮어진 모든 관계의 고리들은 '무엇이 참이고 무엇이 거짓인지'를 명확하게 구분하기가 쉽지 않은 상태에 놓여 있다는 것이 지금의 제 생각입니다. 하지만 이러한 혼돈의 상태가 결코 나쁜 것만은, 잘못되어 돌아가는 것만은 아닐 것이라는 확신을 가져봅니다.

이 혼돈의 상태를 제대로 걷어내기만 하면 곧 칠월의 밤하늘에 반짝이는 별들처럼 진실의 반짝임과 만날 수 있기 때문이지요. 혼돈 속에서 곧 '참'이 드러나고, '참'에서 우리는 하느님의 진면목과 대면할 수 있기 때문이지요. 그것이 바로 하느님께서 우리들을 위해 내어놓으신 '창조사업'이 아닐까 싶습니다.

이 장에서도 우리는 노자가 말하는 '창조주(創造主)' 하느님의 흔적을 어느 정도 찾아 엿볼 수 있지요. 그렇기 때문에 어떤 사람이 동아시아에서 하느님의 활동에 관해 "하느님께서는 세상의 그 어떤 선교사보다도 먼저 오셔서 선교하신다."라고 한 주장에 대해 저는 충분히 동감하고 있지요.

이는 노자가 노래한 『도덕경』의 대목들을 조금만 찬찬히 살펴보아도 금방 알아낼 수가 있는 명제가 아닐까 싶습니다. 이 장에서의 첫대목을 보면, 마치 《구약성경》의 용약을 보는 듯합니다.

있는 것은 뒤섞여 이루어져 있다네(有物混成).

하늘과 땅보다 먼저 살아가고 있었지(先天地生).

소리도 없고 냄새도 없어라(寂兮寥兮)!

홀로 서 있으면서 달라지지도 않는구나(獨立不改).

두루 다니면서 지치지도 않으니(周行而不殆),

하늘과 땅의 어미랄 수 있지(可以爲天下母).

나는 그 이름을 알지 못하니(吾不知其名),

글자를 붙여 '도'라고 했고(字之曰道),

억지로 이름하여서 '크시다.'라고만 했지(强爲之名曰大).

노자는 어떤 것이든 "존재하는 것이라면 모두 한데 뒤섞여서 이루어져 있다."라고 존재하는 모든 것의 실체를 소개합니다. 이 뒤섞임의 존재는 "하늘과 땅보다도 앞서 살아가고 있다."고 하면서 세상의 어떤 사물보다도 앞서 생활하고 있기 때문에 그 존재의 '초월성'을 제기합니다. 창세기에 보면 "한 처음에 하느님께서 하늘과 땅을 창조하셨다. 땅은 아직 꼴을 갖추지 못하고 비어 있었는데, 어둠이 심연을 덮고 하느님의 영이 그 물 위를 감돌고 있었다."(창세1,1-2)

"말도 없고 이야기도 없으며
그들 목소리조차 들리지 않지만
그 소리는 온 땅으로,
그 말은 누리 끝까지 퍼져 나가네."(시편19,4-5)

"나는 네 아버지의 하느님, 곧 아브라함의 하느님,
이사악의 하느님,
야곱의 하느님이다.......나는 있는 나다."(탈출3,6-14 참조)

어쩌면 우리도 하늘과 땅을 창조하시고, 사람을 만들어서 당신의 거룩한 생명을 손수 불어넣으시며 잘못 살아서 죽을 수밖에 없는 인간을 구원하시기 위하여 몸소 사람이 되신 분을 억지로 '하느님'이시라고 이름 붙인 건 아닐까요? 사실 그분은 그 어느 누구에게서도 불릴 수 있는 분이 아니시지요? 왜냐하면 그분은 '창조주'이시기 때문입니다. 그분께서는 스스로도 "나는 있는 나다."라고 말씀하셨지요. 그처럼 노자에게서 '도' 또한 억지로 붙인 이름이며 좀 더 부연하자면 '크다', '위대하다'라고 그저 아둔한 인간의 머리에서 나오는 대로 갖다 붙인 것에 불과하다는 것입니다. '소리도 없고 냄새도 없다.'는 것은 '아무런 소리도 없고 아무런 모양도 없는' 그야말로 '조용하고 고요한 존재'라는 뜻이겠지요? 마치 "주님께서 바람 가운데도 계시지 않았다. 바람이 지나간 뒤에 지진이 일어났다.

그러나 주님께서는 지진 가운데서도 계시지 않았다. 지진이 지나간 뒤에 불이 일어났다. 그러나 주님께서는 불 속에도 계시지 않았다. 불이 지나간 뒤에 조용하고 부드러운 소리가 들려왔다."(1열왕19,12)는 말씀처럼, '조용하고 부드러운 소리'는 곧 그분이 우리 가운데 '존재하심'을 드러내는 단적인 표현이지요.

그렇지요. 사실은 이 세상에 살아가는 그 어떤 누구도 '하느님'에 관해서 이렇게 저렇게 이야기할 사람이 없지요. 마찬가지로 노자에게서도 '도'라고 부르는 바로 그 존재는 아무도 시비를 걸 수 없는 초월적 존재라고 볼 수 있습니다.

"누가 그분의 위대한 업적을 헤아릴 수 있으랴?

누가 그분의 위대하신 권능을 측정하고

누가 그분의 자비를 낱낱이 묘사할 수 있으랴?

주님의 놀라운 업적에서 뺄 수도 더할 수도 없고

그것을 헤아릴 수도 없다."(집회18,4-6)

이 장을 자세히 읽어보면, 이미 앞에서 읽었던 1장에서 '도가 말해 질 수 있다면'이나 2장에서 '세상이 모두 아름답다고 말하는 것'이나 혹은 6장에서 '골짜기의 신은 죽지 않는다.'라는 등등의 노래가 어느 때보다도 아련하게 되살아나는 듯합니다. 어떠한 개념화나 명제화를 할 수 없는 것이 곧 노자가 말하는 '도'이지요. 그래서 그는 '하늘과 땅의 어미'라고 부릅니다. 세상을 살아가는 여자들은 약하고 여린 존재이지만 세상을 살아가는 '어미'는 강하면서도 부드러운 존재이지요. 여자는 창조된 생명체이지만 어미는 생명체를 세상에다 내어놓는 창조주의 모습을 쏙 빼닮았다고도 말할 수 있다는 이야기입니다. 어쩌면 우리 교회의 모습도 곧 하느님의 모습, 도의 모습, 어미의 모습을 살아야 하는 것이 아닐까 생각해 봅니다.

커지면 가게 되고(大曰逝)

가고 나면 멀어지며(逝曰遠)

멀어지면 되돌아오느니(遠曰反).

그래서 도는 크고(故道大),

하늘은 크고(天大),

땅은 크고(地大),

왕 역시 크다네(王亦大).

위 대목을 읽고 생각나는 것이 있네요. '화무십일홍(花無十日紅)'이요 '권불십년(權不十年)'이라는 옛말이지요. 꽃은 아무리 붉어도 열흘이 지나면 그 화려한 자태는 사라져버리고, 또 권력이 아무리 득세하더라도 십 년을 다 채우는 법이 없다는 뜻이지요. 이는 우리 인생에 있어서 사람이 아무리 용을 써도 결국은 아침 이슬처럼 사라져 버리고 말 '덧없음'을 표현해낸 말이 아닐까 싶습니다.

"정녕 당신 눈에는 지나간 어제 같고

야경의 한때와도 같습니다.

당신께서 그들을 쓸어 내시면

그들은 아침잠과도 같고

사라져가는 풀과도 같습니다.

아침에 돋아났다 사라져갑니다.

저녁에 시들어 말라 버립니다."(시편90,4-6)

하지만 수녀님, 노자가 말하는 도는 위대해 나가다가도 스스로 없는 듯이 자신을 감추고 사라져 버리고, 아주 사라져버려 그 어떤 누구에게서도 잊혀져버린 존재처럼 멀어져 버리더라도 곧 다시 되돌아오는 이른바 끊임없는 '부활'의 삶을 사는 존재입니다.

그래서 마치 참 하느님이시면서도 사람으로 오셨고, 사셨고, 죽으셨고, 부활하신 예수님의 모습을 보는 듯합니다. 이와 같이 하늘도, 땅도, 왕도, 곧 도를 닮아서 그처럼 위대한 존재로서의 가치를 발휘해야 한다는 것이 노자의 주장입니다.

"나는 너희를 고아로 버려두지 않고
너희에게 다시 오겠다.
이제 조금만 있으면,
세상은 나를 보지 못하겠지만,
너희는 나를 보게 될 것이다.
그날, 너희는 내가 아버지 안에 있고,
또 너희가 내 안에 있으며,
내가 너희 안에 있음을 깨닫게 될 것이다."(요한14,18-20)

지금 세상의 통치자들과 위정자들은 도를 본받지 못하고, 하늘과 땅을 본받지 못하고 있는 것 같습니다. 뿐만 아니라 지도자로 자처하는 크고 작은 공동체의 장들 역시 다 그런 것은 아니지만 겸손하지도 못하고, 온유하지도 못하며 자신의 독선과 아집을 마치 하느님의 뜻인 것처럼 열변을 토하면서 살아가는 이들이 참 많습니다.

그런 이들이 많으면 많을수록 세상은 하느님께서 마련해 주신 평화의 세상과는 거리가 멀어지겠지요. 멀어지게 되면 결국 참 평화이신 그분께서 다시 나서시지 않을까 믿어 의심치 않습니다.

세상 안에는 네 가지 큰 것이 있는데(域中有四大),

왕이 그 하나를 차지하지(而王居其一焉).

사람은 땅을 본받고(人法地)

땅은 하늘을 본받으며(地法天)

하늘은 도를 본받고(天法道)

도는 스스로 그러하신 분을 본받는다네(道法自然).

"사람은 땅을 본받고, 땅은 하늘을 본받으며 하늘은 도를 본받고, 도는 스스로 그러하신 분을 본받는다."는 노자의 노래에 참으로 동감하는 바가 큽니다. 사람이 평화를 지키고, 겸손해야 하며 정의를 실현해야 하고, 끊임없이 다른 이들에게 가진 것을 나누어 주어야 한다는 것이 하느님의 뜻이지요. 땅이 바로 그런 미덕들을 실천하고 있지요. 그렇다면 당연히 땅에다 발을 딛고 살아가는 우리는 땅을 본받으며 살아야 할 것입니다.

오늘날 사람들은 땅을 업신여기고, 마구 파헤치며 땅을 못살게 굽니다. 그러니 이것이 바로 사람들과 사람들 사이 역시 문제가 생길 수밖에 없다는 구체적인 방증이 아닐까 싶습니다. 땅은 평화를 바라고, 누구에게나 자신을 내어주며 온갖 사사물물을 살 수 있도록 끊임없이 자양분을 공급합니다. 땅이 이렇게 하는 것은 곧 하늘을 닮고, 그것을 본보기로 삼고 있기 때문이 아니겠습니까? 또한 하늘 역시 생명을 내고 움트게 하며 꿀보다 단 이슬비를 내려주는 행위들은 곧 하늘이 바로 도를 닮았기 때문이지요. 도 역시 원래부터 그러한 존재이니 당연히 스스로 그러한 존재를 닮았다고 말할 수 있지요. 아니 닮았다기보다도 스스로 그러한 존재와 하나되어(일치) 있다고 보는 편이 더 나을 것입니다. 그렇다면 결국 스스로 그러하신 분과 도와 하늘과 땅과 사람은 하나로 이어져 있으며 결국 그러하신 존재와 '하나'임을 미루어 깨달을 수 있을 것입니다. 하지만 이 가운데 유독 인간만이 '독야청청(獨也靑靑)'하다거나 '독불장군(獨不將軍)' 행세를 하니 참으로 안타까운 일이 아닐 수 없습니다.

이렇게 되면, 스스로 그러하신 존재와 도와 하늘과 땅과 사람이 함께하는 '공동체' 안에서 밖으로 튕겨져 나가 소외되고 말 존재는 사람이 아닐까 싶습니다. 공동체 구성원들 가운데 아무도 사람을 내친 적이 없고 싫어한 적이 없는데 사람이 스스로 공동체의 삶을 싫어하고,

홀로 잘난 체하기 때문에 저절로 공동체에서 떨어져 나가게 된 것이 아닐까 싶습니다. '자업자득(自業自得)'이지요. 하지만 사람들은 그러한 상태를 자업자득의 문제라고 생각하지 않는 것이 또한 심각한 문제가 아닌가 싶습니다.

그럼에도 공동체 구성원들은 사람이 하루 속히 마음을 바꾸고, 고쳐먹어(회심, 회개) 공동체로 되돌아오기를 한없이 기다리고 있겠지요. 돌아오게 되면 다시 '스스로 그러하신 분'과 '하나됨'은 아주 분명한 사실이고 진실이 아닐까 싶습니다.

수녀님, 칠월 하순입니다. 벌써부터 이곳에 오기로 되어 있는 각 성당에서는 방학하는 아이들을 위하여 수시로 이곳을 들락거리면서 준비하는 모습을 보이고 있습니다. 얼마 안 가서 이곳 골짜기가 아이들의 웃음소리로 가득해지겠지요. 하지만 걱정이 하나 있습니다. 비가 너무 오지 않아 계곡에 흐르는 물이 겨우 숨소리만 할딱일 정도로 아주 작은 소리를 내면서 흘러가기 때문입니다. 작년 이맘때 같으면 계곡에 물이 제법 우렁차고 씩씩하게 흘러가는 소리를 내었는데, 올해는 그렇지 못해서 시원한 계곡물 소리를 아이들에게 들려주지 못할까봐 걱정이 앞섭니다. 제가 걱정해서 될 일은 아니겠지요? 그것은 하느님께서 하시는 일이기 때문입니다. 하지만 하느님께서 사람에게 도움을 주시고 싶어도 결국 인간이 받아들일 준비를 하지 못하고 오히려 방해거리만 잔뜩 벌여 놓는다면 내리는 비가 땅에 닿기도 전에 말라버릴 가능성이 크질 않을까도 생각해 봅니다. 정성스럽게 보내주신 제병(祭餠)을 잘 받았습니다. 아울러 부탁하신 '시간경'의 찬미가에 대해서는 계속 묵상 중에 있습니다. 수녀님들 모두 잘 계시지요? 특히 카리타스 수녀님과 데레사 수녀님께 안부 전해 주시기를 바랍니다. 다음 달에 또 뵙겠습니다.

2014년 7월 22일 성녀 마리아 막달레나 축일에

꽃마리

무거움은 가벼움의 뿌리가 되고,
조용함은 조급함의 주인이 되지.
이래서 거룩한 사람은 종일토록 다니면서도
짐수레의 무거움에서 떠나지 않는다네.

| 26장 |

무거움은 가벼움의 뿌리가 되고

수녀님, 그나마 태풍 덕분에 오랫동안 비가 내리지 않아 걱정했던 우려들이 해소되었답니다. 우곡에 반가운 비가 뿌렸기 때문입니다. 그 때문인지 산천이 더욱 싱그러워 보이는 팔월입니다.

골짜기를 울려대던 아이들도 다 떠나고 우곡은 다시금 고요로 돌아온 듯 적막하기만 하답니다. 여름 매미 소리가 조금씩 잦아들고 쓰르라미(寒蟬)나 귀뚜라미 울음소리가 제법 또렷하게 들려오고 바람소리에서마저 가을의 냄새가 묻어납니다. 세월이 빠른 것인지 인간의 삶이 덧없는 것인지 모를 정도 속에서 계절의 변화를 조금씩 감지하고 있는 이즈음입니다. 따지고 보니, 제가 소머리산을 떠날 때가 팔월 말 구월 초니 시간으로 계산해 보면 햇수로 벌써 네 번째가 돌아오네요. 뒤돌아보면 모든 것이 엊그제 일 같은데, 수녀님들의 모습도 하나같이 기억 안에서 선명하게 떠오르는데 말입니다. 밭을 일구고 배추 모종 옮겨 심고 또 무씨도 파종하면서 그리고 텃밭에 익어가는 고추도 따면서 가을을 준비하기에 분주했던 지난날들도 기억 안에 또렷이 박혀 있는

데 말입니다.

확실히 한국 천주교회는 하느님으로부터 축복을 많이 받는 신앙 공동체인 모양입니다. 교황님이 벌써 세 번씩이나 다녀갔으니 말입니다. 이는 그만큼 한국 천주교 신앙 공동체가 제대로 살고 있지 못하다는 방증이 아닐까도 조심스럽게 생각해 봅니다. 왜냐하면 불현듯이 사도 바오로가 로마인들에게 보낸 편지의 한 구절 "죄가 많아진 그곳에 은총이 충만히 내렸습니다. 이는 죄가 죽음으로 지배한 것처럼 은총이 우리 주 예수 그리스도를 통하여 영원한 생명을 가져다주는 의로움으로 지배하게 하려는 것입니다."(로마5,20)라는 말씀이 떠올랐기 때문입니다. 프란치스코 교황께서 한국인과 한국과 한국 천주교회에 제시하신 당부의 말씀이 아직도 귀에 생생히 남아 있습니다.

교황께서는 방한 첫날 청와대에서 "평화는 단순히 전쟁이 없는 것이 아니라 정의의 결과"라며 "정의는 과거의 불의를 잊지는 않되 용서와 관용, 협력을 통해 불의를 극복하라고 요구한다"고 말씀하셨지요. 또 "평화란 상호 비방과 무익한 비판이나 무력 시위가 아니라 상대방의 말을 참을성 있게 들어주는 대화를 통해 이뤄질 수 있다는 확고부동한 믿음에 바탕을 둔다."며 대화와 소통의 중요성을 강조하셨습니다. 그리고 박근혜 대통령과 한 면담에서는 "한반도는 점차 하나가 될 것이므로 이를 위해 기도하겠다."고 하시고, 이어서 15일 아시아 청년대회에서는 즉흥 연설을 통해 "한 가족이 둘로 나뉜 건 큰 고통이지만 한국은 하나라는 아름다운 희망이 있다"며 "그중 가장 큰 희망은 같은 언어를 쓰는 한 형제라는 것"이라고 말해 주셨습니다. 뿐만 아니라 한국을 떠나기 전 서울 명동성당에서 '평화와 화해를 위한 미사'를 집전한 교황은 남북한이 서로 진심 어린 대화로 평화와 화해를 위한 노력에 나설 것을 주문하셨지요. 강론을 통해서 "주님은 형제가 죄를 지으면 일곱 번이나 용서해 줘야 하냐?"고 베드로가 묻자, "일곱 번이 아니라 일흔일곱 번까지라도 용서해야 한다고 말씀하셨다"며 "죄 지은 형제들을 아무런 남김없이 용서하라"(마태18,21-22)고 조언하기도 했습니다. 방한 기간 교황의 평화를 향한 메시지는 한반도에만 국한된 것은 아니었지요. 프란치스코 교황님이 충남 서산 해미 순교성지 성당에서 아시아 주교단을 상대로 한 연설에서 "자신의 정체성을 명확히 의식하고 다른 이와 공감하는 것이야말로 모든 대화의 출발점"이라고 강조했습니다.

그리고 그분은 "대화는 아시아 교회 사명의 본질적인 부분이다. 많은 다양한 문화가 생겨난 이 광활한 대륙에서 교회는 유연성과 창의성을 발휘하여 대화와 열린 마음으로 복음을 증언하라는 요청을 받고 있다"고 말하시면서 "다른 이들, 다른 문화와 대화를 시도할 때 출발점과 근본 기준은 그리스도인이라는 우리의 정체성"이라며 "우리의 정체성을 의식하지 않는다면 진정한 대화를 나눌 수 없다."고 밝혔습니다. 이어 "우리의 대화가 독백이 되지 않으려면 생각과 마음을 열어 다른 사람, 다른 문화를 받아들여야만 한다."고도 말했습니다.

그분은 "우리는 다양한 방식으로 나타나는 세속 정신에 유혹을 받기 때문에 정체성을 확립하고 표현한다는 것이 언제나 쉬운 일만은 아니다."라면서 3가지를 예로 들었지요.

첫째, 상대주의라는 거짓된 빛이라고 했습니다. 그분은 "여기서 말하는 상대주의는 단순한 하나의 사고 체계가 아니라 우리도 알지 못하는 사이에 정체성을 무너뜨리는 매일의 일상에서 실천되는 상대주의"라면서 "상대주의는 진리의 빛을 흐리게 하고, 우리 발이 딛고 선 땅을 뒤흔들며 혼란과 절망이라는 종잡을 수 없는 상황 속으로 우리를 밀어 넣는다."고 하셨습니다. 또 세상이 그리스도인들의 정체성을 위협하는 두 번째 방식은 '피상성'이라고 하면서 "피상성은 무엇이 옳은지 분별하기보다는 최신 유행이나 기기, 오락에 빠지는 경향을 말한다. 이는 성직자들의 사목 활동과 그 이론에도 영향을 미쳐 신자들과의 만남을 가로막고, 특히 탄탄한 교리 교육과 건전한 영성 지도가 필요한 청년들과의 직접적이고 유익한 만남을 방해할 수 있다"고 경고하셨지요.

세 번째 유혹으로는 쉬운 해결책, 이미 가지고 있는 공식, 규칙과 규정들 뒤에 숨어 확실한 안전을 택하려는 경향을 들었습니다. 그분은 "진정한 대화에는 그리스도인이라는 분명한 정체성과 함께 공감할 수 있는 능력도 요구된다. 다른 이들이 하는 말을 듣는 것만이 아니라 말로 하지는 않지만 전달되는 그들의 경험, 희망, 소망, 고난과 걱정도 들을 수 있어야 한다."고 역설하시면서 이어 "진정한 대화는 마음과 마음이 소통하는 진정한 만남을 이끌어 낸다."며 "다른 이들의 지혜로 우리 자신이 풍성해지며 마음을 열고 다른 이들과 함께 더 큰 이해와 우정, 연대로 나아갈 수 있게 된다."고 말씀하셨답니다. 그분은 "다른 이들에 대한 열린 마음으로 아직 성좌와 완전한 관계를 맺지 않고 있는 아시아 대륙의 몇몇 국가들이 모두의 이익을 위하여 주저 없이 대화를 추진해 나가기를 희망한다."고 밝히셨지요.

교황님은 한국에 오셔서 가시는 곳마다 많은 어록을 남기셨는데 그 가운데 가장 인상적인 것은 이것이었습니다.

'이 세상에 내 것은 하나도 없다' / 매일 세수하고 목욕하고 양치질하고 / 멋을 내어보는 / 이 몸뚱이를 나라고 착각하면서 살아갈 뿐이다. / 우리는 살아가면서 / 이 육신을 위해 / 돈과 시간, 열정, 정성을 쏟아 붓습니다. / 예뻐져라, 멋져라, 섹시해져라, 날씬해져라, 병들지 마라, 늙지 마라, 제발 죽지 마라……! / 하지만 이 몸은 내 의지와 내 간절한 바람과는 전혀 다르게 / 살찌고, 야위고, 병이 들락거리고, 노쇠화 되고, 암에 노출되고, 기억이 점점 상실되고, 언젠가는 죽게 마련입니다. / 이 세상에 내 것은 하나도 없습니다.

위 말씀을 남기신 교황께서 마지막 미사를 마치시고 명동성당을 떠나가실 때 뒷모습이 얼마나 아름다운지요! 아름답기에 슬프고, 슬프니 쓸쓸하고, 쓸쓸하기에 더욱 찬란하게 빛이 났지요. 그분은 우리들에게 신앙생활을 하는 가운데 무엇이 중요하고, 어떤 것이 소중하며 어떻게 살아야 참된 것인지를 일깨워 주셨지요. 과연 우리 주 예수 그리스도의 적자(嫡子)라고 해도 손색이 없습니다.

이렇게 우리들의 삶, 인생에 대해서 진지하게 생각해 볼 수 있는 기회를 몸소 보여 주셨고, 그것을 바라보았던 우리 겨레는 얼마나 풍성한 은총을 받았는지요? 그 옛날 노자도 역시 오늘날의 천박하고 경직된 문화에 대해 고민하고 또 세상에 대해 일침을 가했는데 꼭 프란치스코 교황님의 어록과 몹시도 닮았다는 데 새삼 놀랍니다.

무거움은 가벼움의 뿌리가 되고(重爲輕根)

조용함은 조급함의 주인이 되지(靜爲躁君).

이래서 거룩한 사람은 종일토록 다니면서도(是以聖人終日行)

짐수레의 무거움에서 떠나지 않는다네(不離輜重).

비록 화려한 볼거리들을 가졌더라도(雖有榮觀)

한적하게 머무르면서 초연해하지(燕處超然).

이왕지사 교황님의 이야기 나왔으니 좀 더 얘기해 볼게요. 그분은

"낮은 곳으로", "가난한 자에 대한 우선적 선택", "약자에 대한 우선적 배려", "잠들어 있는 자는 느낄 수도, 말할 수도, 뛰어다닐 수도 없기 때문에 우리는 일어나야 한다.", "남과 북은 화해하고 대화를 해야 한다. 서로 같은 언어를 사용하고 있기 때문에 희망이 있다." "부자 교회가 되지 말아야 한다.", "양의 냄새가 나는 사제가 되어야 한다.", "폐쇄된 공간에 갇혀 있지 말고 거리를 활보하는 사제가 되어야 한다.", "어떠한 종교든지 서로를 인정하면서 함께 손 맞잡고 걸어가자." 등등 매우 많은 어록들을 우리들에게 남겨 주었지요. 그러나 그러한 어록들은 결코 공허한 메아리, 그저 한 번 해보는 말솜씨가 아니라는 걸 우리는 잘 알고 있답니다. 그 말씀 속에 그의 전 인생이 담겨져 있기 때문이지요. '언행(言行)', '내외(內外)', '동정(動靜)', '표리(表裏)'가 모두 일치를 이루고 있는 그분의 모습을 우리는 알고 있기 때문입니다. 하지만 여기에서 우리가 또 알아야 될 것이 있습니다. 그분이 지향하는 가치는 곧 가벼움보다는 무거움, 촐싹거림보다는 조용하고 안정됨, 추함보다는 아름다움, 악함보다는 선함, 거친 남성성보다는 부드러운 여성성, 굳셈보다는 약함, 채움보다는 비움, 불보다는 물 등등에 있다는 것을 말입니다. 사람들은 흔히 위에 나열한 여러 가지들에 대해 그 반대의 것들을 선택하지요. 하지만 교황께서는 모든 사람들이 선호하기를 꺼려하는 것들을 오히려 선택함으로써 '중용(中庸)'의 가치를 일깨워 주고 또 몸소 보여 주셨지요. 또 로마로 돌아가는 비행기 안에서 기자들이 교황께 "세월호 참사를 상징하는 노란 리본을 떼는 것이 어떠냐? 정치적으로 중립을 지켜야 하지 않나?"라는 질문에 대해서도 그분은 "눈앞에 고통을 겪고 있는 이들 앞에서 어찌 중립을 지킬 수 있는가?" 라고 단호히 당신의 입장을 피력했다고 합니다.

참으로 그분은 조용조용하면서도 부드럽고 결코 조급함도 없이 중후한 의미가 담긴 말씀을 하시는 것을 보고, 오늘날 우리 한국인들이 어떻게 대화를 하고, 소통을 하며 인간관계를 맺으면서 살아가야 하는가에 대해 많은 생각을 하게 합니다.

그분의 일거수일투족이 노자가 노래한 내용들과 어쩌면 그렇게도 닮아 있는지요? 그래서 시대와 거리가 서로 달라도 진리는 그 자체로 진리이기 때문에 서로 통하는 것이 아닌가 싶습니다.

어찌 만승의 주인이면서도(柰何萬乘之主)

자신의 몸으로 세상을 가볍게 여길 수 있겠는가(而以身輕天下)?

가볍게 여기면 바탕을 잃게 되고(輕則失本)

조급해하면 주인 자리를 잃어버린다네(躁則失君).

수녀님, 지난 팔월 초까지만 해도 우곡 골짜기에는 비가 내리지 않아 계곡에 흐르는 물이 겨우겨우 아주 힘겹게 아래로 조금씩 내려갔지요. 물소리도 귀 대고 자세히 들어야만 겨우 흐느끼면서 흐른다는 걸

그때서야 알았습니다. 지금은 우렁차게, 세차게 흘러가는 것이 마치 우레와 같습니다. 비가 내리니 우곡의 골짜기에는 여느 때보다도 새들이 많이 날아들고, 아이들이 떠난 자리에 이름 모를 꽃들이 한가득 피어나 각자의 자리에서 하느님을 찬미하는 듯합니다.

모두가 세상을 창조하신 하느님을 찬미하면서도 결코 자신이 몸담고 있는 세상을 가볍게 여기지 않고 있는 듯하니 하느님께서 정해주신 '본래의 바탕'을 잃어버릴 수가 없다는 생각을 해봅니다. 단지 교황께서 떠나시고 모두들 일상의 자리로 돌아온 인간들만이 여전히 이리저리로 흔들리고 떠돌면서 자신들만의 욕심을 자꾸만 덧칠하고 있는 것 같아서 마음이 아플 따름입니다. 마침 오늘이 '성 베르나르도 아빠스 학자' 축일이네요. 이분의 삶이 성녀 대데레사나 성 십자가의 요한 등에 매우 큰 영향을 끼쳤다는 생각에까지 미치자 소머리산자락에 살고 계시는 수녀님들의 모습들이 하나 둘씩 떠오릅니다.

모두들 잘 계시지요? 특히 데레사 수녀님과 카리타스 수녀님, 여전히 건강하시지요? 아, 참 지난번에 부탁하신 시간경 '찬미가'에 대해서는 여전히 묵상 중에 있습니다. 성덕이 부족해서 생각하면 할수록 좋은 노랫말이 생각나지 않습니다. 함께 기도해 주시길 청해 봅니다.

그럼 다음 달에 또 뵙도록 하겠습니다.

2014년 8월 20일 성 베르나르도 아빠스 학자 축일에

"타산지석"이라는 옛 격언을 알고 계시는지요?
남의 산에 있는 돌이라도 나의 옥을 다듬는 데에
소용이 된다는 뜻으로, 다른 사람의 하찮은 언행
또는 허물과 실패까지도 자신을 수양하는 데
도움이 된다는 뜻이랍니다.

| 27장 |

제대로 다니면 족적을 남기지 않게 되고

수녀님, 잘 계시겠지요? 구월이 성큼 다가와 무덥고 후텁지근한 여름을 밀어내고 맑고 찬 기운을 우리 곁으로 데려오고 있네요. 그 어느 때보다도 이른 추석을 맞이하였고, 또 그렇게 사람들이 올 한가위가 38년 만에 만나는 '이른 추석'이라고 호들갑을 떨더니 그 추석마저도 속절없이 지나가버렸습니다. 마치 솔로몬이 말한 "이 또한 지나가리라."는 명언이 생각나기도 하는 시간입니다.

이 명언이 나오게 된 배경은 대체로 이러하다고 합니다. 이스라엘의 다윗 왕이 세공 기술자를 불러 "날 위해 아름다운 반지를 하나 만들되, 거기에 내가 전쟁에서 큰 승리를 거두어 환호할 때 교만(驕慢)하지 않게 하고, 내가 큰 절망에 빠져 낙심할 때 결코 좌절(挫折)하지 않고 스스로에게 용기와 희망을 줄 수 있는 글귀를 새겨 넣으라" 라고 명했다고 합니다. 이에 세공인은 아름다운 반지를 만들었지만, 정작 거기에 새길 글귀가 떠오르지 않았다. 그래서 고민 끝에 지혜롭기로 소문난 솔로몬 왕자를 찾아가 다윗 왕의 명령을 설명하고 도움을 청했다. 이 때 왕자 솔로몬이 세공인에게 일러준 글귀가 바로 "이 또한 지나가리라"라는 명언이랍니다. 이 설화는 유대인의 『미드라쉬』(성서의 구절들을 개개인의 상황에 적용시켜 해석하려는 유대교의 성경 주석 방법 또는 그 방법을 담은 책)의 「다윗왕의 반지」에 들어 있는 내용이라고 하는데 아직 저는 읽어본 적이 없지요. 하지만 많은 사람들에게 "이 또한 지나가리라."라는 글귀가 회자되는 걸 보면 참으로 명언 중의 명언이긴 한 모양입니다.

어차피 우리는 모두 하느님께서 생활하신 흔적, 자취가 아니겠습니까? 그분이 당신의 삶을 통해 우리들을 만들어 내놓으셨기 때문입니다. 사도 바오로는 "우리는 하느님의 작품입니다. 우리는 선행을 하도록 그리스도 예수님 안에서 창조되었습니다. 하느님께서는 우리가 선행을 하며 살아가도록 그 선행을 미리 준비하셨습니다."(에페2,10)라고 고백하였지요. 그래서 〈시편〉 작가는 "제가 옛날을 회상하며 당신의 모든 업적을 묵상하고, 당신 손이 이루신 일을 되새깁니다. 저의 두 손을 당신을 향하여 펼치고, 저의 영혼 메마른 땅처럼 당신께 향합니다."(시편143, 5-6)라고 노래하였는지도 모를 일입니다.

제대로 다니면 아무런 족적을 남기지 않게 되고(善行無轍迹)

제대로 말하면 아무런 흠결을 남기지 않게 되며(善言無瑕謫)

제대로 헤아리면 주판을 튕기지 않아도 되고(善數不用籌策)

제대로 닫으면 빗장을 없이 해도 열 수가 없으며(善閉無關楗而不可開)

제대로 묶으면 매듭을 없이 해도 풀 수가 없다네(善結無繩約而不可解)

예수님께서 하신 말씀 기억나십니까? "사실 너희가 자기를 사랑하는 이들만 사랑한다면 무슨 상을 받겠느냐? 그것은 세리들도 하지 않느냐? 그리고 너희 형제들에게만 인사한다면 너희가 남보다 잘 하는 것이 무엇이겠느냐? 그런 것은 다른 민족 사람들도 하지 않느냐?" (마태5,46-47)라는 말씀 말입니다.

요즈음 세상을 물끄러미 들여다보면 우리 사회는 너무도 '잘난 것'에 대해, 그리고 지나친 '형식 혹은 겉꾸밈'에 대해 혹은 '칭찬하기보다는 칭찬 받는 것'에 대해 목숨을 거는 듯한 인상을 지울 수 없습니다. 무엇이 그렇게 우리를 만들어가고 있는지 모르겠습니다. 칭찬 받고 싶어하고, 공로를 독차지하고 싶어하고, 이웃을 밟고 일어서기를 좋아하고, 지기를 싫어하며 칭찬해 주기에 인색하고, 지기를 싫어하며 봉사하면서도 자기 얼굴을 드러내기를 좋아합니다.

노자가 꿈꾸고 소망하는 세상은 이와는 정반대인 것 같습니다. '제대로'하게 되면 족적을 남길 필요가 없고, 흠결을 남기지도 않게 되며 주판을 별도로 튕기지 않아도 되고, 갈무리를 제대로 하면 빗장을 걸어 잠그지 않아도 되며 매듭을 제대로 묶으면 다시 고쳐 매지 않아도 되겠지요? 무엇이든 '제대로', '하느님의 뜻에 맞게' 살아간다면 어느 누구가 나를 미워하고 질투하고 낮추어 보아도 결코 서러워하거나 노하거나 슬퍼할 필요가 없지 않을까 생각합니다. 하느님께서 주신 '자유', '진리', '평화', '정의', '믿음', '소망' 등등은 저절로 우리 사이 가운데에서 저절로 이루어지지 않을까 믿어 의심치 않습니다. 다만 우리는 그저 "해야 할 일을 하였을 뿐입니다."(루카17,10)라고 겸손되게 고백하는 일만이 필요하지 않을까 생각합니다.

이래서 거룩한 사람은 언제나 사람을 잘 구제하기 때문에(是以聖人常善救人)

버려져야 할 사람이 아무도 없고(故無棄人)

언제나 만물을 잘 구제해 내기 때문에(常善救物)

버려져야 할 만물은 아무것도 없다네(故無棄物)

이것을 일러서 '밝음을 옷 입는다'고 하지(是謂襲明)

노자는 제대로 하면서도 자기 흔적을 남기지 않는 사람을 '성인' 곧 '거룩한 사람'으로 여겼습니다. 궤적을 남기지 않고, 흠결을 남기지 않으며 주판을 별도로 튕기지 않고, 빗장이나 매듭 없다는 것은 곧 예로부터 내려오는 일정하고도 고정된 '틀'에 얽매이지 않는다는 것을 뜻하지요. 성인은 사람들이 남겨놓은, 만들어놓고 그곳을 통해서만이 만사가 형통된다는 생각마저 없이하는 사람들이 아니겠는지요? 그래서 예수께서도 "사실 너희가 자기를 사랑하는 이들만 사랑한다면 무슨 상을 받겠느냐? 그것은 세리들도 하지 않느냐? 그리고 너희 형제들에게만 인사한다면 너희가 남보다 잘하는 것이 무엇이겠느냐? 그런 것은 다른 민족 사람들도 하지 않느냐?"(마태5,46-47)라고 말씀하셨지 않나 싶습니다. 거룩한 사람, 성인은 인간이 만들어 놓은 일정한 궤도를 다람쥐 쳇바퀴 돌 듯 따라 돌지 않고, 오히려 하느님께서 사람을 위하여 만들어 놓으신 길, 비록 소수이지만 선지자들이 걸어간 바로 그 길을 애써 걸어가는 자들이지요. 그 길은 잘 다듬어진 길이 아니라 '길이 없는 길', '가시밭길', '천길 물속에 나 있는 길'이지요. 그렇기 때문에 이미 잘 닦여진 길을 걷는 데 익숙해진 보통 사람들의 눈에는 그 길이 보일 리가 없고, 보이지 않으니 길이 아닌 길, 자유롭게 오고갈 수도 있고, 다른 사람을 배려할 수도 있으며 원수(怨讐)와 손 맞잡고 아름답게 개척해 나갈 수도 있는 길, 새로운 길을 낼 줄 모르는 것이 아니겠는지요?

길이 아닌 길, 자유와 생명으로 향하는 길, 진리와 평화로 향하는 길은 별도의 궤적도 없고, 빗장도 없으며 매듭도 없고, 머리를 싸매고 골똘히 계산할 필요가 없는 길이랍니다. 그래서 예수께서는 "나는 길이요 진리요 생명이다. 나를 거치지 않고서는 아무도 아버지께 갈 수 없다."(요한14,6)고 하셨는지 모릅니다. "진리가 너희를 자유롭게 할 것이다."(요한8,32)라고 말씀하셨는지도 모를 일입니다.

그 길은 진리의 길이고, 그 진리가 우리를 자유롭게 해주면 그 자유가 우리 모두를 살게 해줍니다. 그래서 거룩한 사람을 우리는 '살신성인(殺身成仁)'하는 사람이라고 칭하지요. 그래서 성인은 하느님을 닮아 자신에게 오는 그 누구라도 다 받아들이고 내치는 일이 없으며, 그래서 사람들과 만물을 아끼고 살려내지요. 그래서 그에게는 세상 모든 살아있는 것들이 곧 친구요 벗이 된답니다.

예수께서 "내가 너희를 사랑한 것처럼 너희도 서로 사랑하여라. 친구들을 위하여 목숨을 내놓는 것보다 더 큰 사랑은 없다. 내가 너희에게 명령하는 것을 실천하면 너희는 나의 친구가 된다.

나는 너희를 더 이상 종이라고 부르지 않는다. 종은 주인이 하는 일을 모르기 때문이다. 나는 너희를 친구라고 불렀다."(요한15,12-15)고 하신 말씀이 곧 노자가 꿈꾸고 소망했던 '성인의 경지'가 아니겠는지요? 이것을 노자는 '습명(襲明)'이라고 했지요. 마치 사도 바오로가 "여러분은 모두 그리스도 예수님 안에서 믿음으로 하느님의 자녀가 되었습니다.

그리스도와 하나되는 세례를 받은 여러분은 다 그리스도를 입었습니다."(갈라3,26-27)라고 말씀하신 것을 연상시켜 줍니다.

"밝음(明)"은 "생명의 빛"(요한1,4이하)입니다. 이 빛으로 옷 입는 사람은 "유다인도 그리스인도 없고, 종도 자유인도 없으며 남자도 여자도 없습니다.

여러분은 모두 그리스도 예수님 안에서 하나입니다."(갈라3,28) 그렇기 때문에 "잘난 체하지 말고 서로 시비하지 말고 서로 시기하지 않는"(갈라5,26) 그래서 "서로 남의 짐을 져 주는" 사람이 되어야 하지 않을까 싶습니다.

그래서 선한 사람은 선하지 못한 사람의 스승이 되고(故善人者, 不善人之師)
선하지 못한 사람은 선한 사람의 바탕이 되지(不善人者善人之資)
그 스승을 귀히 여기지 않고, 그 바탕을 아끼지 않으면(不貴其師不愛其資)
비록 지혜로울지라도 크게 혼미해지지(雖智大迷)
이것을 일러서 '오묘함'이라 한다네(是謂要妙)

수녀님, '타산지석(他山之石)'이라는 옛 격언을 알고 계시지요? 남의 산에 있는 돌이라도 나의 옥을 다듬는 데에 소용이 된다는 뜻으로, 다른 사람의 하찮은 언행 또는 허물과 실패까지도 자신을 수양하는 데 도움이 된다는 뜻이랍니다. 하느님께서는 여섯 가지를 미워하시고 일곱 가지를 역겨워하신다고 합니다.

"거만한 눈과 거짓말하는 혀
무고한 피를 흘리는 손
간악한 계획을 꾸미려는 마음
악한 일을 하려고 서둘러 달려가는 두 발

거짓말을 퍼뜨리는 거짓 증인
형제들 사이에 싸움을 일으키는 자”(잠언6, 26)

하지만 주변에서 이런 사람을 만나면 역시 그는 ‘타산지석’ 곧 ‘스승’이 된다는 뜻이 아닐까 싶습니다. 왜냐하면 그의 말과 행실을 보고 다시는 그와 같은 사람이 되지 말기를 그에게서 배우기 때문이지요. 하느님께서는 또 말씀하십니다.

“빈정꾼을 꾸짖는 이는 수치만 당하고
악인을 나무라는 이는 오점만 남긴다.
빈정꾼을 나무라지 마라. 그가 너를 미워하리라.
지혜로운 이를 나무라라. 그가 너를 사랑하리라.
지혜로운 이에게 주어라. 그가 더 지혜로우리라.
의로운 이를 가르쳐라. 그가 견문을 더하리라.”(잠언9,7-9)

우리는 우리가 살아가는 세상 안에서 수많은 사람을 만나기도 하고 또 헤어지기도 하는데 어쩌면 우리를 스치고 지나가는 수많은 사람들이 모두 우리들의 스승인지도 모르겠습니다. 그가 의인이든 악인이든 상관없이 말입니다.

우곡성지에 순례를 오는 사람들, 특히 이 순교자 성월에는 다른 시기보다 더더욱 많습니다. 혼자서 오는 사람, 삼삼오오 짝을 맞추어 오는 사람들, 대형버스에 몸을 싣고 단체로 오는 사람들 등이 있습니다. 하지만 그들 하나하나를 다 만날 수 없고, 만나서 모든 이야기를 다 나눌 수는 없지만 시나브로 만나는 사람들의 말과 행동거지를 살펴보면 하늘의 별 만큼이나 천차만별입니다. 그러나 그들이 떠나고 난 자리에 우두커니 남아 있는 저를 발견하고, 저 자신을 돌아다보면 그 이름 모를 수많은 순례자들이 제 마음에 들거나 안 들거나 관계없이 모두가 스승이라는 생각이 먼저 듭니다.

하느님께서 저를 위하여 그 많은 스승들을 보내셨구나 하는 생각 말입니다.

아마도 그 옛날 노자라는 양반도 그 시대에 만나는 사람들을 보고서 '모두가 인생의 스승'이라는 생각을 하지 않았을까 싶습니다.

이제 이 골짜기에도 가을이 본격적으로 찾아온 것 같이 완연합니다. 어떤 이에게는 가을이 풍요롭겠지만 또 어떤 이에게는 이 가을이 쓸쓸하기도 하겠지요? 하지만 풍요로운 이들도, 쓸쓸한 이들도 모두 저의 스승이라고 생각하면 풍요롭다고 자랑할 것도 못되고, 쓸쓸하다고 슬퍼할 일도 아니라고 봅니다.

하느님께서는 세상에서 가장 작으면서도 더없이 지혜로운 것이 넷 있다고 말씀하고 계시지요. 그 말씀에 위안을 얻기 때문입니다.

"힘없는 족속이지만
여름동안 먹이를 장만하는 개미
힘이 세지 않는 종자이지만
바위에 집을 마련하는 오소리
임금이 없지만
모두 질서정연하게 나아가는 메뚜기
사람의 손으로 잡을 수 있지만
임금의 궁궐에 사는 도마뱀"(잠언30,24-28)

수녀님, 이제 소머리산에도 서서히 가을빛이 감돌고 있겠지요? 저도 하느님께서 마련해 주셨지만, 당신이 마련하셨다고 자랑하시지도 않고 흔적조차 남기지 않으신 우곡 골짜기의 풍요로움을 만끽하고 있답니다. 그 풍요로움이 넘쳐흐르는 시간인데도 동시에 제가 할 수 있는 일이, 우리네 인간들이 할 수 있는 일들이 사실상 극히 제한적인데 대해 오히려 감사를 드립니다.

왜냐하면 우리 모두는 그저 하느님께서 만들어내신 '작품'이기 때문이지요. 그러니 노하거나 서러워할 필요가 없지 않을까 싶습니다. "그분께서 지혜를 주시고, 그분의 입에서 지식과 슬기가 나와서"(잠언2,6) 벌레보다도 못한 제게 언제나 자양분으로 주시기 때문이지요. 계절이 바뀌는 길목입니다.

제법 바람이 차게 불어오고 또 태풍의 영향이라지만 가을비 치고는 꽤 세차게 내립니다. 환절기에 감기 조심하시길 기도합니다.

그리고 모든 수녀님들의 '기쁘고 떳떳하게 사시는 모습'을 멀리서 그려봅니다. 다음 장에서 또 뵙겠습니다.

2014년 9월 24일 순교자 성월에 우곡성지에서

앵도나무

통나무에서 '소박'이란 관념이 나왔고, 이 소박함을
몸소 자신의 삶의 이정표로 삼는다면 곧 성인의 삶을
닮아가는, 곧 성인의 경지에 자신의 삶의 기준이 될 것이다.

| 28장 |

자기 남성성을 알아내고 자기 여성성을 지켜내

수녀님, 잘 계시지요? 시월이 또 얼마 남지 않았습니다. 이맘때쯤이면 농민들은 봄에 논밭을 일구어 씨앗을 뿌리고 정성스럽게 가꾼 농작물들을 하나 둘씩 거두어들이느라고 어느 때보다도 바쁜 구슬땀을 흘릴 때가 아닌가 싶습니다. 이곳 우곡 골짜기의 나무들도 벌써부터 겨울을 준비하기 위해 자신들의 삶을 갈무리하느라 저마다 곱디고운 모습을 드러내 주고 있습니다. '추수동장(秋收冬藏)'이라는 말이 실감나는 순간입니다. '가을은 거두어들이고 겨울엔 갈무리한다.'는 뜻이지요. 어쩌면 우리네 인생도 그런 것이 아닌가 싶습니다.

구약성서에서는 "하늘 아래 모든 것에는 시기가 있고, 모든 일에는 때가 있다. 태어날 때가 있고 죽을 때가 있으며 심을 때가 있고 심긴 것을 뽑을 때가 있다."(코헬3,1-2)고 했습니다. 지금 시기가 바로 그럴 때가 아닌가 싶기도 합니다.

또 유가 경전에는 '시중(時中)' '중용(中庸)'이라는 말이 있지요. 무슨 일이든지 행할 때에는 바로 그 때에 딱 들어맞게 해야 한다는 것입니다. 이때 '때'는 '천시(天時)', 곧 하늘이 마련해 준 때지요. 그 때를 제대로 맞추지 못한다면 결국 '하늘의 뜻'을 헤아리지 못한 것이 되기 때문에 '행해도 제대로 행한 것'이 못되는 것이 아니겠는지요? 또 때를 잘 맞추며 살아가는 방법 가운데 하나는, "달도 차면 기우나니"라는 옛말이 있듯이 세상의 모든 것은 변화되기 마련이라는 사실을 알아내는 것입니다.

세상에서 처음으로 울음을 터트린 아기가 언제까지나 '아기'로 남아 있지는 않지요. 자라서 어른이 되고, 언젠가는 다시 왔던 곳으로 되돌아가는 것이 정한 이치가 아닐까 싶습니다. 그렇기 때문에 봄 여름 가을 겨울 사계절이 쉼 없이 돌아가고, 물은 위에서 아래로 흘러갔다가 다시 수증기를 타고 위로 올라가고, 달이나 해도 매일매일 떠오르고 짐이 다르며 구름이 흩어졌다가 모이고, 모였다가는 다시 흩어져버리고 맙니다. 이러한 현상들을 알아내는 것도 사람의 지혜에 속하지 않을까 싶습니다. 이러한 지혜를 터득한 자는 결국 주어진 한 생애를 하늘의 때에 맞추고, 하늘의 때를 맞출 줄 아는 사람은 곧 하늘의 뜻을 잘 알아서 자신의 처지를 하늘에 맡기면서 처신하겠지요.

언제부터인가 이 땅에 살아가는 모든 가정들의 상황을 살펴보면, 남자는 꼭 지난날의 여자들처럼 처신하고, 여자들은 꼭 지난날의 남자들처럼 행동하는 것이 주를 이룹니다. 옛말에 "사람의 나이가 마흔이 넘어가면 남자는 여자처럼 온순해지고, 여자는 남자처럼 강해진다."

는 말이 있습니다. 이 또한 '하늘의 때'에 의한 것일까요? 저는 그렇다고 봅니다. 원래 사람도 하늘의 뜻에 따라 여타의 만물처럼 변화되기 마련인데, 사람들은 언제까지나 변화되지 않으며 남자는 항상 남자처럼, 여자는 언제나 여자처럼 살아야 한다는 고정관념을 가지고 있었던 것은 아닐까 싶습니다. 그래서 점차적으로 여자들에게 기득권을 빼앗겨가고 있는 남자들은 머리를 갸우뚱거리면서 세상을 향해 '말세(末世)'라고 종종 외쳐댑니다.

원래 하느님께서 정해 주신 법칙에 따라 제대로 가고 있는 것인데 거기에 순응하지 못한 이들이 자신들의 생각을 바꾸지 못하고, 대신에 세상을 한탄하고 있는 것이 아닐까 싶습니다. 이에 대해 노자는 "자기의 남성성을 알아내고 자기의 여성성을 지켜내면 세상의 시내가 되지. 천하의 시내가 되면 언제나 덕스러움이 떨어져 나가지 않고 세상 아이로 되돌아간다네."라고 노래합니다. 이 노랫말을 잘 음미해보자면, 원래 사람에게는 '남성성'과 '여성성'이 동시에 내재하고 있다는 것을 알게 됩니다. '여성성'에 대해서는 『도덕경』 6장을 참고하시면 좋을 것 같습니다. 사람은 원래 두 가지 본성을 동시에 가지고 있고, 그 가운데 어떤 특성을 많이 지니고 있느냐에 따라서 남자가 되고 여자가 되며 오랜 세월이 흐른 뒤에는 조금씩 두 가지 본성이 점차로 약화되면서 남성성의 분포와 여성성의 분포가 거의 비슷하게 자리를 차지하고 있게 되지 않겠는지요? 그렇게 되면 남자는 여자처럼 처신하는 것 같고, 여자는 마치 남자처럼 행동하는 것처럼 보이게 된다는 것입니다. 이것이 바로 그 유명한 "달도 차면 기우나니"라는 옛말에서 드러나는 것이지요. 물론 이 말을 반드시 남자와 여자에게만 국한 지어서 생각하기보다는 '세상 돌아가는 이치'가 그와 같다는 것을 비유한 말이겠지요. 노자의 다음 노래를 한 번 음미해 보고 싶습니다.

자기의 남성성을 알아내고 자기의 여성성을 지켜내면

세상의 시내가 되지(知其雄, 守其雌, 爲天下谿,).

천하의 시내가 되면 언제나 덕스러움이 떨어져 나가지 않고

세상 아이로 되돌아간다네(爲天下谿, 常德不離, 復歸於嬰兒,).

자기 흰 빛깔을 알아내고 자기 검은 빛깔을 지켜내면

세상의 본보기가 되지(知其白, 守其黑, 爲天下式,).

세상의 본보기가 되면 언제나 덕스러움이 뒤틀리지 않고

영원으로 되돌아간다네(爲天下式, 常德不忒, 復歸於無極,).

자기 영화로움을 알아내고 자기 수치스러움을 지켜내면

세상의 골짜기가 되지(知其榮, 守其辱, 爲天下谷,).

세상의 골짜기가 되면 언제나 덕스러움은 이에 넉넉해지고

통나무로 되돌아가지(爲天下谷, 常德乃足, 復歸於樸,).

통나무가 흩어지면 그릇이 되고(樸散則爲器),

거룩한 사람이 그것을 쓰면 통치자 노릇을 한다네(聖人用之, 則爲官長).

노자는 '천하의 통치자 노릇'을 제대로 하려면 맨 먼저 "자기의 남성성을 알아내고 자기의 여성성을 지켜내어야" 한다고 노래합니다. 자신의 처지를 잘 파악하라는 뜻이 아닐까 싶기도 합니다. 어떤 이들은 노자가 살았던 시대가 모계사회였기 때문에 상대편인 '남성성'을 알아내고, 자신의 '여성성'을 지켜내야 한다는 것입니다. 그럴 수도 있겠지만 그것보다는 개인에게 들어 있는 남성적인 능력과 여성적인 능력을 제대로 파악하고 대인관계에 있어서 적절하게 사용한다면, 즉 "때로는 강하게 때로는 부드럽게, 때로는 높게 때로는 낮게, 때로는 길게 때로는 짧게, 때로는 크게 때로는 작게, 때로는 많게 때로는 적게......" 등등으로 때에 맞게 사용한다면, 곧 자기 자신뿐 아니라 남을 '내 사람'으로 만들어 나갈 수 있지 않을까 싶습니다.

노자는 자신의 남성성을 알아내고 여성성을 지켜 나간다면, '세상의 시내', '세상의 아이', '세상의 본보기', '세상의 골짜기', '통나무', '그릇', '통치자'가 된다고 노래합니다. 사실 사람들은 자신의 내면에 각각 남성성과 여성성을 가지고 있다는 것을 알게 되면 스스로 놀랄지도 모릅니다.

특히 딱딱하고 약간은 폐쇄적인 한국 사회 안에서 남자는 여성성을, 여자는 남성성을 간직하고 있다는 사실을 주장한다는 것이 어쩌면 무의미한 일이 될지도 모를 일입니다. 하지만 사람이면 누구나 예외 없이 감추어진 내면에 남성성과 여성성을 함께 가지고 있으며 그 두 가지 본성은 서로 나눌 수도 없고, 그렇다고 뒤섞어 놓을 수도 없는 하느님의 순순한 선물이란 것을 부정할 수는 없겠지요. 그러한 선물을 지켜나갈 줄 안다면 마치 떨어지는 빗방울이 모여서 시내를 이루고, 그렇게 이루어진 시내는 또한 즐겁게 노는 어린아이처럼 재잘거리며 세상의 골짜기라는 골짜기를 흥겹게 흘러 바다로 모여들겠지요. 그 바다에서 어쩌면 '화이부동(和而不同)'을 노래하며 정겹게 살아갈지도 모를 일입니다. 그러한 과정 안에서 온갖 '영화로움'이나 '수치스러움'은 한낱 기우(杞憂)에 불과할지도 모르겠습니다. '기우'라는 뜻을 아시겠지요? '쓸데없는 걱정'이라는 뜻인데, 옛날 중국의 기(杞)나라에서 어떤 사람이 하늘이 무너지지 않을까 하고 침식(寢食)을 잊고 걱정했다는 고사에서 나온 말이랍니다(출전 : 《열자(列子)》의 《천서편(天瑞篇)》).

바다로 돌아간 시내의 물은 또다시 원래부터 있어왔던 그곳으로 다시 되돌아가게 되지요. '통나무(樸)'가 바로 그것이랍니다. '통나무'는 사람의 손때가 묻어 있지 않은 원시 그대로의 나무이지요. '통나무'는 인위적으로 가공하지 않은 천연의 상태를 말합니다.

하느님께서 마련해 주신 바로 그 상태를 뜻하지요. 그러한 상태를 지켜 나가기란 쉽지 않습니다. 하지만 그러한 상태를 하느님께서 혹은 하느님께서 보내신 분이 쓰신다면 이야기는 달라집니다. 누구의 혹은 무엇의 '쓰임새'가 된다는 것은 곧 '용기(用器)', 즉 '그릇'이 된다는 것입니다. 세상의 그릇이 아니라 하늘과 땅을 내신 분의 '그릇'이 된다는 것은 그 '그릇' 역시 거룩한 쓰임, 곧 거룩하게 된다는 것을 의미한답니다.

이 통나무에서 '소박(素朴)'이란 관념이 나왔고, 이 소박함을 몸소 자신의 삶의 이정표로 삼는다면 곧 성인의 삶을 닮아가는 것이 아니겠습니까? 어쩌면 안동교구 《사명선언문》에 나타나는 "소박하게 살고"라는 표현은 가난, 청빈을 넘어서서 이미 성인의 경지를 살아가려는 굳건한 자신의 삶의 기준이라 할 수 있겠지요. 묵시록에서 말씀하시는 주님의 목소리를 한 번 들어 보십시오.

주님께서는 당신의 그릇으로 쓰실 우리들에게 다음과 같이 말씀하고 계십니다.

"내 일을 끝까지 지키는 사람에게는 민족들을 다스리는 권한을 주겠다. 그리하여 옹기 그릇들을 바수듯이 그는 쇠 지팡이로 그들을 다스릴 것이다. 내가 내 아버지에게서 받았듯이 그 사람도 나에게서 받는 것이다. 나는 또 그에게 샛별을 주겠다. 귀 있는 사람은 성령께서 여러 교회에 하시는 말씀을 들어라."(묵시2,26-29)

그래서 큰 다스림은

잘라내지 않는다네(故大制不割).

우곡성지에는 이제 본격적으로 가을 한복판을 지나 계절의 끝으로 향하고 있는 듯 보입니다. 성급한 나무들은 벌써 자신들의 삶을 지탱해 준 나뭇잎들을 땅 위로 내리고 있고, 또 어떤 나무들은 마지막 잎새라도 붙들고 싶은지 여전히 몇 잎 남지 않은 이파리들을 가지 끝으로 대롱대롱 매달고 있습니다. 하지만 더 많은 나무들은 우곡성지를 순례하는 순례객들에게 아름다운 자연의 신비를 마음껏 건네주고 있지요. 첫머리에 '남성성'과 '여성성'에 대해서 잠시 말씀을 드렸었는데 나무들이야말로 그 두 가지를 모두 가지고 하나로 연결시켜 살아가는 존재들이 아닐까 생각해 봅니다. 강함과 부드러움, 단호함과 여유로움, 진리와 자유, 원칙과 자비를 동시에 드러내 주고 있으니까 말입니다. 사실 사람은 누구나 고독을 피할 수 없듯이 아마도 나무들도 그러하지 않을까 생각합니다. 이제 시월이 가고 십일월이 되면 저절로 고독, 죽음 등등에 대해 묵상할 때를 맞게 되겠지요? 나무들은 자신을 내어 놓으면서 묵묵히 고독을 견디는 듯합니다.

그렇다면 사람은 어떻게 고독을 견디며 무엇을 믿고 무엇을 하면서 살아가야 하는지 물어야 합니다. 공동체 안에서 우리는 자꾸만 서로가 서로를 비교하는 못된 버릇이 있지요. 비교하지 마십시오. 그 대신 듣고, 묻고, 찾고, 사랑하며 하느님께 고독한 자신을 맡길 준비를 해야 할 것입니다.

하느님 안에서 충만한 고독을 경험하는 사람에게는 자기 것을 공동체 모든 이에게 내어줄 힘이 생기게 됩니다.(마티 슐레스케의 《가문비 나무의 노래》 중에서) 마치 나무들이 단호하게 자신을 하느님께 맡기면서도 부드럽게 혹은 여유롭게 또는 자비스럽게 자신을 마지막까지 자기 아닌 타자(他者)들에게 아낌없이 내어 주는 것처럼 말입니다.

수녀님, 오늘은 어제보다 비가 더욱 세차게 내립니다. 가을비 치고는 굉장히 많이 내립니다.

지난번에 비가 온 뒤로 그동안 비다운 비가 내리지 않았으니 지금 세차게 내리는 비는 참 고마운 비지요. 지금쯤 소머리산 자락에도 여기저기 아름답게 치장한 나무들이 찬란하게 빛나고 있겠지요. 그 찬란함 뒤에는 자신들의 모든 것을 포기하고 내려놓는 아픔과 고독, 하느님 안에서만 안식을 누리려는 자신들만의 원칙이 대쪽같이 살아있겠지요. 이제 곧 시월이 갑니다. 계절이 바뀌는 길목에서 우리 수녀님들도 지금 나무들처럼 모든 것을 하느님께 맡기고 사실 것이라고 생각합니다. 다음 장에서 뵈올 때까지 몸도 마음도 주님 안에서 평화를 누리시길 기도합니다. 안녕히 계십시오.

2014년 10월 21일 화요일 우곡에서

노자는 거룩한 사람은 '심한 것'을 버리고, '사치스러운 것'도 버리고,
'지나친 것'도 내버린다고 노래합니다. 여기에서 '심한 것'이란?
'극단적인 것'을 두고 이르는 말 아니겠습니까?

| 29장 |

세상을 차지하려고 무엇을 해보려 하지만

수녀님, 또다시 십일월이 왔습니다. 세월은 이렇게 빨리도 시간을 데리고 왔다가는 훌쩍 가버리고, 아주 가버렸나 싶으면 어느새 다시 새로 우리 앞에 나타나니 세상에는 모든 것이 제자리에 온전하게 남아 있는 것들이 없어 보입니다. 새삼 인생무상을 느끼게 해주는 고마운 달이 아닌가 생각해 봅니다. 한여름을 지나면서 겨울의 추위가 그리워졌는데 이제 또 겨울에 들어서니 한여름의 뜨거운 날씨가 또 그리워지는 걸 보면 사람의 마음도 한곳에 머물지 못하고 이리저리 바람에 날리는 낙엽처럼 떠돌고 흐르나 봅니다. 〈시편〉의 작가는 이렇게 노래합니다.

"주님, 제게 당신의 길을 가르치소서.
제가 당신의 진실 안에 걸으오리다."(시편85,11)

"저의 하느님, 그들을 방랑초처럼

바람 앞의 지푸라기처럼 만드소서."(시편83,14)

"참새도 집을 마련하고
제비도 제 둥지가 있어
그곳에 새끼를 칩니다.
행복합니다, 당신의 집에 사는 이들!
마음속으로 순례의 길을 생각할 때
당신께 힘을 얻는 사람들!"(시편84,4-5)

가만히 생각해보면 세상의 모든 것이 언제까지나 그 자리에 머무는 것처럼 보여도 그렇지 못하고, 언제까지나 지푸라기처럼 떠돌아다니는 것처럼 보여도 결국 다시 처음 왔던 그 자리에로 되돌아갑니다. 그것이 곧 하느님께서 마련해 주신 법이 아니겠는지요? 그러고 보면 천지만물은 하느님께서 빚어내신 '신령스럽고 거룩하기 그지없는 그릇들'이겠지요? 어떤 힘 있는 자가 나타나서 "하느님의 목장들을 우리가 차지하자."(시편83,13) 하더라도 결코 차지하지 못할 것이고, "저자가 상속자다. 자, 저자를 죽여 버리고 우리가 그의 상속 재산을 차지하자."(마태21,38)고 하더라도 결국 차지하지 못하는 것처럼 어쩌면 우리네 인생도 모든 것이 마음 먹기에 달렸다는 것이 아닐까 싶습니다. 여기에서 마음은 곧 '본심(本心)'이고 '인(仁)'이며 '도심(道心)' 혹은 '천심(天心)'이 아니겠는지요? 하느님께서 처음부터 우리에게 나누어 주신 바로 그 마음을 우리가 간직하지 못하면 하느님 나라를 해치려고 생각할 것이고, 간직한다면 곧 "하느님의 뜻을 실행하는 사람"(마르3,35)이 되겠지요? 노자도 오늘 이와 비슷한 어조로 다음과 같이 노래합니다.

세상을 차지하려고 무엇을 해보려 하지만(將欲取天下而爲之),
나는 그것을 얻지 못할 짓으로 볼 따름이라네(吾見其不得已).
세상은 하느님의 그릇이어서 해 볼 수가 없지(天下神器 不可爲也).
해 보려는 자는 그르치게 되고(爲者敗之)
움켜잡으려는 자는 잃어버리게 되지(執者失之).
그래서 만물은(故物)
앞서기도 하고 뒤따르기도 하며(或行或隨)
들이마시기도 하고 내뿜기도 하며(或歔吹)
강하기도 하고 유약하기도 하며(或强或羸)
올라타기도 하고 떨어지기도 하지(或載或隳).

지금 시대의 사람들은 어떻게든 '세상을 차지하려고' 무진 애를 다 씁니다. 그러나 그렇게 자신만을 위해 무슨 짓이든 다 한다 해도 결국 그가 얻어낸 것은 아무것도 없다는 것을 마지막 숨을 거둘 때나 알게 되니 참으로 딱한 노릇이 아닐 수 없습니다. 예수께서도 " 사람이 온 세상을 얻고도 제 목숨을 잃으면 무슨 소용이 있느냐? 사람이 제 목숨을 무엇과 바꿀 수 있겠느냐? 절개 없고 죄 많은 이 세대에서 누구든지 내 말을 부끄럽게 여기면 사람의 아들도 아버지의 영광에 싸여 거룩한 천사들과 함께 올 때에 그를 부끄럽게 여길 것이다."(마르8,36-38) 라고 말씀하셨지요. 노자 역시 만물의 일거수일투족을 참으로 자세히도 묘사해 주고 있습니다. "앞서기도 하고 뒤따르기도 하고/들이 마시기도 하고 내뿜기도 하고/…"그렇지만 결국 아무것도 건지지 못하고 만다는 것을 노자는 일찍이 깨달았다고도 볼 수 있습니다.

사실 세상(天下)은 하느님께서 마련하신 신비스러운 하느님의 그릇이지요. 신비스럽다는 것은 일정한 형태나 방향성을 피조물인 우리가 제대로 파악하거나 알아낼 수 없다는 뜻이 아니겠습니까? 하느님께서 몸소 가르쳐 주시지 않으면 우리 인간으로서는 도저히 파악할 수 없는 것이 '세상'이 아닌가 싶습니다. 사계절만 보더라도 금방 눈치챌 수 있지요. 봄이 오고 봄이 가고, 여름이 오고 여름이 가고, 가을이 오고 가을이 가고, 겨울이 오고 겨울이 가면 또 봄이 오지요. 이러한 자연의 오묘한 법칙에 대해 우리들 중에 누가 있어 그 법칙을 세우고 설명해 낼 수 있겠습니까? 오직 '신비스러운 세상'을 마련하신 그분 말고는 아무도 세우는 것은 물론 아는 이도 없습니다. 다만 우리는 그러한 진실을 '믿음으로 알 뿐'이랍니다.

하느님께서 마련해 주신 세상에서 '억지로 무엇을 시도한다.'는 것은 결국 세상을 망치는 결과를 초래하지 않을까 싶습니다. '억지로 무엇을 한다.'는 것은 '인위적인 것'이 되고, 인위적으로 무엇을 한다는 것은 곧 자기 자신은 물론이거니와 이 세상을 잃게 될 수도 있다는 것이 노자의 생각이지요. 저도 그 말에 전적으로 동감합니다. 세상 자체는 하느님께서 마련하셨기 때문에 인간이 억지로 만들어내는 것과는 다르기 때문이 아닐까 싶습니다. 그런데도 사람들은 이 세상을 자신이 멋대로 가지고 흔들어 보려고 합니다. 그렇게 되면 결국 하느님의 뜻을 외면하거나 왜곡시켜 버리는 것이 되기 때문에 하느님께서 주신 세상을 스스로 잃어버리게 될 수가 있겠지요.

그래서 거룩한 사람(성인)은 하느님께서 마련해 주신 자연의 존재형식을 몸으로 체득하고, 그 반대의 것들을 과감하게 버리면서 하느님의 뜻을 자기 삶의 법칙으로 삼고 싶어 한답니다.

이래서 거룩한 사람은(是以聖人)

심한 것을 버리고(去甚)

사치스러운 것을 버리며(去奢)

지나친 것을 내버린다네(去泰).

노자는 거룩한 사람은 '심한 것'을 버리고, '사치스러운 것'도 버리고, '지나친 것'도 내버린다고 노래합니다. 여기에서 '심한 것'이란 무엇입니까? 그것은 '극단적인 것'을 두고 이르는 말 아니겠습니까? '중용(中庸)'을 이르는 말이라고 보면 좋을 것 같습니다.

복음서에 "행복하여라. 마음이 가난한 사람들, 온유한 사람들, 의로움에 주리고 목마른 사람들, 자비로운 사람들, 마음이 깨끗한 사람들, 평화를 이루는 사람들, 의로움 때문에 박해를 받는 사람들……." (마태5,3-10절 참조)이 모두 '중용'에 해당하는 사례라고 보면 좋을 것 같습니다. 사계절이 뚜렷하게 돌아가는 것, 해가 뜨고 지고, 달이 뜨고 지고, 물이 위에서 아래로 흘러가고 하는 등등의 일들이 모두 '중용'이지요. 오늘날 이 땅에 살아가는 사람들이 모두 극단적이고 사치스럽고 지나친 것을 버리고 서로 손 붙잡고 어깨에 어깨를 걸고 어깨동무하여 살아가면 얼마나 좋겠습니까?

이제 내일 모레가 '그리스도 왕 대축일'이네요. 사람들은 태어났다가 사라지고 또다시 태어나고 하지만 변치 않으실 분은 언제나 왕 중의 왕이신 우리 주님밖에 안 계시지요. 그분이 홀로 높으시고, 홀로 만물의 주님이시고, 입법자이시며 최고의 존엄이시지요. 2014년도 이제 한 장의 달력밖에 남지 않았습니다.

벌써부터 우곡에는 영하의 날씨가 시작되었지요. 나무들도 하느님의 뜻에 따라 그동안 자신이 지녔던 모든 것들을 땅에다 내려놓고 '나목(裸木)'으로 기나긴 겨울을 보낼 채비를 갖추고 그분의 뜻을 기다리고 있습니다. 수녀님들이 계시는 소머리산도 이와 다르지 않겠지요? 불현듯이 집회서의 한 구절이 생각납니다.

"애야, 주님을 섬기러 나아갈 때
너 자신을 시련에 대비시켜라.
네 마음을 바로잡고 확고히 다지며
재난이 닥칠 때 허둥대지 마라.
주님께 매달려 떨어지지 마라.
네가 마지막에 번창하리라.
너에게 닥친 것은 무엇이나 받아들이고
처지가 바뀌어 비천해지더라도 참고 견뎌라."(집회2,1-4)

수녀님, 김장은 다 하셨는지요? 오늘 누가 김장을 했다고 새 김치를 한 포기 가져다 주었습니다. 새 김치를 먹으면서 지나간 옛 일을 생각해 봅니다. 배추벌레를 잡으려고 수녀원 밖을 나와 너른 배추밭에서 열심히 벌레를 잡으시던 수녀님들의 정다운 모습들이 오늘은 몹시도 그립습니다.

거기에 카리따스 수녀님과 데레사 수녀님도 나오셔서 좋은 웃음도 주셨지요? 십일월이 가면 곧 십이월이 되겠지요? 언제나 웃음 잃지 마시고 재미지게 사시는 모습을 그려보면서 저도 이 우곡 골짜기에서 모두들 아프지 말고 오실 주님을 기다리시길 우리 수녀님들을 위하여 기도하겠습니다. 30장에서 또 뵙겠습니다.

2014년 11월 21일 '복되신 동정 마리아의 자헌' 축일에

으름덩굴

열매를 거두고서도 자랑하지 않으며,
열매를 거두고서도 잘난 체하지 않고,
열매를 거두고서도 거들먹거리지 않으며,
열매를 거두고서도 마지못해 한 것으로 여기지.
이를 '열매를 거두었으면 억지 부리지 말라'고 한다네.

도를 가지고 주인을 보좌하는 자는
군대를 가지고 세상에 힘을 쓰지는 않지.
그런 일은 쉽게 되돌아오기 마련이라네.
군대가 머물던 자리엔 가시덤불이 생겨나고
대군이 지나간 뒤엔 반드시 흉년이 들지.
잘 싸워서 열매를 거두었다면 그쳐야할 따름이라네.
감히 억지를 부리지 않지.

| 30장 |

도를 가지고 주인을 보좌하는 자는

수녀님, 잘 계시겠지요? 드디어 2014년도 달력의 날짜가 몇 개 남지 않았습니다. 세상을 구원하러 오실 아기 예수님을 기다리는 대림절을 보내면서 문득 이러한 성경 구절이 생각납니다. "너희는 광야에 주님의 길을 닦아라. 우리 하느님을 위하여 사막에 길을 곧게 내어라. 골짜기는 메워지고, 산과 언덕은 모두 낮아져라. 거친 곳은 평지가 되고, 험한 곳은 평야가 되어라."(이사40,3-4)

이사야 예언자가 전하는 이 말씀은 참으로 우리 시대에 절실히 필요한 말씀이 아닌가 싶습니다. 돌아다보면 올해의 시간들도 숨 가쁘게 지나간 것 같습니다. 무엇이 그리 바빴는지, 무엇을 하느라고 약간의 여유도 가지지 못한 채 내달렸는지, 생각해보면 참으로 하느님께서는 좋고 필요한 시간을 주셨는데 인간이 못나서 그저 별 소득도 없이 몽땅 허비해 버린 것이 아니었나 싶어서 슬프기까지 하답니다.

"늘어나는 것은 교만과 탐욕뿐이요, 줄어드는 것은 사람들과 나누어야 할 따스한 온정이나 사랑뿐이다."라고 한 어느 시인의 탄식이 절

규가 되어 제 가슴을 후벼내는 것 같습니다. 이사야 예언자가 또 전합니다. "모든 인간은 풀이요, 그 영화는 들의 꽃과 같다. 주님의 입김이 그 위로 불어오면 풀은 마르고 꽃은 시든다. 진정 이 백성은 풀에 지나지 않는다. 풀은 마르고 꽃은 시들지만 우리 하느님의 말씀은 영원히 서 있으리라."(이사40,6-8)

수녀님, 얼마 전부터 성탄 준비로 각 성당에 고백성사를 도와주러 다니고 있는데 벌써 아기 예수님을 맞이하기 위해 아름다운 장식으로 성당을 꾸며 놓았더라고요. 성당보다 앞서 길거리에는 그 이전부터 성탄 노래가 반짝이는 장식들과 함께 도로를 가득 메우고 있었고요. 그런 장식들을 볼 때마다 사람으로 오시는 구세주를 맞이하기 위해 아름답게 장식하는 것은 좋은데, 저러한 장식도 우리가 그분의 뜻에 맞게 제대로 살아가지 못한다면 결국 사치요 겉치레가 아닐까 하는 생각이 든답니다. 특히 저물어가는 한 해를 마무리하면서 사도 바오로의 말씀에 점점 더 공감을 표해 드리고 싶어지는 건 어인 일인지 모르겠습니다.

"서로 평화롭게 지내십시오.
형제 여러분, 여러분에게 권고합니다.
무질서하게 지내는 이들을 타이르고
소심한 이들을 격려하고

약한 이들을 도와주며,

참을성을 가지고 모든 사람을 대하십시오.

아무도 다른 이에게 악을 악으로 갚지 않도록 주의하십시오.

서로에게 좋고

또 모든 사람에게 좋은 것을 늘 추구하십시오.

언제나 기뻐하십시오.

끊임없이 기도하십시오.

모든 일에 감사하십시오.

이것이 그리스도 예수님 안에서 살아가는 여러분에게 바라시는 하느님의 뜻입니다."(1테살5,12-18)

사도 바오로는 위 말씀을 하시기에 앞서 "그러므로 여러분이 이미 하고 있는 그대로 서로 격려하고 저마다 남이 성장할 수 있도록 도와주십시오."(1테살5,11)라고 테살로니카 공동체에 외칩니다.

그 외침이 눈발이 날리고 있는 이 땅에도 메아리의 울림으로 다가오고 있는 듯합니다. 지금부터 2500년 전의 현자(賢者), 노자도 당시 돌아가는 세상을 우려하는 눈빛으로 살펴보다가 마침내 자신의 특유의 목소리로 노래합니다. 이 노랫말을 뒤집어보면 곧 당시 사회의 모습이 되겠지요?

노자가 살던 당시를 흔히 춘추전국시대(春秋戰國時代)라고 부르지요. 춘추전국시대는 춘추시대와 전국시대를 합쳐서 부르는 이름이랍니다. 사실 춘추전국시대란 동주시대(東周時代)의 다른 이름입니다. BC 770~476년은 공자가 편찬한 노(魯)나라의 편년체 사서《춘추(春秋)》의 이름을 따서 춘추시대라 하고, BC 475-221년은 대국들이 패자의 자리를 놓고 다투었으므로 전국시대(戰國時代)라고 불러왔답니다. 이 시기는 천하의 으뜸자리를 차지하는 자가 별도로 없었기 때문에, 말하자면 '군웅할거(群雄割據)'의 시대였기 때문에 세상 자체가 얼마나 시끄럽고 복잡하고 혼란스러웠는지 모른답니다. 그러니 자연히 뺏기는 자와 빼앗는 자, 빼앗기지 않으려는 자들이 서로 한데 뒤엉켜 뒹구는 시대였기 때문에 이른바 '진흙탕'이 따로 없었지요. 그렇기 때문에 노자는 일찍부터 이러한 세상, 이러한 역사적 상황을 제대로 들여다보면서 사람이 어떻게 살아야 사람답게 살아갈 수 있는지를 정확히 꿰뚫어보고 그 해결 방책을 여기에 그려보았던 것이 아닐까 싶습니다. 곧, 노자는 어찌 보면 '시대의 표징'을 제대로 읽고서 읽은 표징을 세상 사람들에게 보여 주었다고 볼 수 있습니다.

도를 가지고 주인을 보좌하는 자는(以道佐人主者)

군대를 가지고 세상에 힘을 쓰지는 않지(不以兵强天下).

그런 일은 쉽게 되돌아오기 마련이라네(其事好還).

군대가 머물던 자리엔 가시덤불이 생겨나고(師之所處 荊棘生焉)

대군이 지나간 뒤엔 반드시 흉년이 들지(大軍之後 必有凶年).

잘 싸워서 열매를 거두었다면 그쳐야 할 따름이라네(善有果而已).

감히 억지를 부리지 않지(不敢以取强).

프란치스코 교황은 세계 주교회의 대의원회의에서 "조심스럽게 시대의 징후를 세밀하게 조사하고, 시대의 점증하는 요구와 사회조건의 변화에 대응할 수 있는 수단과 방법을 찾을 수 있도록 교회는, 특히 시노드는 노력해야 한다."고 말씀하셨지요. 왜냐하면 시대와 환경에 변화하지 않는 교회는 오히려 본질을 잃어버릴 수 있기 때문이지요. 사실 "교회는 항상 쇄신해야 한다."(ecclessia semper reformanda)는 것이 교회의 본질이라 할 수 있습니다. 따라서 교회는 늘 새로운 시대의 징표를 읽어야 한다. 시대의 소리는 하느님의 음성이요 부르심이기 때문이랍니다. 이렇게 보면 우리는 예수님의 말씀을 떠올리지 않을 수 없겠지요?

"너희는 구름이 서쪽에서 올라오는 것을 보면 곧 '비가 오겠다.' 하고 말한다.

과연 그대로 된다.

또 남풍이 불면 '더워지겠다.' 하고 말한다.

과연 그대로 된다.

위선자들아,

너희는 땅과 하늘의 징조는 풀이할 줄 알면서,

이 시대는 어찌하여 풀이할 줄 모르느냐?"(루카12,54-56)

사실상, 노자가 말하는 '도'는 곧 '말씀'이라고도 해석할 수 있습니다. 그 말씀을 가지고 주인이신 하느님을 보좌하는 이를 우리는 곧 '성인'이라고 부를 수 있겠지요. '말씀'으로 사는 사람은 폭력을 사용하지 않지요. 만일 폭력을 사용한다면 결국 그 폭력은 자신에게로 되돌아오게 되고, 만일 부득불 폭력을 사용하여 어떤 것을 취했다면 더 이상의 폭력은 사용하지 말아야 하는데 오늘날 상황들을 살펴보면 상대가 망해서 없어질 때까지 폭력을 행사합니다. 뿐만 아니라, 끝까지 추격하여 마지막 남은 것까지 모조리 다 뺏어내야만 직성이 풀리니 참으로 무서운 것이 옛날이나 지금이나 인간 사회의 모습이 아닐까 싶습니다. 이러한 행태는 농사를 짓는 사람이나 공장을 가동하는 사람이나 정치하는 사람이나 거의 대동소이하지 않겠는지요? 하지만 '도' 곧 '말씀'으로 사는 사람은 폭력을 사용하거나 악한 감정을 갖거나 하지 않습니다. 노자에 따르면, 오히려 다음과 같은 생각을 하고 말하고 행동할 것 같습니다.

열매를 거두고서도 자랑하지 않으며(果而勿矜)

열매를 거두고서도 잘난 체하지 않고(果而勿伐)

열매를 거두고서도 거들먹거리지 않으며(果而勿驕)

열매를 거두고서도 마지못해 한 것으로 여기지(果而不得已).

이를 '열매를 거두었으면 억지 부리지 말라'고 한다네(是謂果而勿强).

천자문(千字文) 가운데는 '추수동장(秋收冬藏)'이라는 말이 있습니다. "가을에 곡식(穀食)을 거두고 겨울이 오면 그것을 저장(貯藏)한다."는 뜻이지요. 사계절인 봄, 여름, 가을, 겨울이 오고감에 따라 뿌리고 가꾸고 거두고 갈무리하는 삶의 변화도 자연스럽게 뒤따라 일어난다는 뜻이겠지요?

이러한 자연의 법칙, 곧 하느님께서 마련하신 법칙을 살아가는 삼라만상들은 저마다 그 법칙에 온전히 순응하면서도 자랑도, 교만도, 허세도 부리지 않는데 다만, 오직 우리 인간들만 그분의 법칙을 우습게 여기고 마치 자기가 잘나서 그렇게 된 것처럼 공치사하기 바쁘니 그러한 행태들을 보면 같은 인간으로 부끄럽기까지 하답니다.

'도'에 보좌하는 삶, 곧 '말씀'에 봉사하는 사람은 자랑도, 잘날 체도, 거들먹거리지도 않고, 억지를 부리지도 않으며 그저 '마지못해 한 것으로' 여긴답니다. 그러고 보면 확실히 노자는 위대한 사상가 혹은 영성가라고 불러도 손색이 없을 듯이 보입니다. 말씀에 충실히 봉사하는 사람이 있다면 우리는 그를 일컬어 거룩한 사람, 성인(聖人)이라고 불러도 좋을 것 같습니다.

예수께서도 "종이 분부를 받은 대로 하였다고 해서 주인이 그에게 고마워하겠느냐? 이와 같이 너희도 분부를 받은 대로 다 하고 나서 '저희는 쓸모없는 종입니다. 해야 할 일을 하였을 뿐입니다.'라고 말하여라."(루카17,9-10)라고 말씀하셨지요? 하지만 세상은 예나 지금이나 꼭 그런 것만은 아닌 것 같습니다. 자랑하고, 잘난 체하고, 거들먹거리며 억지를 부리고, 심지어는 상대방을 내리누르거나 더러는 아예 일어나지 못하도록 찍어 내리기도 하지요. 이 때문에 세상을 만들어내신 하느님께서 당신의 자비, 사랑, 인간에 대한 연민을 어찌할 수가 없어서 몸소 사람이 되어 오셨고, 사셨고, 또 사람을 위하여 죽으시고 묻히셨으며 마침내 사람을 살리시고자, 사람을 당신 생명에 참여시키시고자 부활하셨지요.

만물은 왕성해 갈수록 늙어간다네(物壯則老).

이를 '도가 못됨'이라 하지(是謂不道).

도가 못되라면 일찍 시들어버리고 만다네(不道早已).

수녀님, 또 한해가 저물어갑니다. 제가 수녀님들께 『도덕경』이라는 현자의 삶의 노래를 빌려 편지를 적어 드린 것도 벌써 해를 두 번씩이나 지나서 세 번째 해로 들어갑니다.『도덕경』은 전체 81장으로 되어 있는데, 통상적으로 사람들은 전반부를 〈도경(道經)〉 이라 하고, 후반부를 〈덕경(德經)〉이라 하였으며 이를 합쳐서 『도덕경』이라 부르고 있답니다.

〈도경〉은 흔히 제1장에서부터 38장 혹은 37장까지, 어떤 이들은 41장까지로 나누기도 합니다. 그리고 〈덕경〉은 38장이나 39장부터 혹은 42장부터 마지막장까지 나누기도 한답니다.

저는 편의상 '덕(德)'이라는 단어가 38장부터 나오기 시작하니까 37장까지를 〈도경〉이라고 붙여보고 싶습니다. '도'와 '덕'은 동전의 양면이지만 엄밀히 말해서 안팎(內-外), 조용함과 움직임(靜-動), 뿌리와 가지(本-末), 생각과 말과 행위(思-言行) 등등으로 볼 수 있으되 노자는 '도'를 강조하는 듯하면서도 실상은 '덕'을 주창하였다고 볼 수 있습니다. 왜냐하면 사람에게 있어서는 '도'가 문제가 아니라 언제나 관계 속에서 밖으로 드러나는 행실, 곧 '덕'이 문제가 되기 때문입니다.

'도가 못됨(不道)'은 '도가 아님'이지요. 도가 아니라는 말은 '도답지 못하다'는 뜻이 아닐까요? 사실, 사람을 포함해서 세상의 만물은 하느님께서 정해주신 '때(天時)'(코헬3장 참조)가 있어서 언젠가는 '늙어가고' 또 '시들어가지'요. 하지만 도와 함께 하는 이라면, '말씀'과 함께하는 이라면 늙어가는 것처럼 보여도 언제나 '청춘'이고, 시들어가는 것처럼 보여도 언제나 기력이 '왕성'하지 않을까 싶습니다.

이제 며칠만 더 있으면 하느님이시면서 사람으로, 그것도 아주 연약한 아기의 모습으로 오시는 예수님의 거룩한 탄신일입니다. 비록 "당신 땅에 오셨지만 그분의 백성은 받아들이지 않았다"(요한1,11), 그래도 그분은 오셔서 우리 가운데 당당하게 계시지요. 해마다 맞이하는 성탄절이지만 올해는 유난히도 그분의 종으로, 자녀로 제대로 살지 못했음을 고백하고 싶어집니다.

아! 수녀님, 보내주신 성탄 선물 잘 받았습니다. 그리고 아름다운 시도 고맙고요. 특별히 올해부터 내년까지(2014년 10월 15일~2015년 10월 15일)까지 성녀 데레사 탄생 500주년을 보내시는 수녀님들께 격력의 박수를 보냅니다. 데레사 성녀의 정신은 오늘날에도 수녀님들을 통해 세상 안으로 불꽃처럼 피어오르고 있기 때문입니다. 그리고 또 '봉헌의 해'(2014년 11월 30일~2016년 2월 2일까지)가 시작되었지요. 저도 거기에 적극적으로 참여하고 싶습니다. 새롭게 수녀님이 입회하였다고요? 축하드리고 함께 기뻐합니다.

수녀님들께서는 참 맑으신 분들이기 때문에 올 한 해를 잘 마무리하고 다가올 내년에는 더욱더 '기쁘고 떳떳하게' 손에 손을 맞잡고 하느님께서 맡기신 사도적 직분, 소명을 충실히 수행해 나가시리라 믿어 의심치 않습니다. 저도 거기에 또한 기도로써 동참하고 싶습니다. 아무튼 언제나 웃음 잃지 마시고, 건강하시며 하느님이시면서 사람이 되어 오시는 아기 예수님을 기쁘게 맞이하시기를 기도합니다. 특별히 데레사 수녀님과 카리타스 수녀님, 그리고 새로 입회한 수녀님께도 안부 전해 주시기 바랍니다. 아울러 카리타스 수녀님의 정성이 가득 담긴 엽서와 예수의 성녀 데레사 탄생 50주년 기도문을 잘 받았습니다.

기도문은 책상 앞에 두고 수녀님들이 기억날 때마다 이 기도문을 바치도록 하겠습니다. 그럼 31장에서 뵙겠습니다.

메리! 크리스마스!

2014년 12월 23일 기쁜 성탄을 기다리며

코스모스

'도'를 가진 자는 병장기를 싫어하고,
사람을 괴롭히지 않으며, 마음으로라도 살인을 저지르지 않고,
언제나 초연하고 담담한 마음을 유지한답니다.

| 31장 |

무릇 훌륭한 병기는 상서롭지 못한 그릇이지

수녀님, 갑오년(甲午年)은 그렇듯 속절없이 우리 곁을 떠나가고, 소리도 없이 을미년(乙未年)이 또 우리 곁에 서 있네요. 묵은해를 보내고 새로운 해를 맞이한다고 사람들 모두가 그렇게들 호들갑을 떨던 것이 엊그제 같은데 벌써 새해의 첫 달력이 하순을 치달리고 있습니다. 지난해 말에는 겨울답게 날씨가 씩씩하게 차갑더니 을미년 새해에 들어와서는 겨울인가 싶다가도 벌써 봄이 왔는가 하고 착각할 정도로 날씨가 포근하네요. 하지만 이즈음 세상 돌아가는 형편을 들여다보면 여전히 을씨년스러운 겨울의 한복판을 면하고 있지는 않은 것 같습니다. 그동안 우곡성지에는 약간의 변화가 있었지요. 다름이 아니라 농은(隴隱) 홍유한(洪儒漢, 1726-1785) 선생이 세례도 받지 않았으면서도 홀로 수도승처럼 『천주실의(天主實義)』와 『칠극(七克)』이라는 교리책을 가지고 신앙생활을 하였다는 사실을 기리기 위해 작은 작업을 하였답니다. 그것은 곧 『칠극』에 나오는 일곱 가지 내용을 요약하여 순례객들이 묵상할 수 있도록 돌에다 새겨서 세우는 일이었습니다.

요약하여 돌에다 세운 교리서『칠극』에 대해서 잠깐 이야기해 보고 싶습니다.『칠극』은 일곱 가지 죄의 뿌리인 '칠죄종(七罪宗)'을 이겨내고 하느님께서 베푸시는 하느님의 나라로 향할 수 있도록 이끌어 주는 교리서입니다. 곧 "하늘 나라를 오르내리는 사닥다리"(창세28,12)라고 할 수 있겠습니다. '일곱 개의 사닥다리'를 걸어서 올라가기란 그리 쉽지 않지만 우리 선조 신앙인들은 그 길을 자신의 십자가를 걸머지고 묵묵히 걸어갔지요. 이 책은 곧 스페인 출신 예수회 회원 판토하(Didace de Pantoja, 1571-1618) 신부가 쓴 교리서로서 1601년~1610년 사이에 중국 북경에서 간행되었답니다.

홍유한 선생은 세례를 받지 못하였지만 선종할 때까지 이 책으로 신명을 바쳐 온몸으로 하느님을 섬기고 이웃을 사랑하는 도구로 삼았습니다. 사실 농은 선생은 처음엔 마태오리치(1552-1610)가 저술한『천주실의』를 통하여 유가(儒家)에서 얻지 못한 진리에 관한 회답을 찾아내었고, 또 그것을 기반으로 하여『칠극』을 통해 신앙인으로서의 본격적인 삶을 열정적으로 사셨답니다.

따라서 신앙의 후손들인 우리는『칠극』안에 들어 있는 일곱 가지의 내용들을 깊이 묵상하고 자신의 몸과 마음에 비추어 하느님께서 바라시는 뜻에 맞갖은 삶을 살아야 할 것이라고 생각하여 그 내용을 요약해 돌에다 새겨서 이곳을 찾아오는 모든 순례자들이 묵상하고 생활로 옮길 것을 기대하고 있답니다.

더하여 교구장 주교님께서도 이 사업을 격려하시면서 이곳의 조그마한 성당의 이름을 '칠극성당'이라고 명명하셨답니다. 다음은 주교님의 말씀입니다. 주교님께서는 이곳 성당을 '칠극성당'이라 이름 한다. 판토하 신부가 『칠극(七克)』에서 말한 내용을 '한국 최초의 수덕자 농은 홍유한 선생'이 실제 신앙적 삶으로 보여 주었다. 모든 죄악의 뿌리가 되는 이 '칠죄종'을 극복할 수 있는 덕행으로는 곧 은혜, 겸손, 절제, 정절, 근면, 관용, 인내의 일곱 가지가 있다.

1) 겸허한 마음으로 교만을 이겨내자.

2) 사랑으로 시기와 질투를 이겨내자.

3) 인내심으로 분노를 이겨내자.

4) 정결함으로 음란함을 이겨내자.

5) 나눔과 섬김으로 인색함을 이겨내자.

6) 절제된 생활로 탐욕스런 마음을 이겨내자.

7) 부지런함으로 게으름을 이겨내자.

'덕은 선을 행하고자 하는 몸에 밴 확고한 마음가짐'이다. 지속적인 반복 훈련을 통해 익힌 좋은 습관이다. 덕을 갖추기까지는 어려움이 따르지만, 일단 몸에 익힌 좋은 습관은 악습이 우리 안에 자리잡지 못하게 하기 때문에 자연스럽게 칠죄종을 물리치게 되는 법이다. 이러한 덕행을 실천하기 위해 우리에게는 성령의 이끄심에 따라 살아가는 자세가 요구된다.

사도 바오로는, '칠죄종을 극복할 수 있는 덕행들은 결국 성령께서 맺어주시는 열매이기 때문이다.'고 말씀하신다. "성령의 열매는 사랑, 기쁨, 평화, 인내, 호의, 선의, 성실, 온유, 절제입니다. 이러한 것들을 막는 법은 없습니다."(갈라 5, 22-23) (2014년 11월 1일 모든 성인의 대축일에, 천주교 안동교구 교구장 권혁주 크리소스토모 주교)

수녀님, '칠죄종'을 이겨내는 방법을 훌륭하게 설명해 놓은 책이 바로 『칠극』이며 이것을 주교님께서 다시 간명하게 교우들을 위해 일곱 가지를 제시하였답니다.

1) 겸허한 마음으로 교만을 이겨내자.
2) 사랑으로 시기와 질투를 이겨내자.
3) 인내심으로 분노를 이겨내자.
4) 정결함으로 음란함을 이겨내자.
5) 나눔과 섬김으로 인색함을 이겨내자.
6) 절제된 생활로 탐욕스런 마음을 이겨내자.
7) 부지런함으로 게으름을 이겨내자.

참으로 옳으신 말씀이 아닌가 싶습니다. 이대로만 살아간다면 오늘날 이처럼 어지러운 세상은 되어 있지 않고, 오히려 누구나 '참 행복'을 누릴 수 있는 세상이 되어 있었겠지요. 홍유한 선생은 비교적 일찍부터 이렇게 『칠극』이라는 교리서를 가지고 세례가 무엇인지도 모르는 채 신앙생활을 시작하셨답니다.

그러면서 기타 주변의 동료와 후배 학자들에게도 그 신앙을 전하였고, 마침내 이 땅에 천주교 공동체가 형성되는 단초를 제공하여 그 토대, 혹은 밑거름이 되었지요. 사실 지금의 세상은 총이나 칼만 들지 않았을 뿐, 곧 전쟁터라고 해도 과언이 아닐 만큼 무섭고 어지럽고 폭력적인 상황이라고 말할 수도 있을 것입니다. 무엇 때문에 세상이 이렇게 되었는지 잘 알 수는 없지만, 분명한 것은 이 땅에서 구체적으로 살아가는 사람들이 탐욕과 이기심과 교만 등등 '칠죄종'에 사로잡혀 살아가기 때문이 아닐까 싶습니다. 뺏고 빼앗기는 삶으로 점철되어가고 있는 것이 요즈음의 현실이라고 봅니다. 오늘 이 장에서 노자는 뺏고 빼앗기는 전쟁터에서도 결코 하지 말아야 할 금기사항, 지켜야 할 도덕적인 법규가 존재한다고 천명하고 있지요. 전쟁터에서도 군자가 가져야 할 마음가짐과 소인이 취하는 태도가 다름을 가지고 있다고 노래합니다. 생각해보면, 사람을 죽이고 물건을 빼앗는 전쟁터에서 무슨 군자와 소인이 따로 존재할 수 있겠습니까마는 그 과정 안에서도 분명히 군자와 소인의 태도를 구별해낼 수 있다는 것이 노자의 입장입니다. 그는 다음과 같이 노래합니다.

무릇 훌륭한 병기란 상서롭지 못한 그릇이지(夫佳兵者, 不祥之器)

누구라도 싫어하지(物或惡之).

그러므로 도를 지닌 자는 거기에 연연하지 않는다네(故有道者不處)

군자는 평소에는 왼쪽을 귀히 여기는데(君子居則貴左)

병기를 사용할 때에는 오른쪽을 귀히 여기지(用兵則貴右).

병기란 상서롭지 못한 그릇(兵者, 不祥之器)일 뿐,

군자의 그릇은 아니지(非君子之器).

마지못해서 사용하더라도(不得已而用之)

초연하고 담담한 마음을 상책으로 여기지(恬淡爲上).

이기고도 아름답게 여기지 않고(勝而不美).

아름답게 여기는 것이라면 살인을 즐기는 것이지(而美之者, 是樂殺人).

무릇 살인을 즐기는 자라면(夫樂殺人者)

세상에 뜻을 이룰 수 없다네(則不可得志於天下矣).

요즈음 라디오에서 들려오는 뉴스들을 보면 참으로 가관입니다. 좌익과 우익, 보수와 진보, 사용자와 노동자, 갑(甲)과 을(乙) 등등 온통 이념(理念)과 주종(主從)의 관계만을 언급하여 따집니다. 그래서 보수, 사용자, 갑, 우익에 들지 못하면 사람 취급을 하지 않으려드는 것이 이즈음의 세태입니다. 참으로 걱정이 아닐 수 없고 우려스러운 세상이 아닐 수 없답니다. 평화를 지키기 위하여 병장기를 만들고, 가난하고 어렵게 사는 사람들을 위하여 서민들에게 세금을 과다하게 물고, 물가를 조절하기 위하여 농산물 가격을 조절하고, 통일을 대박이라고 하면서 국민들을 종북(從北) 몰이하고 있는 것이 작금의 현실이지요. 그리고 가진 자들, 힘센 자들은 자기 뜻대로 세상이 돌아가지 않으면 초조해하고, 안절부절 못하고, 무슨 일이든지 자신들의 이익을 위해서는 서슴없이 저지르고 만답니다. 하지만 노자는 그런 행태들을 "도답지 못한 것"이라고 말합니다. 도를 가진 자는 병장기를 싫어하고, 사람을 괴롭히지 않으며 마음으로라도 살인을 저지르지 않고, 언제나 초연하고 담담한 마음을 유지한답니다. 그런 자를 군자(君子), 혹은 성인(聖人)으로 본답니다. 하지만 지금의 세상은 그렇질 못하지요. 자기가 살기 위해서 타인을 죽이는 행위를 서슴지 않으니 참으로 슬픈 세상이 아닙니까? 어쩌면 참 하느님이시면서도 사람으로 오신 예수의 마음과 참 많이 닮아 있는 것이 또한 노자의 마음가짐이 아닐까도 곰곰이 생각해 봅니다.

상서로운 일에는 왼쪽을 높이고(吉事尙左)

흉한 일에는 오른쪽을 높이지(凶事尙右).

편장군은 왼쪽에 머무르고(偏將軍居左)

상장군은 오른쪽에 머물지(上將軍居右).

말하자면 상례(喪禮)에 따른 자리 잡기라네(言以喪禮處之).

많은 사람을 죽였으니(殺人之衆)

애달프고 비통한 심정으로 읍하는 것이지(以哀悲泣之).

전쟁에서 이기면 상례로 그것을 마무리해 주지(戰勝. 以喪禮處之).

윗글에서 '왼쪽'이니 '오른쪽'이니 하는 말의 뜻을 혹시 알고 계시는지요? 옛날의 고전들을 살펴보면, 세상을 다스리는 통치자는 언제나 북쪽에 앉아서 남쪽을 바라보았다고 합니다. 북쪽은 곧 북극성이 있는 자리이기 때문이지요. 그래서 통치자의 입장이 되어서 보면 왼쪽은 동쪽이 되고, 오른쪽은 서쪽이 되지요. 따라서 동쪽에서는 태양이 떠오르고 서쪽으로는 태양이 저물어가게 됩니다.

그래서 사람들은 태양이 떠오르는 쪽을 '양(陽)'의 방향이라 하고, 태양이 지는 쪽을 '음(陰)'의 방향이라고 하였답니다. 이렇게 따지고 보면, 사람들은 평상시에 오른쪽보다는 왼쪽을 더 좋아하게 되지요. 왜냐하면 왼쪽은 생기발랄하여 생명이 넘쳐흐르며 항상 따스한 온기가 피어나기 때문이지요. 그러나 전쟁이나 위험 그리고 죽음과 관련되는 일을 할 때는 오른쪽을 위주로 하고 오른쪽을 들어 높입니다.

그러니까 평화나 기쁨이나 생명이 넘쳐흐르는 문화는 '왼쪽'을, 전쟁이나 어둠이나 죽음이 주류를 이루는 문화는 '오른쪽'을 좋아하고 숭상하기까지 한다는 것입니다. 이렇게 보면 수녀님, 지금 우리 사회는 어느 쪽을 더 좋아하고 있겠습니까? 사실 공교롭게도 우리 사회는 왼쪽보다는 오른쪽을, 좌익보다는 우익을, 평화보다는 전쟁을, 정의보다는 탐욕을, 생명보다는 죽음을, 이타(利他)보다는 이기(利己)를 더 좋아하는 것처럼 보입니다. 말하자면 생명의 문화보다는 죽음의 문화를 더 좋아하는 것이 오늘 우리가 살고 있는 이 땅의 현실이 아닐까 생각해 봅니다. 이럴 때 참으로 필요한 것이 있다면, 곧 그 옛날 농은 홍유한 선생이 세례도 받지 않았으면서 오로지 『칠극』이라는 한 권의 교리서를 가지고 신앙생활을 시작하였던 것처럼 우리도 그렇게 우리의 삶을 새로 시작해야 되지 않을까 싶습니다.

지금 이곳에는 1월 25일(주일)에 사제와 부제로 서품될 젊은이들이 와서 지내고 있습니다. 저도 그들과 함께 미사를 드리고, 재미있는 이야기도 나누고 있습니다. 따라서 절간처럼 조용하던 이 골짜기에 웃음소리가 떠나질 않고 있습니다. 덕분에 저도 모처럼 행복이란 무엇인지, 또 기쁨이란 무엇인지를 생각하면서 저의 지난날들을 돌아보게 한답니다. 사실 저를 돌아보노라면 별로 한 것도 없는데 벌써 올해가 서품을 받은 지 25년째가 되었네요. 돌아다보면 하느님의 은총이 아님이 없고, 또 돌아다보면 저를 위해 기도해 주는 은인들의 고마움이 아닌 것이 없다는 것을 잘 알면서도 늘 제대로 사제생활을 잘 살지 못하고 있는 것 같아 송구스럽기 이를 데가 없답니다. 이제 새해 첫 달을 맞이하고 또 보내고 있으니 다시금 옷깃을 여미고 신발 끈을 조여 봅니다.

수녀님, 날씨가 겨울답지 않으니 왠지 불안불안합니다. 날씨가 이렇게 된 것도 따지고 보면 결국 날씨 탓이 아니라 못난 우리 인간들의 욕심이 불러일으킨 결과이겠지요? 하지만 언젠가는 우리 인간들도 저 자연의 온갖 만물처럼 하느님의 뜻을 깨닫고 제대로 살지 않겠는가? 라고 희망을 품어봅니다.

또 우리를 내신 하느님께서 당신의 작품인 우리들을 나락으로 빠져들도록 절대로 내버려두시지는 않으시겠지요? 언제나 건강하시고 다음달 도덕경 32장에서 만나뵙도록 하겠습니다.

2015년 1월 22일 목요일에

꽃받이

도는 언제나 이름이 없다네.
통나무, 비록 작더라도
세상 그 누구도 신하로 삼아 부릴 수는 없다네.
제후나 왕들이 그것을 지켜낼 수 있다면
만물은 장차 저절로 복종하게 되고,
하늘과 땅이 서로 합해져서 단 이슬을 내리며
백성은 명령하지 않아도 저절로 조화롭게 되지.

올 겨울은 몇 번 추운 날을 빼고는 예년과는 달리 무척 따스했습니다.
겨울은 겨울다워야 하는데, 아무래도 지구의 온난화 탓인지
점점 날씨가따스해져가고 있습니다. 이것이 결국 인간의 잘못된
'자연을 거스르기의 삶' 때문이 아닌가 싶어 마음이 몹시 아픕니다.

| 32장 |

도는 언제나 이름이 없지

수녀님, 잘 계시지요? 설 명절을 잘 쇠셨는지 모르겠습니다. "새해 복 많이 받으십시오."하고 수녀님들께 세배를 올립니다. 일월도 그렇듯이 속절없이 우리 곁을 떠나더니 명절 중의 명절인 설날도 또한 바람처럼 지나가 버렸습니다. 그러고 보니 바야흐로 이월도 이제 우리 곁을 떠나야 할 시간이 얼마 남지 않은 것 같습니다. 어쩌면 우리네 인생이, 지나온 세월이 그렇듯이 앞으로 가야 할 세월도 또한 바람처럼 구름처럼 나는 듯이 가버리는 것이 아닐까? 그것이 곧 하느님께서 사람을 포함한 삼라만상을 위하여 마련해 주신 당신의 법 곧 '도(道)'가 아닐까 싶기도 합니다.

이미 앞에서 여러 번에 걸쳐서 '도'에 대한 말씀을 드렸습니다. '도'란 무엇인가? 이미 앞에서 정확히 인간의 언어로 개념 짓기란 쉽지 않다고도 말씀드렸습니다. 그렇기 때문에 '불가사의(不可思議)'하다고 하였습니다. 하느님의 법이 꼭 그러합니다. 참 하느님이시면서 사람으로 오신 예수 그리스도, 그 분 말고 하느님의 법을 헤아릴 수 있는 사람이 우리 가운데 누가 있겠습니까? 일월이 가면 이월이 오고, 이월이 가면 삼월이 온다는 것은 사람이 정해 놓은 기호에 의해서만 알 수 있지요. 하지만 그 기호를 없애버리면 우리는 언제가 일월이고, 어느 때가 이월이 가고 삼월이 되었는지를 알 수 없을 테지요? 다만 그동안 몸으로 겪었던 다양한 체험과 경험들을 통해서 짐작만 할 수 있을 뿐이겠지요.

여태까지 노자는 '도'에 관해서 노래해 왔습니다. 하지만 노자가 우리에게 들려주고 싶은 말은 "도는 언제나 이름이 없다네."입니다. 노자의 이 노래는 제가 오래 전에 보내드린 《도덕경 1장》에서 노자는 "도가 말해질 수 있다면, 참된 도가 아니라네(道可道非常道) / 이름이 불려질 수 있다면, 참된 이름이 아니라네(名可名非常名)"라고한 노래 가사와 일맥상통하지요. '이름이 없다는 것'은 무엇이라 딱히 규정할 수도 없고, 규정할 수 없으니 개념적으로 파악될 수도 없으며 파악될 수 없으니 결국 '불가사의(不可思議)'한 신비에 속하는 것이 아닌가 싶습니다. 실제로 '도'는 글자 그대로 '길', '방법', '말씀' 등등으로 이해될 수 있지만, 그렇게 이해하는 것 역시 달리 무엇이라 설명할 길이 없으니 그렇게라도 부르는 것입니다.

그래서 노자는 '도'를 '통나무(樸)'라고 말합니다. 통나무는 켜거나 쪼개거나 사람이 손대지 않은 본래 있는 그대로의 나무 등걸을 말하지요. 마치 구약성서 〈탈출기〉에서 모세가 하느님으로부터 부르심을 받을 때 "제가 이스라엘 자손들에게 가서 '너희 조상들의 하느님께서 나를 너희에게 보내셨다.'고 말하면 그들이 저에게 '그 분 이름이 무엇이오?'하고 물을 터인데 제가 그들에게 무엇이라고 대답해야 하겠습니까?" 하느님께서 모세에게 "나는 있는 나다."하고 대답하셨던 것(탈출 3,13-14)을 연상케 합니다. '도' 역시 그저 '있는 것'일 뿐, 거기에 대해 아둔한 인간이 무엇이라고 규정해 내거나 개념 붙일 수 없는 것이 아닐까 생각합니다. 노자도 '도'에 대하여 노래합니다.

도는 언제나 이름이 없다네(道常無名).

통나무, 비록 작더라도(樸, 雖小)

세상 그 누구도 신하로 삼아 부릴 수는 없다네(天下莫能臣也).

제후나 왕들이 그것을 지켜낼 수 있다면(侯王若能守之)

만물은 장차 저절로 복종하게 되고(萬物將自賓).

하늘과 땅이 서로 합해져서(天地相合)

단 이슬을 내리며(以降甘露)

백성은 명령하지 않아도 저절로 조화롭게 되지(民莫之令而自均).

지금 세상 사람들은 서로 이름을 내고 드높이려고 아귀다툼을 합니다. 심지어는 자신이 하거나 이루지 않은 것을 가지고도 자신이 하거나 이룬 것처럼 명예나 명성을 세상 사람들에게 드러내려고 안달합니다. 사실 사람이 태어나서 자라고 늙고 마침내 죽을 때까지 무엇인가 대단한 업적을 남기는 것처럼 으스대고 뽐내지만, 실제로 한 인간의 일생을 들여다보자면 그야말로 형편없는 삶, 심지어는 '구더기보다 못한 삶'을 살면서도 마치 황제나 천사나 신선처럼 살았다고 생각하기 일쑤가 아닌가 싶습니다. 사실 어찌 보면, 사람이 갓난아기로 막 태어났을 때 '통나무'와 같은 존재가 아니었나 싶습니다. 통나무와 같은 존재였다면 그대로 '도의 모습'을 지녔다고 할 수 있을 테지요. 하지만 자라나면서 이렇게 저렇게 마름질 당하고, 이름을 갖게 되며 세상의 온갖 것에 대한 학습(學習)을 시작하면서 결국에는 원래 지녔던 '도의 모습'을 잃어버리게 되고, 따라서 점차적으로 세상에서 가장 위태롭고 위험한 '괴물의 모습'을 닮아가려는 도상에 놓여 있지 않나 생각해 봅니다. 말하자면, 단순하고 순수하며 해맑은 하느님께서 태초에 우리에게 심어 주셨던 '바로 그 모습'을 잃어버리고 욕심 많고 복잡하고 아집으로 분칠하고 거기에다 덧칠까지 한 우스꽝스러운 존재로 변모해 가고 있지는 않는가?라고 생각해 봅니다. 노자는 이러한 '병통(病痛)'을 수습하고, 본래의 그 질박하며 하느님께서 마련해 주신 자연의 원칙을 체득하기 위해서는 '그칠 줄을 알아야(知止)'한다는 처방을 내놓고 있습니다. 욕심을 그치고 허세를 그치며 명예욕과 권력욕을 멈추고, 오히려 골짜기의 물이 강이나 바다로 흘러들어가는 것처럼 한없이 낮은 곳으로 흘러들어야 하는 것이지요. 마치 예수께서 '광야'에 나가셨던 것처럼(마태4, 1절 이하 / 마르1장 12절 이하 / 루카4장 1절 이하) 말입니다. '광야'는 무엇입니까? 광야는 불모지대, 도저히 생명체가 더 이상 생명을 유지하기 힘든 곳이 아니겠습니까? 이는 척박한 땅 갈릴래아를 말할 수도 있습니다. 주변의 변두리로 내몰린 가난한 사람, 억울한 사람, 사람 대접 받지 못한 사람, 정신적이든 육체적이든 아프고 신음하는 사람들, 밑바닥 생활을 하면서 겨우겨우 하루하루를 연명해 가는 사람들이 모여 있는 곳이 아니겠습니까? '사순절(四旬節)'만 있고 '부활절(復活節)'은 없는 곳 아니겠습니까? 그런 곳이 곧 광야이고 죽음이며 그러한 광야에서 예수께서는 처절한 인간 삶의 비애를 맛보셨고, 또 거부하지 않고 함께하고 극복해내심으로써 모든 믿는 이들의 '주님'이 되셨지요.

"그분께서는 하느님의 모습을 지니셨지만
하느님과 같음을 당연한 것으로 여기지 않으시고
오히려 당신 자신을 비우시어
종의 모습을 취하시고
사람들과 같이 되셨습니다.
이렇게 여느 사람처럼 나타나
당신 자신을 낮추시어
죽음에 이르기까지,

십자가 죽음에 이르기까지 순종하셨습니다."(필리2,6-8)

마름질이 시작되자 이름이 있게 되었고(始制有名).

이름 또한 가졌다면(名亦旣有)

대저 또한 그칠 줄을 알아야 하느니(夫亦將知止).

그칠 줄 안다면 위태로워질 수가 없고(知止, 可以不殆).

비유컨대 도가 천하에 존재하는 것은(譬道之在天下),

마치 시내와 골짜기가 강이나 바다로 흘러드는 것과 같지(猶川谷之於江海).

지금 세상 사람들의 숫자가 65억 명에 이른다고 합니다. 하지만 이런저런 종교에 귀의한 자들의 수는 이보다 훨씬 많다고 합니다. 천주교를 비롯하여 각종 종교에서 가르치는 바의 공통점은 대체로 '인간의 행복, 희망, 사랑, 평화, 믿음, 정의……' 등등일 것입니다. 그런데도 세상은 점점 더 절망에로, 불신에로, 이기적이고 불평등한 곳에로 빠져들고 있다는 인상을 지울 수 없습니다. 그것은 아마도 종교인들마저 무늬만 믿는 이들이고 실제적인 삶은 오히려 그렇지 않는 사람들과 마찬가지로 세상이 만들어내는 구원에 무익한 가치들만 좇고 있기 때문이 아닐까 싶습니다. 이것을 통해 분명하게 말할 수 있는 것은 '이는 분명코 하느님께서 원하시는 뜻', '도에 합치되는 삶'이 아니라는 것입니다.

수녀님, 사순 제1주일을 보내고 맞는 월요일, 창으로 쏟아져 들어오는 햇살이 참으로 따스합니다. 올 겨울은 몇 번 추운 날을 빼고는 예년과는 달리 무척 따스했습니다. 겨울은 겨울다워야 하는데 아무래도 지구의 온난화 탓인지 점점 날씨가 따스해져가고 있습니다. 이것이 결국 인간의 잘못된 '자연 거스르기의 삶' 때문이 아닌가 싶어 마음이 몹시 아픕니다. 날씨도 따스하고 바람도 훈풍이라서 곧 봄도 올 법한데 아직 제 마음의 봄은 올 것 같지가 않습니다. 아마도 세상 돌아가는 것에 대한 걱정 때문인지도 모르겠습니다. 가능한한 초연하게 살고 싶은데 그것이 마음대로 잘 되질 않습니다. 아무튼 수녀님, 언제나 수녀원의 모든 수녀님들이 주님 안에서 마음도 몸도 강건하시길 기도하겠습니다. 그럼 제 33장에서 뵙겠습니다.

2015년 2월 23일 월요일에

노랑민들레

만족할 줄 아는 자는 부유하고,
애써 행하는 자는 품은 뜻을 가지고 있지.
제자리를 잃어버리지 않는 자는 오래가고,
죽어서도 없어지지 않는 자는 영원하지.

| 33장 |

남을 알아보는 자는 지혜롭지

수녀님, 삼월을 잘 보내고 계시는지요? 기어이 봄은 오고야 말았습니다. 어떤 시인은 빼앗긴 들에도 봄은 오는가?라고 한탄조로 시류를 노래했다는데, 하느님의 법은 한 치의 어긋남도 없이 돌아가지요. 이 운행은 우리 인간들에게는 그대로 은총이 되고 말입니다. 돌이켜보면, 삼월 역시 나름대로 바빴던 시간이 아니었나 싶습니다. 바쁘다는 것은 어쩌면 핑계이고 약간의 여유도, 틈도 갖지 못해 전전긍긍했던 시간이었다는 것이 솔직한 고백일지도 모르겠습니다. 요즘 잠들기 전에 읽는 영적 독서는 《성자처럼 즐겨라!》라고 하는 책입니다. 예수회 소속 제임스 마틴 신부님이 쓰셨고, 이순 선생이 2013년에 가톨릭출판사를 통하여 번역하고 출간한 책이지요. 성인들의 유머, 웃음, 기쁨을 사실적으로 그려주고 있습니다. 한마디로 참된 신앙인은 언제나 주님 안에서 기뻐하고, 제대로 웃을 줄 알아야 한다는 것입니다. 기뻐할 줄 모르고 웃을 줄 모르는 사람은 참다운 신앙인이라고 할 수 없다는 뜻도 담겨져 있지요. 이 책을 읽으면서 언제나 웃음을 잃지 않고 사시는 소머리산 아래 우리 수녀님들의 모습이 하나 둘씩 떠올라서 나름대로 행복하고 즐겁고 기쁜 시간을 갖기도 한답니다.

이번 장에서 노자는 "남을 알아보는 자는 지혜롭고 스스로를 아는 자는 밝다"고 노래하네요. 이 노래는 그리스의 유명한 철학자 소크라테스(기원전 470~기원전 399년)의 "너 자신을 알라(Know Yourself)"라는 말하고도 상통하고, 또 예수께서 "너는 어찌하여 형제의 눈 속에 있는 티는 보면서 네 눈 속에 있는 들보는 깨닫지 못하느냐?"(마태7,3)라는 말씀과 서로 닮아 있다고도 볼 수 있지요. '남을 알아본다는 것'은 곧 '자기의 주제'를 파악한다는 말과도 같으며 남을 존중하면 곧 자기를 존중할 줄 알고, 남을 우습게 여기면 곧 자신도 우스운 존재라는 사실을 만천하에 드러내는 것이 아닐까 생각해 봅니다. 여기에서 '남을 알아본다는 것'을 가만히 되씹어보면, 지혜에 속하기는 하지만 세상을 뛰어넘을 정도의 지혜는 아닐 것이라는 게 대체적인 견해이기도 합니다. 왜냐하면 '남을 알아본다는 것'은 결국 다른 사람도 '자기를 알아줄 것'이라는 막연한 기대감을 가지고 있기 때문입니다. 이 기대감은 '다른 사람이 자기를 알아주지 않는 것'에 대해서 곧바로 실망감 혹은 서운함을 드러내어 주는 척도가 될 것이기 때문에 자칫하면 한 순간은 매우 지혜로운 사람인 것처럼 보일지 모르겠지만, 자신의 처지를 알지 못하는 우스운 꼴을 당하기 마련이지요. 자신의 꼴을 알지 못하면 그것은 곧 '지혜롭다'기보다는 오히려 조잡하고 천박하며 속물적인 인간으로 전락하기 십상이 아니겠습니까? 그래서 어쩌면 노자는 '남을 알아보는 자'보다는 '스스로를 아는 자'를 더 가치 있게 보고 있는지도 모를 일입니다. '지인(知人)'보다는 '자지(自知)'를, '승인(勝人)'보다는 '자승(自勝)'을 우위적 가치에 두는 것도 이 때문이 아닌가 싶습니다.

'스스로를 안다'는 것, '스스로를 이겨낸다'는 것은 결국 불교에서 말하는 '일체유심조(一切唯心造)'와도 그 맥락을 같이하는 것이 아닐까요? 어쩌면 우리의 적은 외부에 있는 것이 아니라 내부에 있을지도 모르기 때문입니다. 일반적으로 사람들은 자신의 내부의 문제를 덮어 두려고 타인으로 하여금 그 시선을 외부로 향하게 합니다. 공동체 내부에 문제가 발생하면, 또 국가의 위기가 닥쳐오면 모두들 안으로 반성하고 고쳐 나갈 생각을 갖지는 않고, 자꾸만 외부로 그 책임을 전가하려는 기미를 볼 수 있지요. 그렇다면 '다른 사람을 아는 자'는 결국 '자신을 알아내려고 하지 않고' 꾀를 써서 자신의 잘못을 남의 탓으로 돌리려고 합니다. 이는 '명철(明哲)'하지 못한 태도이지요. 그래서 스스로를 아는 자가 결국 '명철한 사람'이 되고, 명철한 사람이 제대로 된 '지혜로운 자'라고 말할 수 있지 않을까 싶습니다.

남을 알아보는 자는 지혜롭고(知人者智),

스스로를 아는 자는 밝지(自知者明).

남을 이겨내는 자는 힘을 가지고 있고(勝人者有力),

스스로를 이겨내는 자는 강하지(自勝者强).

제가 앞에서 요즘 읽는 영적 독서로 제임스 마틴 신부님의 《성자처럼 즐겨라!》라는 책을 읽고 있다고 말씀 드렸습니다. 거기에 보면, 다음과 같은 예수와 데레사 성녀 이야기가 나옵니다.

"어느 날 성녀가 자신이 세운 수도원 중 한 곳을 방문하러 가는 길에 그만 나귀에서 떨어져 진흙탕으로 굴렀습니다. 다리를 다친 데레사 성녀가 말했습니다. '주님, 어쩜 이렇게 가장 나쁜 때를 골라서 이런 일이 일어나게 하신 거죠?' 성녀가 기도 중에 들은 응답은 이랬습니다. '이것이 내가 사랑하는 친구를 대하는 방식이란다.' 그러자 성녀는 대답했습니다. '그래서 주님께서는 그렇게 친구가 적으시군요!' (같은 책, 197쪽) 이 이야기는 하느님과 데레사 성녀의 상당히 익살스런 대화의 한 장면입니다. 이 익살스런 대화는 주종관계, 갑을관계가 아닌 '너와 나'의 관계, 지극히 평등한 관계 혹은 '내 안에 네가 있고, 네 안에 내가 함께 있는 관계'가 아니면 도저히 상상해 볼 수 없는 일이 아닐까 싶습니다. 하느님의 익살과 데레사 성녀의 뾰족하게 나온 밉지 않는 인상 사이에서 서로의 '참 사랑'을 확인해 볼 수 있는 대목이 아닌지요?

때마침 오는 3월 28일 성녀 데레사 탄생 500주년 기념미사를 교구장님과 함께 성대하게 봉헌한다는 소식을 들었고, 아무런 공로도 없는 저까지 초대해 주셔서 얼마나 기뻤는지 모릅니다. 하지만 불행하게도(?) 저는 다른 동료 신부님들과 함께 서울에 가서 부활맞이 판공성사를 도와주어야 하는 약속이 되어 있었기 때문에 부득불 참석하지 못해 얼마나 안타깝고 애석한 일인지요. 이럴 때 저도 데레사 성녀처럼, "주님, 주님께서는 어쩜 이렇게 가장 나쁜 때를 골라서 이런 일이 일어나게 하신 거죠?"라고 투정을 부려본다면 주님께서는 "이것이 내가 사랑하는 친구를 대하는 방식이란다."라고 말씀하실 것이 뻔합니다. 그렇게 말씀하시면 저도 역시 "주님, 그러시니까 주님께서는 그렇게 친구가 적으시군요!"라고 입을 뾰족하게 내밀고 싶어지지요.

만족할 줄 아는 자는 부유하고(知足者富),

애써 행하는 자는 품은 뜻을 가지고 있지(强行者有志).

제자리를 잃어버리지 않는 자는 오래가고(不失其所者久),

죽어서도 없어지지 않는 자는 영원하지(死而不亡者壽).

노자는 "만족할 줄 아는 자는 부유하다"고 노래하네요. 하지만 지금의 세상은 만족할 줄 모르고 끝없이 '배고픔'으로 허덕이고 있지요. 실상 이 배고픔은 진정으로 배가 고파서 죽을 지경에 놓인 것을 뜻하는 것이 아니라, '배부름'에도 불구하고 끝없이 소유 내지는 탐욕을 부리고 있다는 뜻이겠지요. 탐욕, 소유욕은 결국 가난한 이들의 아픔을 더 아프게 만들고, 사람을 물질의 노예로 전락시키는 것이기 때문에 태초에 하느님께서 내신 바로 그 '인간성'을 회복하지 못하도록 방해하는 주요 원인 가운데 한 가지가 되겠지요? 사도 바오로는 필리피 공동체 구성원들에게 다음과 같은 내용으로 편지를 씁니다.

"내가 궁핍해서 이런 말을 하는 것은 아닙니다.
나는 어떠한 처지에서도 만족하는 법을 배웠습니다.
나는 비천하게 살 줄도 알고 풍족하게 살 줄도 압니다.
배 부르거나 배 고프거나 넉넉하거나 모자라거나
그 어떠한 경우에도 잘 지내는 비결을 알고 있습니다.
나에게 힘을 주시는 분 안에서 나는 모든 것을 할 수 있습니다."
(필리4,11-13)

결국 '만족할 줄 아는 삶'이란 '살아가도록 해 주신 것만 해도 감사해야 할 일'이라는 것입니다. 만족할 줄 모르는 사람들은 베풀어 주신 은혜에 감사할 줄도 모르고, 지금 살아있음에 대해 기뻐할 줄도 모르는 것이지요. 이런 사람들이 결국 '품고 있는 뜻'이란 하느님의 뜻(천명)이 아니라 제 욕심 채우기, 탐욕, 이기심, 소유욕 등등에 사로잡혀 자신이 누구인지를 모르게 되지 않을까 싶습니다.

자신의 정체성을 모르는 사람은 자신의 현주소, 자신의 삶의 자리를 잃어버리게 되고, 자신의 자리를 잃어버리는 자는 영원을 추구하지 못하고, 생명의 소중함마저 잃게 되고 말지 않을까 싶습니다. 말하자면 죽어서도 '새로운 삶으로 옮겨가지 못하는' 불쌍한 영혼이 되고 말겠지요.

수녀님, 오늘은 '주님 탄생예고 대축일'이네요. 옛날에는 '성모영보 대축일'이었지요. 사순절 막바지로 치닫는 과정 속에서 이 축일을 보낸다는 것은 곧 새로운 생명의 탄생, 새로운 부활의 희망을 미리 보는 듯합니다.

그리고 또 며칠 뒤인 3월 28일 토요일에는 개혁공의회에 밀알이 되었던 위대한 성인, 대(大) 데레사의 탄신 500주년이 되는 날이지요. 그래서 수도원에서도 교구장 주교님의 집전으로 성대하게 미사를 봉헌한다는 소식도 들었고요. 또, 초대도 받았음에도 불구하고 그 자리에 함께하지 못하는 안타까움을 미리 전해드립니다. 마음 같아서는 꼭 함께 미사를 봉헌하고 또 오랜만에 수녀님들의 해맑게 웃는 모습도 마주하고 싶지요. 하지만 이럴 때 꼭 주님께서는 허락하지 않으시니 제 고집과 욕심만을 앞세운다면 이 또한 '만족할 줄 모르는 자'에 속하게 되겠지요? 오히려 주님께서는 더 좋은, 더욱더 저에게 알맞은 일과 기쁨을 주시지 않으시겠는가? 믿어 의심치 않습니다.

카리타스 수녀님과 테레사 수녀님의 기뻐서 해맑게 웃으시는 모습이 눈에 그려집니다. 삼월도 이제 며칠밖에 남지 않았네요! 우곡 골짜기를 오르내리는 바람도 이제는 제법 훈훈한 분위기를 실어 나르고, 또 산수유 꽃망울도 제법 노랗게 부풀어 올라서 봄이 바싹 다가 온 느낌입니다. 언제나 강건하시고 또 성녀 데레사 수녀님 닮아서 언제나 하느님께 기쁨이 될 수 있는 수녀님들이 되시기를 기도합니다. 아울러 곧 다가올 예수님의 '부활대축일' 미리 함께 기뻐하고 또 축하드리고 싶습니다.

"수녀님들~~~우리 주 예수 그리스도께서 부활하셨습니다. 알렐루야~~~!!!" 날마다 좋고 기쁜 일만 가득하시길 빕니다. 『도덕경』 34장에서 뵙겠습니다.

2015년 3월 25일 주님 탄생예고 대축일에

참꽃

그는 마지막까지 스스로 위대하다고 하지 않기 때문에
그래서 그는 위대함을 이룰 수 있었다네.

육을 따르는 자는 육에 속한 것을 생각하고,
성령을 따르는 이들은 성령에 속한 것을 생각합니다.
육의 관심사는 죽음이고, 성령의 관심사는 생명과 평화입니다.

| 34장 |

위대한 도여, 넘쳐흐르시는구나!

수녀님, 사월이 왔던가 싶더니 또 막 떠나가려는데 주님의 부활대축일이 되었습니다. 예수 그리스도께서 부활하셨으니 그 기쁨, 그 축복을 잘 누리고 계시리라 여겨봅니다. 확실히 프란치스코 교황의《복음의 기쁨》(Evangelii Gaudium)이라는 회칙은 믿는 이들의 가슴을 속 시원하게 뚫어주고 있는 듯이 보입니다. 그러면서 그분은 "부활시기 없이 사순시기만 있는 것처럼 살아가는 그리스도인들이 있습니다. 물론 기쁨이란 삶의 모든 순간에, 특히 가장 힘든 때에도 똑같이 경험할 수 있는 것이 아님을 저는 잘 알고 있습니다. 기쁨은 상황에 따라 변하지만 한줄기 빛으로라도 언제나 우리 곁에 있습니다. 이는 끝없이 사랑받고 있다는 개인적인 확신에서 생겨납니다."(6항)라고 말씀하심으로써 신앙인은 수난으로 말미암은 끝없는 비탄 속에서만 머물러서는 안되고, 그러한 과정 속에서도 서서히 희망에로 몸을 돌려 되살아나야 한다는 것입니다.

저는 요즈음 수녀원에서 보내 준 부활초에 불을 댕기면서 수도원에서 맺은 수녀님들과의 인연을 생각합니다. 그 인연은 확실히 우리를 위하여 오시고, 사시고, 수난하시고, 죽으시고, 묻히셨으며 부활하신 주님이신 예수 그리스도께서 마련해 주신 은총의 시간이 아니었을까 하고 고백해 봅니다. 그리고 이곳에 와서 또한 수도원에서 그랬던 것처럼 기쁘게 살아갑니다. 혼자서 일하고, 때가 되면 밥지어 먹고, 순례자들이 오면 반갑게 맞이하고, 뿐만 아니라 연구소에 관한 일도 틈을 내어 소화시키려고 애를 씁니다. 모두가 다 그분이 제게 맡겨 주신 직분이기 때문입니다. 물론 이 직분들은 여러 모로 부족한 것뿐인 저에게는 감당하기 힘겨운 것이기도 하지만, 그분께서는 결코 제가 감당하기 어려운 일을 맡기시지 않으실 뿐만 아니라 오히려 그 직분을 통해서 저를 좀 더 당신과 가깝게 하시려고 그리하실 것이라는 믿음이 있기 때문에, 저는 기쁜 마음으로 오늘도 힘을 내어 봅니다.

산수유, 개나리, 진달래는 며칠 전부터 활짝 피어나기 시작하였는데 벚꽃이나 앵두, 복사꽃, 영산홍, 자목련 등등은 이제 막 꽃망울을 터뜨릴 준비를 하고 있는 것 같습니다. 경당 바로 곁 산자락에는 큰 바위가 위엄도 당당하게 서 있는데, 그 아래에는 짐승들이 우글거릴 정도로 온갖 잡풀들이 우거져 있어서 위풍당당한 바위를 가리고 있었지요. 지난 가을을 지나 겨울이 들어설 무렵에 그렇게 우거진 잡풀들을 모두 걷어내고 깨끗하게 단장을 하였답니다. 그랬더니 어느 순례자가 지나다가 이 광경을 보고 난 뒤 얼마 후 예수성심 상을 보내와서 그

상을 바위와 어울리게 바닥을 정리하고 세우게 되었습니다. 얼마나 감사한 일이던지요! 이제 날이 풀려 얼마 전에는 시장에 가서 영산홍을 몇 주 사 와 예수성심 상 주변에 심었습니다. 그랬더니 주변 전경이 확실히 달라졌답니다.

이즈음의 세상 돌아가는 형편을 보면 참으로 가관입니다. 인간들이 이렇게까지 살아도 되나 싶을 정도로 말입니다. 마치 2천 년 전 예수님 시대 이스라엘의 분위기가 연상될 만큼 썩은 내가 진동하는 듯합니다. 그래도 썩은 내는 결국 향기롭고 맑은 공기에 의해 물러가고야 말 것이고, 겨울은 가고, 봄은 찾아오고, 꽃들은 피고, 쑥부쟁이들은 언 땅을 뚫고 올라올 거라는 희망을 가집니다. 꽃 피고 새 우는 이즈음의 자연을 둘러보면 참으로 하느님의 뜻(천명)이 그래도 끊임없이 작용하고 있음에 대해 형언할 수 없는 감동을 자아냅니다. 하느님의 계획하심은 한 치도 어긋남이 없다는 것을 새삼 느껴보는 요즈음입니다.

위대한 도여, 넘쳐흐르시는구나(大道氾兮)!

그것은 왼쪽이든 오른쪽이든 가능하지(其可左右).

만물이 거기에 의지하여 생겼는데도 꺼리지 않으며(萬物恃之而生而不辭),

공덕이 이루어져도 이름을 내지 않지(功成不名有).

만물을 길러내면서도 주인 노릇을 하지 않고(衣養萬物而不爲主),

언제나 욕심을 없이한다네(常無欲).

작다고 이름 할 수 있지(可名於小).

만물이 그곳으로 돌아와도 주인 행세를 하지 않으니(萬物歸焉 而不爲主),

위대하다고 이름 할 수 있지(可名爲大).

노자가 위에서 '도의 위대성'을 노래한 대목은 확실히 성서 속에서 노래한 시편 작가들이 '하느님의 위대하심'을 노래한 대목과 닮은 데가 있다고 할 만합니다.

"주님께 감사 노래 불러라.

우리 하느님께 비파 타며 찬미 노래 불러라.

하늘을 구름으로 덮으시고

땅에 비를 마련하시어

산에 풀이 돋게 하시는 분.

가축에게도,

우짖는 까마귀 새끼들에게도 먹이를 주시는 분,

그분께서는 준마의 힘을 좋아하지 않으시고

장정의 다리를 반기지 않으신다.

주님께서는 당신을 경외하는 이들을,

당신 자애에 희망을 두는 이들을 좋아하신다."(시편147,7-11)

또 예수께서도 "원수를 사랑하라."는 대목에서 하느님의 자애하심을 말씀하고 계시는데 역시 노자의 노래와 닮은 데가 있다고 보기에 충분합니다.

"너희는 원수를 사랑하여라.
그리고 너희를 박해하는 자들을 위하여 기도하여라.
그래야 너희가 하늘에 계신 너희 아버지의 자녀가 될 수 있다.
그분께서는 악인에게나 선인에게나
당신의 해가 떠오르게 하시고,
의로운 이나 불의한 이에게나 비를 내려 주신다."(마태5,44-45)

뿐만 아니라 노자의 노래는 또 사도 바오로가 일치와 겸손하신 분으로서 예수 그리스도를 노래한 부분과 또한 닮은 점이 있지 않겠나 생각해 봅니다.

"그분께서는 하느님의 모습을 지니셨지만
하느님과 같음을 당연한 것으로 여기지 않으시고
오히려 당신 자신을 비우시어
종의 모습을 취하시고
사람들과 같이 되셨습니다.

이렇게 여느 사람처럼 나타나

당신 자신을 낮추시어

죽음에 이르기까지

십자가 죽음에 이르기까지 순종하셨습니다.

그러므로 하느님께서도 그분을 드높이 올리시고

모든 이름 위에 뛰어난 이름을 그분께 주셨습니다."(필리2,6-9)

노자의 노래에 따르면, 그래서 만물은 모두 '도'에 의지하여 살아가는 듯합니다. 마찬가지로, 시편 작가나 마태오 복음사가나 사도 바오로의 말씀에 따르면 만물은 모두 '하느님'께 의지하여 살아가야만 비로소 '기쁘고 떳떳해질' 수 있다고 합니다. 하지만 지금의 세상은 자신을 낮출 줄도 모르고, 타인과 하나될 줄도 모르며 또 타인과 가진 것을 나눌 줄도 모르면서 오로지 자신들의 아집만을 내세우고, 자신의 안위만을 걱정하고 자기편만을 위할 따름이지요. 이 때문에 사도 바오로는 "무릇 육을 따르는 자는 육에 속한 것을 생각하고, 성령을 따르는 이들은 성령에 속한 것을 생각합니다. 육의 관심사는 죽음이고 성령의 관심사는 생명과 평화입니다. 육의 관심사는 하느님을 적대하는 것이기 때문입니다. 사실 그것은 하느님의 법(천명)에 복종하지 않을 뿐 아니라 복종할 수도 없습니다. 육 안에 있는 자들은 하느님의 마음에 들 수 없습니다."(로마8,5-7)라고 말씀하셨는지도 모르겠습니다.

그는 마지막까지 스스로 위대하다고 하지 않기 때문에(以其終不自爲大),

그래서 그는 위대함을 이룰 수 있었다네(故能成其大).

지난 3월 28일 아빌라의 성녀 대데레사 탄생 500주년 기념미사에 함께하지 못해 송구스럽습니다. 이제 이곳 우곡성지에도 벚꽃이며 자목련이 피기 시작했습니다. 영하 20도를 오르내리던 춥고 무서웠던 겨울이 지나가고 겨우내 얼어있던 마음마저 따스한 봄날의 향기로운 구름처럼 하늘로 띄워 봅니다. 많은 사람들이 즐겨 감상하는 예수의 성녀 데레사의 주옥같은 시편 가운데 '인내'라는 시의 첫 부분을 저도 가만히 읊어봅니다.

"아무것에도
너 마음 설레지 말라.
아무것에도 너 놀라지 말라.
다 지나가느니라.
하느님은 변하지 않으시니
인내로써 모든 걸 얻으리라.
하느님을 차지하는 이
아무것도 아쉽지 않아

하느님만으로 족하리라."

(예수의 데레사 성녀가 기도한 "인내" 앞부분)

수녀님, 지난 겨울에 《칠극의 길》을 완성하였는데 겨울이라서 주변 정리를 제대로 못했습니다. 해서 내일부터 며칠간은 사람들을 불러 주변 정리를 하려는 계획을 세워 놓았습니다. 봄이 오니 그동안 뜸했던 순례자들이 더러 보입니다. 얼마나 고맙고 감사한 일인지요? 그리고 이번 주일을 지나면 오랫동안 보지 못했던 동창 신부들을 만나러 전주로 떠나기로 되어 있습니다.

올해가 제가 서품을 받은 지 꼭 25년이 되는 해더군요. 그래서 25년을 맞는 동창 신부들과 하룻밤을 함께 보내기로 계획하였습니다. 수녀님들께서도 저와 25주년을 맞이하는 저희 동창 신부들을 위해 기도해 주시기를 부탁드립니다. 저도 언제나 수녀님들을 위해 기도하겠습니다. 그리고 올해는 꼭 틈을 내어 수녀님들을 만나러 가리라 다짐해 봅니다. 그런 틈을 주시라고 하느님께 간청 드리고 있답니다. 언제나 주님 안에서 평화와 기쁨을 누리시기를 기도합니다. 밤이 깊었습니다. 그럼 35장에서 다시 뵙도록 하겠습니다.

2015년 4월 23일 부활 제3주간 목요일 우곡성지에서

"내 안에 머물러라. 나도 너희 안에 머무르겠다.
너희가 내 안에 머무르고, 내 말이 너희 안에 머무르면,
너희가 원하는 것은 무엇이든지 청하여라.
너희에게 그대로 이루어질 것이다."(요한15,4절 이하)

인심은 오직 위태로울 뿐이고,
도심은 오직 보일 듯 말 듯하니,
오직 마음을 정밀하게 하고 한결같이 하여야,
진실로 그 중을 지킬 수 있다.

| 35장 |

위대한 표상을 꼭 부여잡고

수녀님, 성모의 성월이요 제일 좋은 시절 오월이 돌아왔습니다. 하느님께서 당신이 사랑으로 내신 천지만물을 위하여 배려하신 자연의 운행 모습은 한결같아서 때가 되면 때에 딱 들어맞게 돌아가는 것이 생각할수록 참으로 오묘합니다. 사람살이의 관계도 이와 같이 형통(亨通)하면 얼마나 좋을까요? 하느님의 '위대한 표상(大象)'은 크고 좋고 빛나는 것에서부터 비롯되는 것이 아니라, 작고 가냘프고 사람들이 생각하지 못한 데서부터 시작된다는 것을 우리는 왜 알지 못하는 것인지 모르겠습니다. 새싹이 움트고 새가 노래하고 미풍이 나뭇가지에서 하늘거리고 실개천이 참 맑게도 흘러가는데 우리네 사람들은 그런 것을 무시하고 자세히 들여다볼 생각도 하지 않습니다. 마치 '베들레헴'(마태2장 참조)에서 일어나는 위대한 일들에 대해 헤로데와 백성의 수석사제들과 율법학자들이 잊고 있었던 것처럼 말입니다. 사실 사람들은 살아가면서 아무런 해를 입지 않고 편안하고 태평스러우며 듣기 좋은 음악과 고급스런 음식을 먹을 때만이 참으로 거기에 하느님이 계시다고 생각하는 경향이 짙지요. 노자가 살았던 시대에도 사람들의 생각은 지금과 다르지 않았던 것 같습니다. 하지만 노자는 그러한 풍족하고 안락한 삶의 의미는 위대한 표상인 '도'를 두 손으로 꽉 부여잡을 때만이 참으로 가능한 일이요, 그렇지 않다면 모두가 다 허상(虛像)이라고 소리치는 듯합니다.

노자는 노래합니다.

위대한 표상을 꽉 부여잡으니 세상이 (그리로) 돌아가네(執大象, 天下往).

돌아가더라도 해를 입히지 않으니(往而不害),

편안하고 태평스럽기만 하네(安平太).

듣기 좋은 가락과 맛깔난 음식들이(樂與餌)

지나가는 나그네도 멈추게 하네(過客止).

'위대한 표상'은 '도의 형상' 혹은 '도의 모습'입니다. '도의 모습'을 꽉 부여잡고 그리로 돌아갈 때만이 비로소 사람들은 참된 의미의 '영원한 안식'을 누릴 수 있다는 것이지요. 구약의 〈시편〉 작가도 노래합니다.

"주님은 나의 빛, 나의 구원.

나 누구를 두려워하랴?

주님은 내 생명의 요새.

나 누구를 무서워하랴?

....

주님께 청하는 것 하나 있어

나 그것을 얻고자 하니,

내 한평생

주님의 집에 살며

주님의 아름다움을 우러러보고

그분 궁전을 눈여겨보는 것이라네."(시편27,1절 이하)

또 예수께서도 말씀하셨지요. "내 안에 머물러라. 나도 너희 안에 머무르겠다........너희가 내 안에 머무르고 내 말이 너희 안에 머무르면 너희가 원하는 것은 무엇이든지 청하여라. 너희에게 그대로 이루어질 것이다."(요한15,4절 이하)라고 말입니다. 하지만 사람들은 진정으로 하느님 안에 머무를 생각도 하지 않고, 자신들의 안위만을 걱정하여 그분께 자신들이 원하는 세속적인 부와 권세와 명예를 달라고 청합니다. 하지만 결국 그런 것들은 세속적인 것이기에 한낱 바람에 날리는 먼지와 같아서, 또 물거품과 같아서 금방 없어지고 말게 되겠지요. 그런 의미에서 노자가 노래한 『도덕경』을 읽어 내려가고 있노라면 참 많은 것들을 묵상하게 만듭니다.

특별히, 예수께서 "나는 길이요 진리요 생명이다. 나를 통하지 않고는 아무도 아버지께 갈 수 없다."(요한14,6)고 하신 바로 그 말씀을 떠올리게 만듭니다.

사실 노자는 '도', 곧 '자연의 순리'에 따라 사는 길만이 살아가는 데 아무런 해를 입지 않고 안락하게 살며 맛깔난 음식을 먹을 수 있고, 또 지나가는 나그네의 발걸음도 멈추게 할 수 있다고 합니다. 어쩌면 참 하느님이시면서 사람으로 오신 예수께서 원하신 인간의 삶도 그런 것이 아닐까 생각해 봅니다. 비록 가진 것 없어도 그분의 사랑 안에 머물면 전쟁도, 불의도, 욕심도 없이 서로가 서로의 어깨에 어깨를 걸고 기쁘게 사는 공동체를 예수께서 소망하셨지 않을까 싶습니다. 그러한 상태에서는 보잘것 없고 형편없어 보이며 듣기 거북한 노래도 모두 아름답게 보이고 먹음직스럽게 보이지 않겠는지요? 이러한 상태는 자신의 모든 것을 포기하고 내려놓지 않으면 불가능한 일이 되고야 말겠지요?

도를 입으로 내뱉어보지만(道之出口),

담백해서 그저 아무런 맛도 없고(淡乎其無味),

보려 해도 제대로 보이지 않으며(視之不足見),

들으려 해도 속 시원히 들리지 않고(聽之不足聞),

써보려고 해도 끝까지 다해지지 않네(用之不足旣).

대체로 나그네의 발길을 붙잡는 것은 듣기 좋은 노래 가락이나 냄새가 사람의 마음을 움직이기 때문이지요. 하지만 도가에서 특히 노자가 말하는 '도'는 말은 담담해서 맛을 보아도 별 맛이 없고, 소리를 들어도 별로 들을 만한 것이 없다고 합니다. 그러니 보통사람들의 귀에 솔깃하거나 구미에 맞는 것이 아니지요. 그러한 '도'임에도 불구하고, 온 세상 사람들이 그것을 사용하지만 그 작용은 샘물처럼 흘러나와서 아무리 써도 다함이 없다는 것입니다. 그래서 '도의 위대한 모습'을 그려냈는지도 모를 일입니다. 그 '도'의 모습은 곧 자연의 운행 모습이고, 자연의 운행 모습은 또한 하느님의 역사하심이 아니고 무엇이겠습니까? 구약의 코헬렛의 저자는 인간에게서 찾을 수 없는 지혜를 다음과 같이 노래합니다.

"그것은 멀리 있었다.
존재하는 것은 멀리 있으며
심오하고 심오하니,
누가 그것을 찾을 수 있으리오?"(코헬7,23-24)

유가에서도 '도'에 대해 한마디 하였지요.《서경(書經)》에는 다음과 같은 16자의 글귀가 있습니다.

"人心唯危(인심유위) : 인심은 오직 위태로울 뿐이고 / 道心唯微(도심유미) : 도심은 오직 보일 듯 말 듯하니 / 唯精唯一(유정유일) : 오직 마음을 정밀하게 하고 한결같이 하여야 / 允執厥中(윤집궐중) : 진실로 그 중을 지킬 수 있다."

원래 이 구절은 요(堯) 임금이 순(舜) 임금에게 왕위를 선양하면서 전한 말이라고 합니다. 순(舜) 임금은 다시 우(禹) 임금에게 자리를 내어주며 이 말에다 12자를 더하여 16자를 만들었지요. 이 16자는 유가에서 마음 닦는 공부의 요체인데 후에 격물치지(格物致知), 수신제가(修身齊家), 치국평천하(治國平天下)라는 유가의 교리로 이어지게 되지요. 이와 같은 것을 살펴보자면, '진리'는 어떤 종교든지 어떤 사상이든지 모두 통하는 것이 아닐까 싶습니다. 〈지혜서〉의 작가는 하느님의 지혜를 노래합니다.

"어떠한 인간이 하느님의 뜻을 알 수 있겠습니까?
누가 주님께서 바라시는 것을 헤아릴 수 있겠습니까?
죽어야 할 인간의 생각은 보잘것 없고
저희의 속마음은 변덕스럽습니다.
썩어 없어질 육신이 영혼을 무겁게 하고
흙으로 된 천막이 시름겨운 정신을 짓누릅니다.

저희는 세상 것도 거의 짐작하지 못하고

손에 닿는 것조차 거의 찾아내지 못하는데

하늘의 것을 밝혀낸 자가 어디 있겠습니까?"(지혜9,13-16)

또 토마스 아퀴나스는 『성체찬가』라는 그의 기도 안에서 다음과 같이 자신의 신앙을 고백합니다.

"엎디어 절하나이다. / 눈으로 보아 알 수 없는 하느님, / 두 가지 형상 안에 분명히 계시오나 / 우러러 뵈올수록 전혀 알 길 없삽기에 / 제 마음은 오직 믿을 뿐이옵니다. / 보고 맛보고 만져 봐도 알 길 없고/ 다만 들음으로써 믿음 든든해지오니 / 믿나이다. 천주 성자 말씀하신 모든 것을. / 주님의 말씀보다 더 참된 진리 없나이다. / 십자가 위에서는 신성을 감추시고 / 여기서는 인성마저 아니 보이시나 / 저는 신성, 인성을 둘 다 믿어 고백하며 / 뉘우치던 저 강도의 기도 올리나이다." [『성체찬가』중에서 발췌]

수녀님, 오월이 오는가 싶더니 또 오월이 속절없이 갑니다. 성모의 성월이요 제일 좋은 시절인 오월인데 올해 오월은 참으로 가슴이 먹먹한 계절이었답니다. 다름이 아니라 세상 돌아가는 꼴이 점점 이상해져서 말입니다. 그래서 지난 5월 19일부터 22일까지 목성동 주교좌성당에서 안동교구 사제단이 어지러운 시국을 위해 단식기도를 하였답니다. 많은 수도자들과 평신도들도 함께했고요. 그것을 끝내고 머리를 들어 보니 오월은 며칠 밖에 남지 않았고, 저 멀리서 유월이 오고 있다고 기별을 해옵니다.

수녀님, 잘 계시지요? 저는 이글을 쓰면서도 조바심이 납니다. 혹시나 올해도 수녀님들과의 약속을 지키지 못할까봐서요. 하지만 하느님께서 틀림없이 기회를 주실 것이라고 믿기 때문에 그 조바심마저도 행복한 고민이 아닌가 싶습니다. 이곳엔 이제 아카시아꽃이 피기 시작했습니다. 그 향기가 얼마나 향긋한지요.

수녀님들, 특히 데레사 수녀님과 카리타스 수녀님도 여전히 건강하시지요? 안부 전해 주시기 바랍니다. 내일은 '성령강림 대축일'이네요. 성령께서 주시는 은총의 선물을 수도원 공동체가 모두 풍성하게 받으시기를 기도합니다.

그럼, 수녀님, 『도덕경』 36장에서 뵙겠습니다.

2015년 5월 23일 성령강림 대축일 전야에

청하여라, 너희에게 주실 것이다.
찾아라, 너희가 얻을 것이다.
문을 두드려라, 너희에게 열릴 것이다.(마태7,7)

부드럽고 약한 것이 굳세고 억센 것을 이겨내고,
물고기는 연못을 떠날 수 없지.
나라를 이롭게 하는 그릇을
다른 사람들에게 보여줄 수야 없지.

| 36장 |

접어들이고 싶으면 반드시 꼭 펼쳐 주어야 하네.

수녀님, 우곡의 수풀이 절로 짙푸르러져가는 유월입니다. 지난 달 말에 우리는 참 소중한 분을 이 땅에서 하느님 품으로 보내 드려야만 했습니다. 사람이 이 땅에 태어나면 언젠가는 본래의 곳으로 되돌아가야만 하는 것이 하느님의 법이시지만, 그래도 짧다면 짧고 길다면 긴 인생길에서 만나 함께 이야기를 나누었던 '도반(道伴)'으로서 소중한 사람을 잃어버렸고, 그곳으로 돌아가기 전까지 다시는 이 땅에서 만나지 못하고 이야기 나누지 못하며 기쁨도 슬픔도 함께할 수 없다는 생각에까지 미칠 때 우리는 또 얼마나 슬퍼해야 하는지요? 하지만 우리는 압니다. 사도 바오로가 "우리가 지금은 거울에 비친 모습처럼 어렴풋이 보이지만 그때에는 얼굴과 얼굴을 마주볼 것입니다. 내가 지금은 부분적으로 알지만 그때에는 하느님께서 나를 온전히 아시듯 나도 온전히 알게 될 것입니다."(1코린13,12)라고 고백한 것처럼 말입니다.

지금 이 땅은 온통 위선과 혼란이 판을 치고 있는 듯 보입니다. 진실은 없고 왜곡과 과장과 기만 등등이 마치 온 세상을 집어삼킬 듯 맹

위를 떨치고 있지요. 거기에다가 42년만의 가뭄으로 인해 논밭도 농부들의 마음도 타들어가고 있고요, 또 '메르스(중동호흡기증후군, Middle East Respiratory Syndrome)'라는 정체불명의 역병이 나타나 사람들을 공포로 몰아넣고 있습니다. 그러나 언론이나 지식인이나 정치 지도자들은 자신들이 내뱉은 말이나 일에 있어서 책임질 생각을 하지 않고 오히려 가난하고 힘들게 살아가는 서민들에게 무거운 짐을 지도록 종용하는 형국이니 참으로 이보다 더 참담한 시절이 있었을까 싶을 정도입니다. 이럴 때 노자가 부르는 노래는 참으로 의미심장합니다.

마치 예수께서 말씀하시는 복음의 한 자락을 듣는 듯합니다.

"너희를 미워하는 자들에게 잘 해주고,
너희를 저주하는 자들에게 축복하며,
너희를 학대하는 자들을 위하여 기도하여라.
네 뺨을 때리는 자에게 다른 뺨을 내밀고,
네 겉옷을 가져가는 자는 속옷도 가져가게 내버려 두어라.
달라고 하면 누구에게나 주고,
네 것을 가져가는 이에게서 되찾으려고 하지 마라.
남이 너희에게 해주기를 바라는 그대로
너희도 남에게 해주어라."(루카6,27-31)

다음은 노자의 노래입니다.

접어들이고 싶으면 반드시 진실로 펼쳐 주어야 하고(將欲歙之, 必固張之),

약하게 하고 싶으면 반드시 진실로 강해지도록 해야 하며(將欲弱之, 必固强之)

무너뜨리고 싶으면 반드시 진실로 일어나도록 해야 하고(將欲廢之, 必固興之)

빼앗고 싶으면 반드시 진실로 주어야 하지(將欲奪之, 必固與之).

이것을 '미묘한 밝음'이라 한다네(是謂微明).

어떻습니까? 진리 혹은 진실은 시대와 장소를 막론하고 서로 통하는 데가 있는가 봅니다. 이러한 내용을 예수께서는 마치 진리라고 확인이라도 해주시는 것처럼 "그러므로 남이 너희에게 바라는 그대로 너희도 남에게 해주어라.

이것이 율법과 예언서의 정신이다."(마태7,12)라고 단호하게 설파하십니다. 뿐만 아니라 예수께서는 또 말씀하십니다.

"청하여라, 너희에게 주실 것이다.
찾아라, 너희가 얻을 것이다.
문을 두드려라, 너희에게 열릴 것이다."(마태7,7)

라고 하셨지요. 예수께서는 그렇게 하시면서 "너희가 악해도 자녀들에게는 좋은 것을 줄 줄 알거든, 하늘에 계신 너희 아버지께서야 당신께 청하는 이들에게 좋은 것을 얼마나 더 많이 주시겠느냐?"(마태,711)라고 하십니다. 이것을 노자는 '미명(微明)', 즉 '미묘한 밝음'이라고 했습니다. '미묘한 밝은'이란 '보이지 않거나 희미한' 곧 '보일 듯 말 듯 어렴풋한 밝음'이라는 뜻이지요. 이는 '자연의 모습'이고, 자연의 모습은 '도의 모습'이며 도의 모습은 '하느님의 모습'으로 연결될 수가 있지 않을까 생각해 봅니다.

사실 오늘날 우리는 아무런 생각도 없이 그저 자신의 탐욕을 채우기 위하여 너무나 많은 자연을 훼손하고 파괴합니다. 아무 생각 없이 자연을 파괴하니 파괴로 무장된 인간의 바로 그 마음이 곧 모든 인간 관계를 파괴하고, 인간 관계가 파괴되니 도가 무너져 버리고, 도가 무너지니 결국 하느님과 인간 사이의 관계가 무너져 내리는 지경에 이르게 되어가고 있지 않았나 싶습니다.

그런데도 사람들은 깨닫지 못하고 개인적이고 이기적인 왜곡, 기만, 탐욕으로 치닫고 있으니 이즈음의 세상이 자꾸만 이상해져가고 있는 것은 아닐까 생각해 봅니다. '미명'은 자연의 원리이지요. 자연의 원리는 곧 하느님의 뜻이니 사실상 그러한 하느님의 뜻을 인간이 파악할 리가 만무할 것입니다. 하지만 분명한 것은 하느님께서 주신 모든 법칙은 곧 당신 자신을 위해 사용하는 것이 아니라 인간과 천지만물을 위해 사용하시기 때문에 그 자체로 '은총'이라고 말할 수 있지요. 그분께서 주시는 은총 덕분에 우리는 사도 바오로처럼 "우리가 지금은 거울에 비친 모습처럼 어렴풋이 보이지만 그때에는 얼굴과 얼굴을 마주 볼 것입니다.

내가 지금은 부분적으로 알지만 그때에는 하느님께서 나를 온전히 아시듯 나도 온전히 알게 될 것입니다."(1코린13,12)라고 고백할 수 있게 된 것이 아닐까 생각합니다.

지금 우리 사회는 강하고 굳세고 억센 것을 선호하고 있고 그러한 풍조가 만연되고 있습니다. 그러다보니 부드럽고 약한 부분은 변두리로 밀려나고 있답니다. 이러한 현상은 인간관계 안에서도 예외가 아니어서 연약하거나 박약해 보이거나 부드러워 보이면 곧 배척 당하고 무시 당하며 업신여김을 당하기 일쑤이지요. 하지만 노자는 오히려 그와 반대의 견해를 피력합니다.

실제로 노자의 『도덕경』 전반에 걸쳐 흐르는 기저의 내용은 곧 '부드러움', '암컷', '희미함', '물' 등등의 비교적 나약하고 변두리로 내몰려도 말 한마디 제대로 못할 것들이지요. 바로 이것을 노자는 '도'의 진면목, 본모습임을 강조합니다. 따라서 이러한 '도'를 따라 살아갈 것이냐 아니면 그와 등지면서 살아갈 것이냐 하는 것은 전적으로 사람에게 달려 있다는 것이 노자의 주장이 아닐까 싶습니다. 노자는 노래합니다.

부드럽고 약한 것이 굳세고 억센 것을 이겨내고(柔弱勝剛强),

물고기는 연못을 떠날 수 없지(魚不可脫於淵).

나라를 이롭게 하는 그릇을(國之利器)

다른 사람들에게 보여줄 수야 없지(不可以示人).

"부드럽고 약한 것이 굳세고 억센 것을 이겨낸다."는 것은 만고의 진리가 아닐까 싶습니다. 예수께서도 "나는 마음이 온유하고 겸손하니 내 멍에를 메고 나에게 배워라."(마태11,29)라고 하셨지요. 뿐만 아니라 예수께서는 복음서의 곳곳에서 '어린이', '십자가', '온유', '겸손', '낮아짐', '비움' 등등 수많은 단어들을 당신의 나라와 관련 지어 말씀하고 계십니다. 이 가운데 어쩌면 '물'이라는 단어가 이 모든 것을 포괄한 가장 적절한 단어가 아니겠습니까? 노자는 『도덕경』 8장 상선약수(上善若水)를 노래하면서 사람은 끊임없이 낮은 곳으로 흐르는 '겸손'을 지향하고, 또 가다가 막히면 돌아갈 줄 아는 '지혜'를 발휘하며 때로는 구정물까지 받아주는 '포용력'과 어떤 그릇에도 담기는 '융통성'을 가질 것을 요구합니다.

예수께서도 복음서 곳곳에서 '생명의 물'을 언급하시면서 특히 『니코데모와의 대화』(요한3장), 『사마리아 여인과의 대화』(요한4장) 등에서 당신이 바로 '생명의 물(생수)'이심을 강조하고 계시지요. 그렇기 때문에 자기 자신이 가지고 있는 장점들을 다른 사람에게 보여주기보다는 그것을 가지고 '공동의 선익'을 위해 보이지 않게 혹은 드러나지 않게 사용하는 것은 매우 지혜로운 일이겠지요? 이것이 바로 노자가 말한 마지막 부분의 문장 곧 "나라를 이롭게 하는 그릇을 다른 사람들에게 보여줄 수야 없지."라는 구절이 아닐까 싶습니다.

수녀님, 저는 지금 이 글을 적어 내려가는 동안 내내 하느님 품으로 돌아가서 영원한 안식을 누리고 계실 카리타스 수녀님을 그려봅니다. 그리고 동갑내기로서 앞서가신 카리타스 수녀님과 신앙 어린 참다운 우정을 보여 주셨던 데레사 수녀님의 마음을 헤아려봅니다. 부드러움은 굳세고 억센 그 모든 것을 이겨내고, 물은 세상의 모든 것을 다 담아내면서도 그 안에 자신을 담아두는 데도 주저하지 않지요. 곧 부드러움이 강한 것을 이긴다는 평범한 진리가 사람들이 사는 세상 안에 실현되기를 기도해 보는 시간입니다.

지금 우곡 골짜기에는 밤이면 소쩍새가 애절하게 울고, 낮이면 뻐꾹새가 강하게만 나아가려는 반성 없는 세상을 향해 피를 토하는 듯 울어댑니다. 메르스가 창궐하면서 이곳 우곡성지에 그나마 찾아오던 순례자들의 발걸음도 만나보기 힘든 요즘입니다. 적막마저 감도는 이곳에 그래도 새소리가 그나마 위안의 노래로 그치질 않으니 감사드릴 따름입니다.

어제는 만족할 만한 것은 아니지만 실로 오랜만에 비다운 비가 내려서 얼마나 하느님께 감사를 드렸는지요. 사실을 말씀드리자면, 하느님께서 하시지 않으시면 이 세상의 어떠한 일도 사람의 힘으로 해 낼 수 있는 일이 제대로 없다는 것을 뼈저리게 느낍니다. 수녀님, 또 유월이 가네요. 수녀원의 모든 수녀님들, 특히 데레사 수녀님께 꼭 안부 전해 주시길 부탁드립니다. 그럼 『도덕경』 37장에서 만나뵙도록 하겠습니다.

하느님 안에서 편안하게 쉴 수 있는 주일이 되시기를 기도합니다.

2015년 6월 21일 연중 제 12주일에

들콩

도는 언제나 함이 없으면서도 못해내는 일이 없지.
제후나 왕이 만일 그것을 지켜낼 수 있다면
만물은 저절로 교화되지.
교화되면서도 욕심이 일어나게 되면
나는 이름 할 수 없는 통나무로 그것을 억눌러버릴 거네.

이름 할 수 없는 통나무는 또한 욕심도 없지.
욕심을 내지 않고 고요해 질 수 있기 때문에
천하는 저절로 안정될 수 있다네.

| 37장 |

도는 언제나 무위하면서 못하는 일이 없지

수녀님, 칠월이 또 속절없이 갑니다. 지나간 시간들을 들여다보면 사람이나 뭇 생명 있는 것들이 살아나기에 무척 팍팍했던 나날들이 아니었나 싶습니다. 국민은 올바르고 지혜로운 통치자들과 지도자들을 만나지 못해 허덕이고, 농민들은 100년 만에 찾아왔다는 가뭄 때문에 애를 태워야 했고, 또 메르스(중동 호흡기 증후군)라는 국적 불명의 전염병 때문에 외출도 마음대로 할 수 없었지요. 다행스럽게도 메르스라는 전염병은 점차 잦아들고 있고, 잇달아 온 태풍 덕분에 생명 있는 것들은 오랜 만에 단비로 목을 축였지만 그래도 여전히 해결 안 되는 것은 나라의 지도자들의 잘못된 통치 방법으로 인해 민생이 도탄에 빠져 있고, 빈부의 격차가 심해 다시 반상의 품계가 뚜렷한 전제군주시대로 되돌아가는 것이 아닐까 의구심마저 느끼는 이즈음입니다. 하지만 그래도 이곳엔 여전히 새 울고 나뭇잎이 푸르러가며 또 계곡의 물소리가 시원하게 내립니다. 수녀님들을 한 번 뵈러 간다고 벼르고 있는데 좀처럼 틈이 나질 않습니다. 언젠가는 하느님께서 그 틈을 아주 충만하게 내려주실지 않을까 믿어 의심치 않습니다.

오늘 노자는 "도는 언제나 함이 없으면서도 못해내는 일이 없지." 라고 노래합니다. 그는 도의 항상성, 무한성, 무소불위의 능력 등을 이야기하고 있지요. 하지만 사람이 보고 판단하기에는, 도는 잘 보이지도 않을 뿐 아니라 아무것도 하지 않는 존재와 같은 것이지요. 예레미야 예언자는 일찍이 말하기를,

"어리석고 지각없는 백성아
제발 이 말을 들어라.
눈이 있어도 보지 못하고
귀가 있어도 듣지 못하는구나."(예레5,21)

또 이사야 예언자는 하느님께서 하신 일에 대하여 다음과 같이 노래합니다.

"그분께서 너희가 밭에 뿌린 씨앗을 위하여
비를 내리시니
밭에서 나는 곡식이
여물고 기름지리라."(이사30,23)

그렇지요. 지난 유월에는 하늘에서 한 방울의 비도 내리지 않으니 농민들의 가슴이 다 타들어가고, 또 저수지나 강바닥이 쩍쩍 갈라지는 모습을 우리는 지켜보아야만 했지요. 사람이 제가 잘나서 이루어지는 것은 사실상 이 세상에 아무것도 없답니다. 보이지 않는 하느님께서 사람이 자기 욕심에 가려 알아차리지 못하는 사이에 우리를 위하여 모든 것을 배려해 놓고 계셨지요. 아마도 노자 역시 그러한 '도의 역동성 혹은 운동' 곧 하느님의 '아무것도 함이 없으면서도 하지 않음이 없음(無爲而無不爲)'을 보았고, 또 어떠한 깨달음을 하느님의 활동하심 안에서 얻었는지도 모를 일입니다. 노자의 '도'는 곧 '하느님의 말씀'과 어쩌면 그렇게 쏙 빼닮았는지 모르겠습니다.

도는 언제나 함이 없으면서도 못해내는 일이 없지(道常無爲而無不爲).
제후나 왕이 만일 그것을 지켜낼 수 있다면(侯王若能守之)
만물은 저절로 교화되지(萬物將自化).
교화되면서도 욕심이 일어나게 되면(化而欲作)
나는 이름할 수 없는 통나무로 그것을 억눌러 버릴 거네(吾將鎭之以無名之樸).

노자가 말하는 '도'는 흔히들 '무위'와 동일시합니다. 이 '무위'는 또 '무친(無親)', '불인(不仁)', '불언(不言)', '무명(無明)', '무욕(無欲) 혹은 불욕(不欲)'등과 엄밀한 관계를 이루고 있지요. '무친'이란 친함이 없다 혹은 부모가 없다는 뜻으로 사람을 가깝게 대하지 않는다는 뜻이랍니다. 그러하기 때문에 '불인'하지요. '불인'은 사랑하지 않는다는 뜻이고, 따라서 직접적으로 '불언' 즉 말을 건네지 않으며 그저 어렴풋하게 사람들 눈에 비치는 곧 '무명'이고, 또한 사람들에게 아무것도 바라지 않는 '불욕'의 존재이기도 하답니다. 이점에서 하느님과 다른 뜻의 관념이라고 말할 수 있지 않을까 싶습니다.

'도'는 그래서 사람들이나 만물이 그것을 간직하게 되면 곧 교화될 수 있고, 마음 깊은 곳에서 일어나는 욕심마저도 제어할 수 있게 되는데 이렇게 '무위'와 '무욕'하는 '불가사의(不可思議)'한 존재가 되고, 노자는 그것을 '통나무'라고 말하지요. 하지만 성경 안에 드러난 하느님의 존재는 이와는 비슷한 듯하지만 다른 분이시지요.

"주님께서 사람을 흙에서 창조하시고
그를 다시 그곳으로 돌아가게 하셨다.
그분께서는 정해진 날수와 시간을 그들에게 주시고
땅위에 있는 것들을 다스릴 권한을 그들에게 주셨다.
그분께서는 당신 자신처럼 그들에게 힘을 입히시고
당신 모습으로 그들을 만드셨다.
그분께서는 모든 생물 안에 그들에 대한 두려움을 심어 놓으시고
그들을 들짐승과 날짐승의 주인이 되게 하셨다.

그들은 주님의 다섯 가지 능력을 사용할 수 있게 되었다.

덧붙여 그분께서는 여섯 번째로 그들에게 지성을 나누어 주시고

일곱 번째로 그분의 능력들을 해석할 수 있는 이성을 주셨다.

그분께서는 분별력과 혀와 눈을 주시고

귀와 마음을 주시어 깨닫게 하셨다.

그분께서는 지식과 이해력으로 그들을 충만하게 하시고

그들에게 선과 악을 보여 주셨다.

그분께서는 그들의 마음에 당신에 대한 경외심을 심어 주시어

당신의 위대한 업적을 보게 하시고,

그들이 당신의 놀라운 일들을 영원히 찬양하게 하셨다.

그분의 위대한 업적을 선포하기 위하여

그들은 그분의 거룩한 이름을 찬미하리라.

그분께서는 그들에게 지식을 주시고

생명의 율법을 그들에게 상속 재산으로 나누어 주시어

지금 살아있는 존재들이 죽을 몸임을 깨우쳐 주셨다.

그분께서는 그들과 영원한 계약을 맺으시고

당신의 판결을 그들에게 보여 주셨다.

그들의 눈은 그분의 위대하신 영광을 보고

그들의 귀는 그분의 영광스러운 소리를 들었다."(집회17,1-13)

이렇게 하여 노자가 말하는 '도'와 우리가 믿는 '하느님'의 관계는 전적으로 동일하다 말할 수 없으며, 오히려 '도'가 '말씀'이라면 말씀하시는 분은 곧 '하느님'이심을 고백하지 않을 수가 없게 됩니다.

그래서 〈요한복음서〉 작가가 다음과 같이 고백하였는지도 모르겠습니다.

"한 처음에 말씀이 계셨다.
말씀은 하느님과 함께 계셨는데
말씀은 하느님이셨다.
그분께서는 한 처음에 하느님과 함께 계셨다.
모든 것이 그분을 통하여 생겨났고
그분 없이 생겨난 것은 하나도 없다.
그분 안에 생명이 있었으니
그 생명은 사람들의 빛이었다.
그 빛이 어둠 속에서 비치고 있지만
어둠은 그를 깨닫지 못하였다."(요한1,1-5)

수녀님, 어떤 연구자에 따르면 원래 노자의 사상에는 '무불위'라는 관념이 없었다고 합니다.

'무불위' 관념보다는 오히려 '무위' 관념만이 있었다고 하는데, 통치자와 관련 지어서 후대에 누군가가 '무불위' 관념을 끼워 넣었다고 합니다. 하지만 역사적으로야 어찌 되었든 '도'는 '하는 것도 없으면서(무위)' '이루지 못하는 것이 없다(무불위)'는 의미가 매우 적절해 보이는 관념입니다.

다만 '도'를 바라보는 인간의 생각과 말과 행위가 그것에 미치지 못함이 안타까울 따름이지요. 그래서 노자도 "제후나 왕이 만일 그것을 지켜낼 수 있다면"이라고 전제하면서, 그렇게만 된다면 "인간을 포함한 세상의 모든 만물은 저절로 교화될 수밖에 없다"는 것입니다. '교화가 된다'는 것은 곧 모든 사사물물이 모두 도에 합치되어 도와 하나가 되는 것, 말하자면 그런 사람이 있다면 그가 바로 '성인'이라는 이야기입니다. 하지만 사람들은 자꾸만 자신을 남에게 내세우려 하고, 자신이 한 일을 자랑하고 뽐내려 하며 타인 앞에서 자신의 우월성을 적극적으로 드러내려 하기 때문에 세상은 언제나 불행 속에 허덕이고 있지 않나 싶습니다.

그렇기 때문에 노자는 애써서 '절제'를 말하지 않았나 싶습니다. "교화되면서도 욕심이 일어나게 되면 나는 이름할 수 없는 통나무로 그것을 억눌러 버릴 거네."

노자는 질서 혹은 체계를 질서 혹은 체계가 아닌 것으로 질서 잡고 체계화 하려고 시도한다고 볼 수 있습니다. 교화 된다는 것, 곧 도와 합치된다는 것은 '무위'하는 것이기 때문에 거기에는 일정한 방향으로 이끌어가는 욕망적인 교화란 사실상 존재하지 않습니다.

오히려 모든 가능성과 다양성이 열려져 있기 때문에 '통나무'같은 마음으로 그러한 욕망을 제어하고자 하는 것이 아니겠는지요? 만일 어떤 공동체가 '다양성 안에 일치', '일치 안에 다양성'이라는 삼위일체적인 하느님의 신비를 거부하거나 잃어버린다면 거기에 살아가는 구성원들은 숨이 막히고 답답해져서 결국에 질식하고 말게 될 것이 아닐까 생각합니다.

구성원 모두가 서로의 장단점을 이해하고 인정해 준다면 그 공동체는 그 자체로 건강해질 것이고, 건강해진다면 곧 하느님을 닮은 '사랑의 신비'의 삶을 충분히 살아갈 수 있을 것이라고 믿습니다. 이 또한 노자가 말하는 '도의 신비', 곧 자연의 원리대로 살아가는 삶과 거리가 그리 멀지 않습니다. 그리되면 세상에 이렇게 혹은 저렇게 살아가는 모든 사람들이 모두 '화이부동(和而不同)' [『논어』, 자로]하면서 '참 행복'(마태5, 3절 이하)의 삶을 영위할 수 있지 않을까 생각합니다.

이름할 수 없는 통나무는 또한 욕심도 없지(無名之樸. 夫亦將無欲).

욕심을 내지 않고 고요해질 수 있기 때문에(不欲以靜)

천하는 저절로 안정될 수 있다네(天下將自定).

수녀님, 확실히 노자의 '도'의 모습은 '하느님의 말씀'과 비교했을 때 무척 많이 닮아 있지요. 노자는 도의 행위를 '무위'라고 합니다.

'무위'는 '하는 일이 없다'는 것이 아니라 실제로는 저절로 그러함(자연)에 따라서 아무런 자취를 남기지 않는, 곧 일을 함에도 불구하고 인간의 눈에는 마치 아무 일도 하지 않는 것처럼 보이는 것을 의미하지요. 만일 사람이라면 자신의 한 일에 대해서 드러내놓고 자랑하거나 뽐내거나 자신의 공로로 돌리려고 무진 애를 쓰겠지만, 도의 행위는 오히려 도라는 존재가 실제로 있을까 할 정도로 자신을 드러내지 않고 천지만물이 생장하는 데 실질적인 역할을 주도한다는 것이랍니다. 만약 오늘날 이 사회 안에서 이른바 잘 나간다는 사람들의 삶이 이러하다면 세상은 얼마나 좋아지겠는지요?

수녀님, 노자의 『도덕경』은 '도경(道經)'과 '덕경(德經)' 두 부분으로 되어 있다는 게 일반적인 견해입니다. 따라서 1장부터 37장까지가 『도덕경』의 제1부인 '도경'에 해당한다고 보시면 될 것입니다.

그리고 다음 장인 38장부터 81장까지는 자연스럽게 제2부로서 '덕경'에 해당하는 것이지요. 노자의 『도덕경』은 일반적으로 '도'에서 '덕'으로 배열되어 있습니다. 하지만 그렇지 않은 판본도 있긴 합니다. 그러나 우리는 일반적인 순서를 따라가고 있기 때문에 그 배열이 '도'에서 '덕'이라는 것을 알고 있으면 될 것 같습니다. 이제 다음부터는 제2부 '덕경'이 시작됩니다. 우곡 골짜기의 녹음은 푸르다 못해 짙푸릅니다. 비가 올 듯하면서도 구름만 하늘에 잔뜩 낀 채 마른 장마가 계속

되고 있습니다.

이번 주말부터 팔월 중순까지 여러 본당의 아이들이 신앙캠프를 하러 이곳으로 오게 됩니다. 그러면 조용하던 이곳의 분위기는 아이들의 청아한 목소리들로 가득 차게 될 것이지요.

날씨가 무척 덥습니다. 라디오에서는 내일부터 며칠간 장맛비가 쏟아질 것이라 보도합니다만 내일 가봐야 알겠지요? 이 후텁지근한 날씨에 우리 수녀님들, 모두가 건강하시고 또 기쁘고 즐거운 하루하루를 보내시기를 기도합니다. 특별히 데레사 수녀님께 기쁜 나날을 보내시기를 기도한다고 전해 주십시오.

그러면 『도덕경』 38장에서 뵙도록 하겠습니다.

2015년 7월 22일 수요일 성녀 마리아 막달레나 축일에

으름덩굴

부드러움은 굳세고 억센 그 모든 것을 이겨내고,
물은 세상의 모든 것을 다 담아내면서도, 그 안에 자신을 담아두는데도
주저하지 않지요, 곧 부드러움이 강한 것을 이긴다는 평범한 진리가
사람들이 사는 세상안에 실현되기를 기도해 보는 시간입니다.